DES RIRES ET
UNE LARME

Michel FUGAIN

DES RIRES ET UNE LARME

© Éditions Michel Lafon, 2007
7-13, boulevard Paul-Émile-Victor - Île de la Jatte
92521 Neuilly-sur-Seine Cedex

www.michel-lafon.com

À mes enfants
À leurs enfants
et aux enfants de leurs enfants.

1

MA TERRE À MOI

Je suis originaire du quart sud-est de la France. Je suis du Sud.

Je suis de ce pays où l'accent hésite entre celui des montagnards et celui du Midi, et où l'on appelle le grand-père et la grand-mère pépé et mémé.

Né à Grenoble pendant la Seconde Guerre mondiale, en mai 1942, je suis une des preuves vivantes qu'au cœur de l'horreur, les jeunes gens qui s'aiment gardent intact leur espoir dans un monde meilleur et en paix.

J'ai grandi en Dauphiné, à Voreppe, puis à Grenoble, et en Savoie, à La Rochette, dans cette région de petites montagnes qui sont les contreforts des Alpes, et de grandes chaînes majestueuses dont les falaises abruptes surplombent la vallée de l'Isère.

Qu'on me pardonne cette approche géographico-géologique, mais tout homme vient de quelque part. Je me suis, d'ailleurs, toujours méfié de ceux qui oublient d'où ils viennent ou, pire, le cachent. Tout arbre a des racines, et toute racine une terre nourricière.

Ma terre à moi, ce furent mes grands-parents. Pépé et mémé pour mes grands-parents maternels, et pépé et mémé « de La Rochette » pour mes grands-parents paternels.

9

Les parents de ma mère, Mammine, s'appelaient Gaétan et Angèle Casali, Italiens immigrés venus de Romagne en 1905 et d'abord installés à Bar-le-Duc où Gaétan fut mineur de fond dans les mines de fer. Il a fallu que je grandisse pour réaliser que le « Barladouc », qu'il évoquait souvent dans ses soûlographies, était Bar-le-Duc. Chaque fois que je repasse par là je pense à mon pépé.

Gaétan Casali était un ex-costaud. Un de ces types dont on sent qu'ils devaient pouvoir, comme Jean Valjean, soulever une charrette ou un wagonnet retourné sur un de leurs compagnons de misère, ou tout simplement porter et livrer des sacs de charbon à longueur de journée. Ce qu'il fit après avoir emmené sa famille grandissante s'installer à Eybens, dans les environs de Grenoble. C'est là que je l'ai connu. Pas très grand, chauve à couronne blanche, un visage rond couperosé, des yeux bleus malicieux, le tout dégageant l'impression de sérénité du gars qui en a fini avec sa vie merdique et qui a bien mérité de s'asseoir, boire un canon et ne penser à rien en s'appuyant sur sa canne.

Angèle, née Alessi, mamma dans toute sa splendeur, était la véritable patronne de son homme et de sa nombreuse progéniture. Plus large que haute, cette petite bonne femme déformée par ses nombreuses grossesses avait un visage rond plein de bonté et deux petits yeux vifs en amande, qu'elle posait avec circonspection sur « tout' c'tes connéries », c'est-à-dire tout ce qui dépassait son entendement. Elle se dandinait dans la cuisine, son domaine, un tablier bleu la semaine et blanc certains dimanches recouvrant une mise simple et un corsage dont elle fermait l'échancrure par une broche en camée. Mémé ne vivait que pour ses petits-enfants et surtout pour ma sœur et moi. Plus tard, lorsque mon père s'installera à Voreppe, Gaétan et Angèle viendront vivre avec nous. Mémé sera notre nounou. Elle nous réveillera le matin pour aller à l'école, nous fera à manger, nous débarbouillera, et le soir, avant de nous mettre au lit, ô délice, nous frottera le dos de sa main râpeuse. Il n'y a guère que les devoirs qu'elle ne surveillera pas. Surtout les devoirs de français, langue avec laquelle elle s'est arrangée depuis son arrivée en France, plus pour se faire comprendre que pour l'apprendre. Elle n'a par exemple jamais dit « ils étaient » mais « ils sontaient ». Parfaite contraction entre présent et imparfait qui provoque encore chez moi un sourire attendri. Elle utilisait aussi des tournures de phrase comme « Qu'est-ce que tu cries pour faire ? » quand Gaétan essayait de marquer son autorité, sans y parvenir, d'ailleurs.

Bien plus tard, lorsque vers quatre-vingt-dix ans elle perdra la tête et ne reconnaîtra plus personne, mes parents la conduiront dans un « établissement spécialisé ». Je ne suis jamais allé la voir, ne supportant pas l'idée que ma mémé ne sache plus qui j'étais. Elle s'éteindra à quatre-vingt-quinze ans, avec un cancer du sein qui s'est déclaré trop tard pour être la cause de sa mort.

Gaétan et Angèle sont la terre italienne que j'ai à mes souliers. Je suis rital, à moitié.

Mes grands-parents de La Rochette s'appelaient Joseph et Marie. Ça ne s'invente pas.

Joseph, comme Gaétan, était chauve. Rien d'étonnant, donc, à ce que la descendance mâle de ces deux hommes soit dépourvue dès la cinquantaine de cet ornement capillaire dont tous les mâles de ma famille peuvent témoigner qu'en définitive, il ne sert à rien. Plutôt élancé, physiquement assez sec et très sympathique, Joseph Fugain, dit le Zé, affichait un vrai sens des relations publiques qu'il avait cultivé, je ne l'ai su que bien plus tard, dans tous les bistrots de ce coin de Savoie. Quand je l'ai connu il était receveur buraliste et son magasin se tenait au centre de La Rochette. J'ai donc grandi au milieu des paquets de tabac, de cigarettes, de bonbons, chewing-gums, réglisse, coco, nougats, entouré d'articles de mercerie et de « chemises américaines », sortes de combinaisons façon jersey que les femmes de la campagne portaient, en ces temps reculés, sous une robe ou un tablier. Même le gosse que j'étais se rendait compte que c'était très moche.

Autre point commun avec Gaétan, mon pépé de La Rochette avait une canne. Il boitait fortement à la suite d'une blessure « de la guerre de 14 », due à un bourrin mal embouché qui lui avait fracassé la jambe droite. Pas sur le champ de bataille. À l'écurie. Tous les matins, il enserrait sa jambe dans des attelles métalliques qui évitaient que l'arc de cercle que faisait son genou ne s'accentue. Cet appareil m'a fasciné longtemps. Et puis j'ai été en âge d'imiter la démarche du Zé, ce qui faisait beaucoup rire ma famille, y compris Joseph. La canne du Zé restera toujours pour moi l'arme absolue avec laquelle il assommait, avant de les écorcher, les lapins qu'on allait manger le lendemain, en civet avec de la polenta.

Les Fugain sont originaires de La Table, et plus exactement du lieu-dit « Les Fugains ». Ce hameau, constitué de quelques granges et fermes savoyardes dont certaines ont été aujourd'hui retapées par des citadins désireux de dormir au calme, est situé à flanc d'ubac, sur le coteau surplombant la vallée qui mène à Albertville. Il y a longtemps, un Fugain, plus aventureux ou plus frileux que les autres, a pris ses cliques et ses claques et a quitté le hameau pour descendre s'installer au soleil, au pied de Moraillan, la colline d'en face, à La Trinité. En patois savoyard : à Tarnteu. C'est là que Joseph Fugain, un vrai brave type, a vu le jour.

La première image marquante que je garde en tête c'est le Zé penché sur une grosse machine à tricoter, avec laquelle il fabriquait les fameuses chemises américaines, des pulls, des chaussettes, en vociférant « vingt milliards d'bon tchiu ! » chaque fois qu'il perdait une maille. Il travaillait tard dans la nuit et je m'endormais avec, en bruit de fond, le va-et-vient cliquetant du chariot de la machine. Sa mercerie s'appelait « La Tricoteuse des Alpes ». La tricoteuse était, en fait, un tricoteur. Un des drames de mon enfance fut d'avoir à porter certains des pulls qu'il fabriquait.

À ses côtés j'ai appris le jardin, les animaux, la campagne, la paysannerie. À La Rochette, pendant les deux mois de vacances que nous y passions chaque année, ma petite sœur Claude et moi, j'ai gardé les vaches, baratté la crème du lait pour en faire un beurre savoureux, et cueilli les feuilles de tabac que l'on enfilait sur des grandes aiguillées de corde et que l'on mettait à sécher dans la grange. Des vacances de rêve...

La Marie, ma mémé, était d'un tout autre genre. C'est sans doute son placement à douze ans comme bonne à tout faire « en maison bourgeoise » à Paris, rue de Tilsitt, qui a déterminé la force de son caractère. Entendez par là que ses rupins de patrons devaient être de tels connards qu'elle n'eut qu'une envie tout au long de sa vie : changer de condition. La vraie cheville ouvrière de la promotion sociale de la famille Fugain, c'est elle, ma mémé de La Rochette. Jeune et jolie fille de rien mais dotée d'un bon sens et d'une intelligence qui pouvaient faire d'elle la redoutable ennemie de celle ou celui qui lui avait cherché des poux, Marie Anselme, depuis son retour de Paris, a toujours fait preuve d'une constante ambition.

Pour réaliser cette ambition, il lui fallut trouver un homme. Ce fut Joseph, qui travaillait alors au P.L.A. – Pontcharra-La Rochette-Allevard –, la ligne de chemin de fer locale qui desservait ce coin de Savoie. Marie en fit un commerçant. Au passage, elle lui avait bien fait

13

comprendre que les canons et la fête, c'était fini. Ils ont bossé comme des mulets, eu et élevé des enfants, dont mon papa, et se sont petit à petit hissés au rang de gens respectés.

Pour que l'ascension soit complète, Marie força plus tard le Zé à potasser pour passer le concours de receveur buraliste. Le receveur buraliste était le bonhomme qui délivrait les laissez-passer pour la gnôle après l'alambic, et la poudre pour les mines, et qui percevait les taxes de certaines contributions indirectes. Un statut de quasi-notable dans la cambrousse de l'époque. Zé a réussi son concours et c'est la Marie qui en retirait la gloire. Claude, ma petite sœur, et moi en profitions car chaque année, à Pâques, les forains de ce qu'on appelle « la vogue » en Dauphiné, à qui notre grand-père devait délivrer une quittance, lui offraient des tickets de manège.

Les vacances de Pâques à La Rochette ressemblaient un peu à la période dépravée de Pinocchio. Les vacances d'été aussi, d'ailleurs. Copains, balades, cabanes, plus tard la piscine où nous avons tous appris à nager, papa-maman et touche-pipi avec les filles dont les culottes Petit-Bateau qui bâillaient, salies par la mousse et la poussière, étaient autant d'appels à la découverte. Des petits animaux de la campagne en totale liberté pour peu qu'on respecte la sacro-sainte règle de mémé : bien manger. Pas question de rater le goûter de quatre heures, café au lait, tartines, confiture et le must du must, une de ses spécialités, la crème de marrons dont elle remplissait une dizaine de pots chaque automne. En réponse à la question que la plupart du temps on n'ose pas me poser, c'est à La Rochette qu'à cinq ans, en faisant voler des avions en papier, je suis tombé d'un mur et me suis fait la cicatrice que je porte au front comme un trophée. La marque ineffaçable d'une enfance turbulente et comblée.

14

La Rochette, surplombé par son château peu digne d'intérêt, s'étale en pente douce le long d'un torrent, le Gelon. En amont, se trouve l'énorme usine des « Cartonneries de La Rochette » où bossaient et bossent encore beaucoup de Rochetois. Pépé possédait à côté de ce monstre un jardin, dit le « jardin de Fourbi », où il cultivait des légumes, du raisin, des pêchers, des poiriers, et des cognassiers dont les fruits avaient la particularité de nous filer des boutons. En réalité, une fois par semaine, l'air était empuanti par des dégazages de je ne sais quelles vapeurs dont les retombées sur les vergers alentour devaient être, j'en suis sûr, la cause de nos urticaires. Mais à cette époque-là, personne n'y trouvait à redire. À croire que le mot « pollution » n'existait pas encore.

Le directeur de ces cartonneries avait une épouse, et une famille. Pourquoi Marie Fugain, cette petite bonne femme de rien, est-elle entrée un jour en compétition avec ces gens-là ? Elle s'est dit qu'il n'y avait pas de raison que les enfants de riches soient les seuls à avoir accès aux études. Elle décida donc de travailler encore plus fort, de faire encore plus de sacrifices et d'envoyer elle aussi ses garçons au lycée Champollion de Grenoble. L'un, Pierre, mon père, sera médecin ; l'autre, Louis, professeur de lettres.

Joseph et Marie sont la terre paysanne dans laquelle je suis fier d'être implanté. Mes grands-parents, savoyards ou italiens, étaient des gens simples, honnêtes et courageux. Je continue de les aimer et leur image est suffisamment nette dans ma mémoire pour qu'elle ne se dissolve pas avant ma propre mort.

2

VOREPPE

Un portillon banal qui ouvre sur un pavillon au crépi grisâtre et ce nid d'oiseau dans la boîte à lettres. C'est mon premier souvenir conscient. Mes jeunes neurones avaient tout juste dû s'abouter la veille de notre arrivée à Voreppe, pour que je puisse avoir mon « Rosebud » à moi : un nid d'oiseau dans une boîte à lettres. C'est sans doute de là que me vient l'habitude de jeter un œil dans la plupart des boîtes à lettres dont je croise le destin, avec l'espoir d'y trouver un nid.

Sur celle de la maison où ma famille s'installait, on pouvait lire « Mr et Mme Venturino ». Bien que leur nom soit imprimé à jamais dans un coin de mon cerveau, je n'ai aucun souvenir de ces vieilles personnes qui devaient être de braves gens pour accueillir ainsi, pendant quelques mois, le nouveau jeune docteur venu s'installer dans le village, avec sa femme, son fils de cinq ans et sa petite sœur de trois ans sa cadette.

Allez savoir pourquoi et comment un cerveau débutant sélectionne les images qu'il retient ! Car, outre le nid d'oiseau, l'autre souvenir précis de cette maison Venturino, c'est le visage de ma mère, Mammine, au-dessus de moi. Je suis dans mon lit, je pleure ou plus exactement je chougne. Peut-être un peu de fièvre. Rien de grave. Mammine s'en va un instant, puis son visage se réinscrit dans le cadre et paf ! elle me file un aller-retour avec un gant de toilette mouillé d'eau froide et j'entends encore précisément : « Tiens ! Si tu ne le savais pas avant, maintenant tu sais pourquoi tu pleures ! » Croyez-le ou non, je garde ça comme une première leçon de la vie. D'ailleurs, ça a marché. Je me suis endormi.

Par la suite, j'ai veillé à ne pleurer qu'en sachant exactement pourquoi.

Mammine, Marie-Louise, Pierrote, Mickette, un mètre trente-cinq au garrot, ma petite maman est évidemment le premier amour de ma vie. Dernière-née d'une fratrie de neuf enfants, jolie fille de nature rieuse et coquette, elle a traversé la vie avec la ferme intention de ne jamais devenir adulte. Au côté de son homme, elle a frôlé les pires dangers, mais je ne pourrais pas affirmer qu'elle s'en soit véritablement rendu compte. Elle avait du soleil en elle. On se chauffait à cet astre-là. En réalité, je ne l'ai jamais vécue comme une maman, c'était Mammine. Tous mes amis l'appelleront Mammine et elle sera complice de toutes les conneries que nous allons perpétrer, les uns et les autres, pendant quelques décennies. Ma Mammine, tellement chevillée à mon corps qu'elle est toujours à dix centimètres de mon âme. Je n'ai pas à la voir. Elle est là. Depuis toujours... Et j'espère pour encore un peu de temps. Elle a aujourd'hui quatre-vingt-neuf ans. Elle est encore plus petite qu'elle ne l'était. Il lui arrive de tenir des propos qui lui auraient fait gifler quiconque les auraient proférés lorsqu'elle était jeune. Alors nous la chambrons, nous nous en amusons et elle, cabotine comme jamais, est heureuse de nous faire rire encore.

Nous sommes restés chez les Venturino le temps de retaper et de rendre présentable l'immense baraque au bas de la grand-rue qui allait devenir un de mes paradis.

Mon père, mon pap', Pierre Fugain, Pierrot, Mickey, dont je ne savais pas encore qu'il était un héros au sourire si doux, venait s'installer là comme médecin généraliste. Médecin de campagne. À Voreppe.

À quinze kilomètres de Grenoble en allant vers Lyon, après la descente du Chevalon, vous bifurquez à droite en direction de la Chartreuse. Vous montez cette longue côte assez raide, vous passez la Gachetière et vous arrivez à Voreppe, petit bourg dégoulinant sur le cône de déjection d'une montagnette, l'aiguille de Chalais, qui le surplombe fièrement et le met en valeur. Comme un présentoir.

À l'entrée du village, la route devient la grand-rue. La première maison à droite qui marque le début de la rue et du bourg, c'est là. Celle qui sera, à jamais, « ma » maison. Cette grande bâtisse du XVIIe siècle, appuyée aux remparts, était autrefois le poste de garde du château situé un peu plus haut. De cette fonction, il reste encore les traces de coups de hache des Autrichiens sur la porte d'entrée. Une très belle porte, lourde, massive, cloutée et bordeaux. Dans ma tête de môme, j'imaginais les Autrichiens, ivres de rage et assoiffés de sang, essayant de la fracasser, bien décidés à faire payer très cher la résistance des occupants en violant les femmes, pillant et massacrant tout le monde. Ils ont finalement pris la pâtée, et j'ai toujours pensé que cette porte, ma porte, était la cause de leur défaite. Bien fait !

J'ai encore pour cette grosse baraque une tendresse qui ne faiblit pas avec le temps. J'en connaissais tous les recoins. De la cave, où l'on entreposait la sciure de bois qui servait de combustible aux « poêles à sciure » – très économiques en ces temps d'après-guerre pour chauffer des grandes pièces – jusqu'au grenier, abri de nos jeux quand il pleuvait.

Au rez-de-chaussée, un grand hall qui desservait à droite le cabinet médical, un couloir qui menait à la salle d'attente, et sur la gauche, le cabinet de Pol Dullin, dentiste, dont j'apprendrai plus tard qu'il était un vrai pote de guerre et de réseau de mon toubib de père. Enfin, le secrétariat sur lequel régnait Mammine.

De ce hall, en face de l'entrée, partait l'escalier qui montait à l'étage. En haut à droite, dans l'aile arrière, l'appartement des grands-parents maternels qui nous servait souvent de refuge. On aimait y partager le casse-croûte de pépé – fait d'un hareng saur et de fenouil trempé dans le sel – pendant qu'il jouait aux cartes avec mémé. La « scoppa », un jeu italien avec des épées, des massues, et des rosaces. On riait beaucoup lorsqu'il abattait une carte en gueulant « Baston ! ».

À gauche, l'appartement familial. Une entrée ouvrant sur la cuisine, la salle à manger, un salon, et un couloir qui menait en enfilade aux chambres des parents et des gosses. De l'autre côté, donnant sur le parc du château, une salle de bains, et une autre pièce dont je n'ai pas un grand souvenir. Refaire dans ma tête d'adulte le tour du propriétaire me procure, je l'avoue, un sentiment qui ressemble à une joyeuse nostalgie.

Ajoutez aux six êtres humains qui habitaient là un chien et un chat. Il y en eut, successivement, plusieurs. Ulla et Blitz, tous deux bergers allemands, et une dynastie de Piteau. Piteau I, Piteau II et Piteau III, les chats. La question était : Pourquoi Piteau ? Parce que « chat Piteau ! » répondaient mes parents, fiers du jeu de mots. La guerre venait de se terminer, il n'y avait pas encore la télé et l'on riait encore de peu et de bon cœur.

En face de la maison partait la route qui menait à une place appelée « sous la ville ». Sur cette place en terre battue, où s'installaient chaque année la vogue et ses manèges, il y avait la salle des fêtes et, sous les platanes, un bistrot où s'installera un jour un certain Bonino. Cet homme avait une fille mignonne et lascive dont je serai tellement amoureux que j'en apprendrai l'accordéon, car elle adorait ça. Accordéon piano. Pas boutons. Trop difficile.

En contrebas de la place, sous des marronniers, s'étalaient les jeux de boules où, le dimanche, les hommes venaient se mesurer à la lyonnaise et s'arsouiller au pastis. Lorsqu'une équipe était « fanny », on sortait la plaque émaillée sur laquelle figurait une pin-up au sourire provocant qui soulevait sa jupette et montrait ses fesses que les battus devaient embrasser. Nous, les gosses, on aimait bien voir les hommes « baiser Fanny ».

Accolé aux jeux de boules se trouvait le jardin de Gaétan, mon pépé Casali. C'est là que j'ai découvert les doryphores sur les patates et les vers blancs qui, certaines années, donnaient des nuées de hannetons. C'est là que j'ai fumé mes premières et dernières immondes cigarettes à l'eucalyptus. C'est encore là que j'ai vu un canard courir après que mon grand-père lui eut coupé le cou. Ce jardin avait l'avantage d'être à la fois loin du monde pour s'y cacher dans la cabane à outils, et à trente mètres de la maison, pour le goûter.

Quelques décennies plus tard, je réalise, en évoquant nos jeux d'enfants, qu'on se cachait beaucoup. Dans le foin, dans les caves, les greniers, les granges. Dans tout le village, on allait de planque de l'un en planque de l'autre. On n'avait pourtant pas grand-chose à cacher, si ce n'étaient quelques jeux interdits avec les sauvageonnes que l'on connaissait depuis la maternelle. C'est peut-être ce goût de la clandestinité entre copains mâchurés et craspecs qui, avec le temps, nous laisse cette impression de liberté et d'enfance heureuse. On était des jeunes pousses en plein air. On avait besoin d'eau et de soleil. Il pleuvait de temps

21

en temps, sans doute, mais bizarrement je n'ai en tête que des images ensoleillées.

Mon jeune père était donc venu s'installer comme médecin généraliste dans ce patelin où il devait rester sept ans. J'en avais alors cinq. L'âge de la maternelle. L'âge de commencer ce cycle infernal que l'on appelle scolarité et qui consiste à se lever tôt, prendre un petit déjeuner encore endormi, partir vers l'école en ayant froid l'hiver et sans envie l'été, pour apprendre à lire, écrire et obéir.

Au début, c'est assez gai. On dessine, on découpe, on chante, on se déguise et on aime bien la maîtresse. Elle s'appelait madame Turc. Elle était douce et coiffée d'une œuvre d'art, torsades et chignon, très début du siècle dernier, qui devait lui prendre pas mal de temps le matin. J'ai vite profité de ce climat convivial pour tomber raide amoureux d'une blondinette dont les anglaises affolaient ma libido sub-naissante, Annick Prévitali, fille d'un maçon italien importé de peu. Notre « liaison » fut rapidement officialisée par nos familles, d'autant plus émues et amusées devant ce premier amour qu'elles n'avaient pas à redouter le pire. Notre passion ne résista pas à la séparation des filles et des garçons lors du passage à « la grande école », c'est-à-dire l'école primaire.

Mon pap' était communiste. Un jeune médecin communiste qui vient s'installer en 1947 dans un village de campagne frileux et traditionnellement calotin, ça ne passe pas inaperçu. Un renard dans le poulailler. D'autant que le Pierrot est un homme de conviction, une grande gueule et, à cette époque de sa vie, un tantinet enclin au prosélytisme.

Il était déjà communiste bien avant la guerre et c'est en tant que tel qu'il avait été embastillé, par les sbires de Pétain, au fort Barraux près de Pontcharra, à cinquante kilomètres de Grenoble. Il était alors étudiant en médecine et comme cette catégorie socioprofessionnelle ne courait pas les couloirs de prison, il fut bombardé grouillot médical. En tant que tel, il avait donc les clés de l'infirmerie. Autant pour l'ouvrir que pour s'y enfermer, le cas échéant. Le cas échut, et je peux m'enorgueillir d'avoir été conçu en prison lors d'une visite de ma mère. C'est grâce à ma naissance que Pierrot obtint une permission de sortie et à sa ruse celle de ne pas retourner en taule. Il avait appris que le chef de cabinet du préfet de l'Isère était, sous un pseudonyme, poète à ses heures perdues. Il se procura donc le dernier opus du poète en question, demanda audience à la préfecture et s'y présenta l'air de rien, le livre dépassant de sa poche. Le chef de cabinet vit le livre. Petite discussion littéraire. « Oui, j'aime la poésie et d'ailleurs j'ai là un recueil que je viens de découvrir. Magnifique. Grand poète... » Au bout du compte, le dir-cab du préfet a fait ce qu'il fallait pour le faire libérer sans flairer l'arnaque. Est-ce la vanité du poète qui a influencé la décision du haut fonctionnaire ? Quoi qu'il en soit, mon père était libre et le poète devait plus tard être un des grands auteurs de chansons de Gilbert Bécaud sous le nom de Louis Amade.

Je n'ai nullement l'intention de raconter ici la vie tumultueuse que mon père a vécue dans les années qui suivirent. Ce que j'en ai appris au fil du temps me conforte dans l'idée que la guerre, comme la révolution, peut être joyeuse. Les combattants sûrs de leur cause naviguent à vue entre la mort et les rires. Parce qu'ils sont jeunes, un peu inconscients, un peu barjos. Parce qu'ils sont en urgence et qu'il leur faut profiter de chaque instant. Parce que, face à l'inadmissible, on n'a pas d'autre choix que de rester debout, et un homme debout ça combat, ça boit, ça bouffe, ça baise et ça rigole. Et plus tard, bien plus tard, lorsque les esprits se sont calmés, l'idée même de la société qu'il défendait étant passée à la trappe depuis longtemps, la patrie reconnaissante a fait de mon père un commandeur de la Légion d'honneur.

Mon héros de pap' a vingt-huit ans en 1947. Il a pour lui d'être chaleureux, pas coincé comme la plupart de ses confrères, généralement fils de médecins, c'est-à-dire, à cette époque, des bourgeois souvent réacs. Son cabinet ne désemplit pas. En plus d'être un formidable diagnosticien, il tutoie. Tout le monde. Du plus humble au notable, y compris la femme du notable. Il devient très vite « Pierrot » ou « Mickey », de son nom de guerre « commandant Mickey », car tout cela est encore récent. Comme il ne faisait pas payer les plus pauvres et pas souvent les autres, je l'ai toujours connu raide ou pas loin de l'être. Heureusement pour lui, les femmes qui l'ont aimé, secondé, entouré, avaient suffisamment les pieds sur terre pour qu'il ait de quoi nourrir sa petite famille.

Les nonnes de la paroisse et les jeunes apprentis curés du séminaire choisirent de se faire soigner par ce docteur rouge vif qu'ils appelaient « le bon docteur Fugain ». Il a été un vrai médecin généraliste, disponible et ouvert aux autres, attentif aux drames que chaque maison cache derrière sa porte d'entrée et confesseur des pires turpitudes dont les gens de la campagne environnante étaient coutumiers. Il a toujours essayé de résoudre les problèmes. Maintes fois il a ramené à la maison des jeunes filles qu'il mettait à l'abri pendant quelque temps. Un vrai bon toubib à l'ancienne. Ayant hérité d'un certain nombre de ses travers, je sais au plus profond de moi que si j'avais poursuivi mes études de médecine, j'aurais fait un excellent généraliste. J'ai eu le bon exemple sous les yeux pendant toute ma jeunesse.

Très vite, donc, l'énergie de mon pap', sa grande gueule et son talent d'orateur font que Voreppe, ce village assoupi et peu porté à la sédition, rosit doucement et que la cellule qu'il a mise en place est de jour en jour plus active. J'ai moi-même fait partie de l'Union des jeunes communistes de France et vendu *L'Huma-Dimanche* sur la place. Sans grande conviction, je l'avoue. Surtout l'hiver. Comme tous les militants, je me suis goinfré de films soviétiques qui nous vantaient les joies du stakhanovisme et d'une agriculture qui produisait des courges grosses comme des carrosses, récoltées par des nuées de jolies filles à joues rondes avec des foulards blancs qui semblaient ravies de leur sort et chantaient sans arrêt, bien alignées. Je connaissais *Kalinka* par cœur. J'étais abonné à *Vaillant*, mais je me cachais pour lire *Spirou* ou, pire, *Tintin*.

De cette période, je retiens des départs précipités de mon père, vers huit heures du soir, et des claquements de portières. Le môme que j'étais ne comprenait pas très bien ce qui se passait. J'ai finalement appris, par des bribes de conversation des adultes, que des tractions noires bourrées de flics montaient de Grenoble pour casser du coco et surtout du Fugain. Le chef de ces « descentes » s'appelait Simoni : il est resté dans ma tête comme la quintessence de l'ordure puisqu'il voulait faire du mal à mon papa. Mais les vigies ont toujours prévenu à temps mon père, qui se tirait et qui revenait dans la soirée après, je suppose, en avoir profité pour faire ses visites à domicile. Je sais que, des années plus tard, il a fait payer le commissaire Simoni. Normal. Pierre Fugain n'avait pas cessé de grandir et Simoni, lui, était resté un imbécile.

Le 6 mars 1953, consternation générale. Joseph Staline vient de mourir. Tristesse, bien sûr, mais aussi début d'un changement. Pierre Fugain se sent plus concerné par la guerre du Viêt Nam et les problèmes sociaux que par les tomates de Géorgie.

Il y eut de grosses manifestations des ouvriers de La Viscose à Échirolles, dans la banlieue de Grenoble. Pierre Fugain était bien évidemment de la fête et lorsque les flics ont chargé il s'est fait matraquer et arrêter. Comme il était blessé à la tête, il demanda à être transporté à l'hôpital. Bien entendu, ses confrères de l'hosto doublèrent le volume du pansement et un de ses copains, photographe des *Allobroges*, le canard isérois de gauche, immortalisa en douce le tableau et publia la photo. On y voyait Pierre Fugain, « le grand résistant de la première heure, sauvagement frappé par les forces de l'ordre », avec sur la tête quelque chose qui ressemblait plus à un turban qu'au pansement que la plaie nécessitait réellement. Les flics sont passés pour des cons et des brutes. Il n'empêche que le bon docteur était bel et bien arrêté. Dès le lendemain, les murs de la région se couvrirent d'inscriptions « Libérez Fugain ». Certaines d'entre elles sont restées là des années. Je jure que ce genre d'événement forge le caractère d'un gosse de dix ans. Comment ne pas être fier d'un père qui se fait tabasser, encabaner, et dont tous les murs réclament qu'il soit relâché ? Bien sûr, les interventions au plus haut niveau régional, les bourres qui ont dû se faire remonter les bretelles ont abouti à sa libération au bout d'une semaine. Son retour à Voreppe fut une fête, les nonnes avec des fleurs dans les bras en tête du cortège. Mon pap' était content. Il avait fait chier l'ordre établi.

En vérité je vous le dis, cet homme dont j'ai le bonheur qu'il soit mon père est un profond humaniste, allergique à l'autorité arbitraire, à l'injustice, à la connerie infatuée, à la politique véreuse, à toute forme de fascisme, d'intégrisme de tout poil et à tout ce qui peut aliéner la liberté des hommes et des femmes. Il est mon meilleur ami.

Il a jeté aux orties son communisme lorsque les chars russes sont entrés à Budapest, mais il reste encore et restera, jusqu'à sa fin, attaché à des idées et des prises de position courageuses qui, en définitive, n'avaient pas besoin d'une idéologie pour s'exprimer.

Comme tous les enfants, mon territoire, mon terrain de jeu était délimité en cercles concentriques autour de la maison. Plus je grandissais, plus les cercles s'ajoutaient aux cercles.

Le premier périmètre sécurisé était le bas de la grand-rue, principale voie de circulation des voitures, des piétons, des infos et ragots du village.

D'abord, la pierre. En face de la porte, il y avait ce gros caillou qui marquait l'angle droit que faisaient la grand-rue et la rue qui allait sous la ville. Un gros morceau de granit beige dont la face supérieure, plane et lisse, était lustrée par des générations de pantalons de velours comme les paysans en portaient encore avec une grosse ceinture de flanelle. Sa situation stratégique faisait qu'on s'asseyait là pour bavarder, en étant sûr de ne rien rater des allées et venues. Juste en face du cabinet, ceux qui glandaient là pouvaient savoir qui était malade, être aux premières loges s'il y avait une urgence, et éventuellement tailler une bavette avec ceux qui attendaient leur tour chez le toubib. C'était le coin favori de Gnorgnon, le poivrot de Voreppe. Un gars trapu, la trogne rubiconde, l'œil délavé et le béret enfoncé sur sa tête ronde. Il portait à l'année un bleu de chauffe. Tout le monde savait qu'il avait fait les bat' d'Af', donc il était logique qu'il soit devenu une épave. Il était comateux assez tôt dans la journée et il lui arrivait de râler jusqu'à la nuit, affalé sur un trottoir. Cuit. Confit. C'est dans un état similaire qu'un jour d'été, Mammine le voit sur le caillou, mais... en compagnie de mon grand-père, guère plus frais. Elle sort aussitôt de la maison, engueule son père, engueule Gnorgnon. Pépé rentre, comme il peut, s'en faire remettre une couche par sa femme. Gnorgnon tente de se lever pour fuir le reproche vivant que représente à cet instant Mammine, qui l'accuse d'entraîner son père à picoler. Il tombe, ne cherche pas à se relever, et comme une tortue mise à l'envers, l'œil vitreux, il dit : « Attendons qu'le sirocco passe ! » Un éclat de rire général a salué l'esprit d'à propos du poivrot. Mammine n'a pas pu garder son sérieux. On a relevé Gnorgnon. Jusqu'au soir, il est resté couché sur le caillou tout chaud.

Preuve que les images d'enfance marquent l'homme à jamais, le Gnafron du théâtre de Guignol est et restera, pour moi, notre Gnorgnon de Voreppe.

Près de chez nous, il y avait un bistrot qui avait peut-être un autre nom mais qui restait pour tous « chez Simone ». Simone chez qui on entrait en étant sûr d'avoir notre grenadine qui nous laissait des moustaches rouges sur les babines. Simone qui, telle la Madelon, apportait l'été des boissons fraîches dans la salle d'attente pleine à craquer, prenant puis livrant les commandes par la fenêtre ouverte sur la rue. Tous les « patients » savaient que l'attente serait longue et souvent les hommes, à force de taper le carton en buvant des bières pour tuer le temps, laissaient passer leur tour.

Quasiment en face de chez Simone œuvrait un ébéniste de génie, Cestonaro, Achille Cestonaro dit Cesto, maître à bord d'un atelier bordélique grand ouvert sur la rue, qui sentait bon la colle toujours tenue en chaleur, le bois, et la sciure qu'il nous récupérait pour les poêles de la maison. Cesto avait tous les attributs du menuisier, c'est-à-dire des doigts en moins, le crayon plat coincé entre l'oreille et le béret, un vilain mégot souvent éteint, jauni et mouillé, et de la sciure plein les sourcils. Brave mec, chiant, gueulard,

28

mais le cœur sur sa main incomplète. En voilà un que la proximité de Simone arrangeait bien. Il n'avait qu'à traverser la rue pour aller boire un canon. La sciure de bois, ça donne soif, c'est bien connu.

Il était très copain avec Pol Dullin, le dentiste dont le cabinet faisait face à celui de mon père. Compagnon de guerre de mon pap' au sein du réseau Reims-Coty, Pol est parisien, d'origine plutôt bourge façon Auteuil-Passy. Il est l'illustration même de l'engagement qui ne se discute pas, quels que soient les risques encourus. Il s'est donc retrouvé à Grenoble dans la clandestinité, et c'est sur ordre de Londres qu'il a quitté notre ville pour traverser la France occupée, un émetteur dans son sac à dos, afin d'aller poser les bases du mur de l'Atlantique et communiquer aux Alliés les positions ennemies en vue d'un éventuel débarquement. Mission ultra dangereuse. Ce petit bonhomme, fin de corps et d'esprit, au flegme et à l'humour très british, dont on ne pouvait pas supposer en le voyant qu'il fût animé d'un tel courage, est un pur héros de la Seconde Guerre mondiale. Il fut d'ailleurs, à la fin de ce conflit monstrueux, abondamment décoré des plus hautes distinctions anglaises. Sans nouvelles depuis longtemps, tous ses compagnons, dont mon père, pensaient l'avoir perdu. Quelque temps plus tard, alors que le pays s'ébrouait pour sortir du cauchemar, il réapparut. Bien vivant. Dans l'euphorie générale, mon père lui proposa de s'installer avec lui. Pol accepta et ce fut le début d'une belle tranche de leur vie. L'amitié que Pol et mon père se portaient ne s'est jamais démentie. Elle dure encore et c'est toujours avec émotion que je vois ces deux anciens, qui ont une fois pour toutes choisi d'être des hommes libres, parler du présent et de l'avenir sans jamais se faire mousser avec leur passé glorieux.

Pol était un fou de moto et d'engins motorisés en tout genre. Java et Norton étaient ses favorites. Volontiers facétieux, il arriva même à convaincre ma mémé de monter derrière lui. À soixante-quinze ans.

Un jour, il décida de passer son brevet de pilote d'avion. Et c'est là que son copain Cesto, l'ébéniste, se mit en tête de lui en fabriquer un. Dans un de ses hangars commença alors la fabrication d'un Jodel. Passionnés au début, on s'est vite lassés d'attendre la fin de ce chantier. Construire un monomoteur en dehors des heures de boulot, c'est très long. J'ai su, il y a peu de temps, qu'une fois terminé, le Jodel avait été vendu et qu'il avait très mal fini sa carrière d'avion. Au sol. En miettes.

Achille Cestonaro pouvait se montrer très coléreux. La plus grosse colère que je lui ai vu piquer est due à Blitz, notre berger allemand, qui, sans aucune pudeur ni vergogne, déflora un jour vigoureusement sa chienne cocker au milieu de la rue, devant la maison. Les deux chiens, collés et affolés par les éclats de rire de ces cons d'humains qui ne respectaient pas leur intimité, étaient cul à cul et dans l'impossibilité de se sortir seuls de cette pénible affaire. Ma mère alla donc chercher un seau d'eau froide qui, bien balancé et au bon endroit, s'avéra fort efficace. Mais le bruit fait autour de tout ça fit sortir de son atelier le Cesto qui devint aussi fou que si c'était sa propre fille qui s'était fait attraper au coin d'un bois. Il a vécu ça comme un viol et il a fallu pas mal de verres de rouge pour lui faire oublier l'incident. Les mômes que nous étions venaient de vivre une grande leçon de choses...

Un peu plus loin en montant et du même côté de la rue, Dédé Grabit. Dans une sorte de magasin, puisqu'il y avait une vitrine. Dédé était un grand estropié. À part le torse et les bras qu'il avait costauds, le reste était, de naissance, complètement mort, atrophié. Il trimbalait la charge inutile que représentaient ses jambes de vingt centimètres appuyé sur des petites béquilles, en balançant le tout d'arrière en avant. Assis sur une chaise sur laquelle il avait empilé des couvertures pour être à la hauteur de son établi et ne pas avoir mal aux fesses, Dédé, le béret vissé sur la tête, pointe bien faite sur le devant, fondait du plomb et le moulait pour faire de petites pièces de machines à tisser. Chez lui aussi ça sentait le chaud. Le plomb était toujours en fusion sur un réchaud. Le plomb fondu, c'est comme le mercure. C'est beau et on a envie de plonger les doigts dedans. Il était malin, Dédé Grabit ! Il s'était fabriqué lui-même un engin à trois roues. Le guidon d'une grosse moto devant, un gros moteur dessous, et un arrière large, à deux roues, qui lui permettait de transporter du matériel. Je le revois balancer ses béquilles dans ce coffre et se hisser à la force des bras sur le siège avec une aisance animale, ranger ses jambes mortes devant lui et mettre en marche. Bruit d'enfer. Et là, Dédé n'avait plus de handicap. Il devenait le cow-boy qu'il cachait dans sa tête. Moi, j'adorais ce monstre sur lequel il m'emmenait fréquemment, sans trop s'en vanter auprès de Mammine qui lui aurait copieusement remonté les bretelles. J'ai appris, par la suite, qu'il était tombé gravement malade du saturnisme, une saloperie due au plomb qu'il avait respiré toute sa vie. C'est mon père qui s'est battu avec l'entreprise pour laquelle il travaillait afin qu'il obtienne une pension d'invalidité. Vraisemblablement, une des premières qui fut allouée pour ce type de maladie professionnelle. Dédé lui en fut reconnaissant jusqu'à la fin de ses jours. Sans cette pension, il serait, sans doute, mort de faim bien avant.

Attenant à l'atelier de Dédé Grabit, la quincaillerie-droguerie de monsieur Vial. Un bric-à-brac merveilleux pour un enfant. Une grotte d'Ali Baba. Des bassines, des arrosoirs en zinc, des sulfateuses, des outils en tout genre, des cordes, de grands meubles sombres plein de tiroirs, des clous, des vis, de la potasse, du sulfate de cuivre, des produits de ménage... et une odeur chimique, industrielle, forte, presque solide, résultant de ce mélange hétéroclite, que je cherche encore à retrouver lorsque j'entre dans ce genre de boutique. J'ai le souvenir d'un monsieur Vial très gentil, aimant les enfants et les laissant volontiers fureter dans sa boutique. Un jour, en plein après-midi, mon père a quitté en urgence son cabinet. Il se passait donc quelque chose de grave. Quand il est revenu, le visage sombre, je l'ai entendu expliquer à Mammine qu'il y en avait partout sur les murs. Il parlait de la cervelle de monsieur Vial qui venait de se faire sauter la tête avec son fusil de chasse. Personne n'a jamais su pourquoi.

Face à la droguerie Vial, encore un bistrot. Sombre, pas très engageant, peu fréquenté, le bar de « la mère Jars », grande et grosse bonne femme qui aurait été crédible dans le rôle de la Thénardier des *Misérables*. Elle avait deux filles. Je dois à l'aînée, Arlette, d'avoir vu pour la première fois une zézette. Un coussinet lisse et moelleux fendu d'un sourire vertical et, lorsqu'elle écarta les jambes, un délicat plissé de dentelle de chair rosée. Le regard provocateur d'Arlette épiait mes réactions devant ce qu'elle savait être, par intuition ou prescience femelle, un bijou. Fasciné et sans trop savoir qu'en faire, je pressentais que ce machin-là recelait des pouvoirs plus ou moins magiques. Merci Arlette de m'avoir donné à vivre ce moment de trouble inoubliable, dans la pénombre du hangar derrière chez toi, au milieu des caisses de bouteilles vides, des charrettes et des sacs de pommes de terre, ta petite culotte sale abandonnée sur la terre battue. Nous avions huit ans. Plus tard j'apprendrai que je n'avais vu, ce jour-là, que la partie visible de l'iceberg. Sans le savoir, je venais également de franchir la limite du premier cercle.

À partir de là, la grand-rue devenait le chemin de l'école, que je faisais à pied par tous les temps. J'en connaissais toutes les vitrines. La charcuterie avec une tête de veau blanchâtre, la langue pendante et du persil dans les naseaux ; Pazutti, un autre bistrot en face du château ; Ray le coiffeur, la pharmacie, le marchand de journaux et le bazar plein de jouets devant lequel je traînais en période de Noël. Tout en haut de la rue, la place des cars qui enjambe la Roize, grand carrefour d'où partent la route de la Chartreuse, la rue qui descend vers le séminaire, celle qui monte au cimetière et à Chalais, puis, en face, celle qui plonge vers la route de Lyon. Là, sur la droite, se trouve encore l'école primaire.

Le maître, monsieur Turc, était le mari de la maîtresse de la maternelle. Instituteur bien de son époque, blouse gris foncé, raide comme un coup de trique, assez mince, cheveux courts bien peignés et raccords avec le chignon de sa femme, socialiste et hussard de la république. C'est peut-être bien à cause de lui que d'emblée je n'ai pas aimé l'école. Ce fut un plaisir de l'oublier lorsque mon père décida de m'envoyer en septième, l'équivalent du CM2, au lycée Champollion de Grenoble.

Certains dimanches, mémé troquait son tablier bleu contre un blanc. Chez nous, l'office dominical ce n'était pas la messe mais les pâtes. Mémé sortait la planche lisse blanchie par la farine et le grand rouleau de buis que lui avait tourné Cesto, qu'elle tenait soigneusement cachés à l'abri de la poussière. Des œufs, de la farine, de l'eau et du sel. Une fois son matos installé sur la table de la cuisine, le rituel commençait. Mémé mélangeait le tout et elle commençait à pétrir à la main, d'abord du bout des doigts, avec un savoir-faire que, l'air de rien, lui enviaient ses filles qui papotaient autour de la cafetière chaude embaumant la cuisine comme dans n'importe quelle maison italienne. La pâte, c'était son truc, à Angèle. Elle savait que, sur ce terrain, elle était la plus forte. Au début c'est gluant. Le blanc, le jaune des œufs et la farine mettent du temps à s'agglutiner et à changer d'état. Puis avec l'eau, ça prend forme. Et petit à petit ça devient pâteux. Quelques malaxages, triturations, étirements et pliures savantes plus tard, la grosse boule de pâte fraîche trône au centre de la planche. Mémé se lave alors les mains et se munit de son arme de précision : le rouleau. C'est le début du combat. Le rouleau va et vient, pousse, repousse, aplatit la pâte, que mémé saupoudre de temps en temps, telle la semeuse, de farine pour que ça ne colle pas. Les mains et les bras d'Angèle manient l'outil avec une dextérité qui confine au grand art. L'enjeu est de taille. La boule doit devenir une fine nappe ronde qui va même dépasser les limites de la planche. Étirer, laminer ne sont pas de vains mots pour traduire ce travail, à la fois de force et d'adresse.

J'ai essayé, plus tard, pour frimer devant mes amis, de répéter les gestes de ma mémé. Fiasco total. Ma boule était minable et ce qui aurait dû être une belle nappe de pâte n'a pas dépassé le stade de la galette, épaisse, trouée, ridicule. Nul. Indigne d'Angèle.

Lorsque la pâte était bien étalée, mémé pouvait la rouler et la couper en fines tranches qui, une fois brassées, se révélaient être des tagliatelle (qu'elle appelait lasagnes), ou la diviser en carrés pour obtenir des capelletti farcis de viande et mijotés dans un bouillon de poule. Elle confectionnait aussi des tortelli, des rectangles dont elle rabattait une partie sur une préparation de blettes et autres légumes, qu'on l'aidait à fermer à la fourchette pour décorer la bordure. Après les avoir fait bouillir, elle les litait enfin dans de gros saladiers, chaque couche étant arrosée d'une bolognaise maison. J'en salive encore.

Nous, la marmaille, Claude ma petite sœur, Yvan – que j'appelais « Ziouze » – et Jeannot, mes cousins, Ginette et Odette mes cousines, et moi, on volait sur la planche des bouts de pâte pas cuite. Papillonnant dans les jupes de nos mères, on riait, on déconnait. On aimait la fête. À l'heure du repas, on était blancs de farine.

Souvent, le jeudi et le dimanche, mes cousins et cousines « montaient » à Voreppe, en car, accompagnés de leurs mères, les sœurs de Mammine. Les garçons étaient les fils d'Irma et les filles de l'aînée, Thérèse. Ces deux taties ont été mes deuxièmes mamans. Il y a, dans les familles ritales, un côté tribal qui fait que les enfants appartiennent un peu à toutes les femmes de la maisonnée. J'ai bien aimé ça. J'ai su que, tout petit, je n'avais jamais raté l'occasion de peloter mes tantes que ça faisait beaucoup rire. J'ai toujours été attiré par les seins des femmes.

Dès qu'ils arrivaient, s'il faisait beau, on s'éparpillait dans la nature pour rejoindre dans nos planques favorites nos copains et des filles dont j'ai été amoureux – Annie Faravel, la fille du notaire, Micaud Veyzin, fille du marchand de charbon – et ne réapparaître qu'à l'heure du goûter. Nos potes les plus proches étaient les Chalouin, deux fils de charpentier qui habitaient la place dite sous la ville. L'été, on allait se baigner dans la Roize, un peu en amont du village. C'est là qu'un jour l'aîné des Chalouin nous a montré comment on se branlait. Ou plutôt, comment faisait le grand qui le lui avait montré. On n'a pas bien compris à quoi ça servait puisqu'il ne s'est rien passé. À l'issue de ce cours de travaux pratiques, on est restés sceptiques et la baignade a continué. Ce n'était pas encore nos petites zigounettes qui nous intéressaient mais les fesses rebondies de nos copines dans leurs vilains maillots de laine d'après-guerre qui pendouillaient dès qu'ils étaient mouillés. Une autre fois, Chalouin a fait très fort. Il est tombé de la fenêtre du deuxième étage de son immeuble sur les fils du téléphone qui l'ont projeté dans la pièce du dessous. Que dalle. Indemne. Mais on a tous pensé que, comme quand il se branlait ça ne marchait pas et que quand il était à la fenêtre il tombait, il était un petit peu con quand même.

De tous les gosses que j'ai connus dans ce village, un seul n'a jamais fait partie de ma bande. Il était le fils d'un gendarme. Il l'est devenu également. Et même capitaine de gendarmerie, GIGN et un peu espion sur les bords. Il s'appelait Barril. Paul Barril. Je devais sentir que ce garçon allait mal tourner.

Toutes les saisons sont belles pour des gosses heureux de la campagne. Toutes les images aussi. L'été et l'eau fraîche. Le printemps, les premières chaleurs et les mamans pimpantes. L'hiver et la neige, les jeux, la luge, les joues rouges et le chocolat chaud de quatre heures. Et même l'automne, la couleur des feuilles rousses des marronniers et les marrons qu'on évidait pour faire des pipes avec un petit bout de bois. On vivait aussi bien entre nous qu'au milieu des adultes. On se sentait protégés. La grande maison était toujours pleine de monde. Les journées se terminaient souvent par une bouffe de mon père avec ses copains. Mammine et les femmes passaient aux fourneaux pendant que ça parlait politique, ça gueulait, ça brassait, ça se fendait la gueule. Les potes de mon pap' étaient tous des prolos. Ils bossaient dans les grandes boîtes comme Merlin Gerin, dit « Mer-Ger », Neyrpic ou Neyret Béliet. Ils aimaient les gosses parce qu'ils étaient l'avenir dont ils rêvaient et pour lequel ils n'hésitaient pas à faire le coup de poing. 1936 et le Front populaire n'étaient pas encore un lointain souvenir. Ces hommes étaient solides, rassurants. Sachant maintenant que leur rêve de progrès s'est transformé en cauchemar pour leurs petits-enfants, j'ai pour eux une infinie tendresse.

Voreppe

De nombreuses années plus tard, les interviewers mettront l'accent sur ma propension à travailler et vivre en meute. Comme si c'était une maladie honteuse. C'est de Voreppe, sa faune, sa flore, et de la grande maison que je tiens cette tare suspecte.

– 3 –

LES GRANDES VACANCES

Notre mercredi à nous était le jeudi et les vacances portaient encore des noms de fêtes catholiques. Noël, Pâques, Toussaint. Et puis il y avait les grandes vacances. Elles duraient trois mois. C'était long. C'était bon.

En juillet, nos parents nous envoyaient, ma sœur et moi, chez nos grands-parents à La Rochette. C'était pratique et ça ne coûtait rien. D'année en année, on retrouvait les copains, les copines, la piscine, la campagne, les étables et l'odeur du fumier. Les joues rebondies et en pleine forme, on ne rentrait à Voreppe que pour repartir avec nos parents qui fermaient le cabinet les quatre semaines d'août.

J'ai des souvenirs d'Italie où nous sommes allés à Talamello, le village d'origine des Casali, situé entre Rimini sur l'Adriatique et la république de Saint-Marin. L'année suivante mon père acheta sa première caravane qu'on appela « la remorque ». Il l'étrenna en nous emmenant au Pays basque. Là-bas, il a tellement plu qu'au bout d'une semaine, nos parents en ont eu marre et ont décidé de fuir vers le soleil de la Méditerranée. C'est comme ça qu'on a découvert Vallauris.

Hasard ou pas, mon père a retrouvé là son pote Gavotto qu'il avait connu à Barraux, enfermé lui aussi par Pétain. Il a donc installé la remorque près de sa maison, au milieu des orangers qu'il cultivait. Hasard ou pas, Vallauris-

Golfe-Juan était alors une municipalité communiste et mon pap' s'y est senti comme un poisson dans l'eau. Plus question de bouger. Claude, Mammine et moi passions nos journées à la plage pendant que pap' se forgeait une réputation de mec bien et s'intégrait à la population locale.

C'est sur la plage de Golfe-Juan qu'un jour, vers onze heures du matin, j'ai reçu en plein cœur mon premier coup de foudre.

Un ange est sorti de la superbe villa, décorée de palmiers, dont le portail donnait sur la route du bord de mer. Elle avait sensiblement le même âge que moi. Neuf ans. Elle avait de longs cheveux lisses et blonds et était tout simplement jolie. Elle portait un bikini bleu turquoise qui moulait ses fesses rondes. Sa peau était dorée et je pouvais imaginer le duvet de ses bras blondi par le soleil et la mer. Un chow-chow à crinière léonine la suivait, qui ajoutait encore à l'aspect quasi mythologique de l'apparition. Un grand type l'accompagnait, portant des skis nautiques. Son père, peut-être, mais il n'y avait pas de marque de tendresse entre eux. À quelques mètres du bord, un Riva attendait. Elle chaussa les skis. Le Riva avança doucement pour raidir la corde puis démarra et mon ange glissa hors de l'eau et fila vers le large, comme une petite déesse marine portée par une belle vague triangulaire. Je suis resté là, les pieds dans l'eau, sonné, un peu triste. Amoureux pour la vie d'une image que je n'ai jamais oubliée.

Personne n'a rien vu, rien su. Même Mammine. C'était à moi. Qu'à moi. Je l'ai revue presque tous les matins. Je l'attendais. Je la dévorais des yeux dans ses maillots de bain chaque jour différents. J'aurais aimé la toucher, la caresser, lécher sa peau pain d'épice et salée. Je me serais même contenté de parler, de jouer avec son chien, ou à ses jeux de fille, et un peu au docteur aussi. Mais elle traversait la plage, sans même un regard pour les pauvres aoûtiens, misérables mortels luisants d'ambre solaire, qui lézardaient au soleil sur un patchwork hétéroclite de rabanes et de serviettes imprimées de coquillages et d'étoiles de mer. Elle était d'un autre monde.

C'est la première fois que j'ai eu conscience du fossé qui sépare les riches des autres. Les riches ont des bateaux, font du ski nautique, ont des chiens rares et beaucoup de maillots de bain, sont beaux, se reproduisent entre eux et ont de beaux enfants. Les années m'ont, bien sûr, conduit à sérieusement nuancer ces préjugés. Mon amour muet resta secret. J'ai souvent essayé d'imaginer sa vie et celle de sa famille friquée qui venait dans sa résidence d'été de la Côte d'Azur. Lorsque j'ai commencé à gagner des sous, l'idée d'acheter une villa comme celle-là m'a effleuré mais j'ai réalisé que, finalement, c'était l'image de mon ange blond qui me hantait et non pas celle de la maison. Qu'est devenue cette petite fille ? Aujourd'hui sexagénaire, elle ne sait pas qu'un homme garde précieusement au fond de sa mémoire le souvenir précis et toujours enamouré de ce qu'elle fut. À neuf ans.

Après la plage et les baignades, on remontait à Vallauris.

Vallauris était un village de potiers. Je dis « était » car ceux qui y passent aujourd'hui et qui en repartent avec un pot, un service à thé, à café, une « œuvre d'art », en gros une horreur payée trop cher dont la seule utilité sera de ramasser la poussière au fond d'un placard peuvent en témoigner : Vallauris n'est plus ce qu'il était.

Dans la grande rue qui monte et traverse le village, Marie Caléca, jeune femme de François Caléca, tenait une petite boutique qui était notre point de ralliement. Marie, toute en rondeur et douceur méridionale, avait de grands yeux clairs et un sourire permanent. François était potier et tournait lui-même les poteries qu'il vendait. J'adorais traîner dans sa « fabrique » et le regarder tourner, assis sur une planche inclinée, plus calé qu'assis d'ailleurs, la jambe gauche appuyée pour être en équilibre. De la jambe droite il lançait l'épaisse roue de bois qui, tournant à pleine vitesse, entraînait le disque de fonte placé devant lui. Puis il prenait une boule de terre qu'il avait préparée et la jetait au centre du disque. Là, il commençait à faire l'amour à l'argile, montant, petit à petit, la terre qu'il mouillait de temps en temps pour la rendre plus docile. C'était magique. J'étais fasciné par la dextérité et la délicatesse de ses grandes mains, à la fois puissantes et habiles. D'un bloc de glaise informe il faisait un pot élancé qu'il lissait et dont il ourlait le bord de ses doigts d'orfèvre. S'il décidait d'y mettre une anse, il façonnait un rouleau de terre qu'il adaptait et collait avec de la barbotine, une sorte de boue d'argile. Je pouvais rester là des heures entières. Puis, les pots séchaient quelques jours et François les passait au four. Une fois les poteries cuites, il les décorait avec des vilaines couleurs qui, après cuisson, et à mon grand étonnement, se révélaient de chatoyants vernis.

Rêvant de faire ce métier, j'ai bien sûr essayé de reproduire les gestes de François Caléca. Pas facile. Il faut d'abord centrer la boule. Difficulté suprême qui conditionne toute la suite et que je n'ai jamais vraiment surmontée. Mes œuvres n'ont pas dépassé le stade du cendrier, que François, en rigolant, faisait quand même cuire dans un coin de son four. Je ne suis donc pas devenu potier. En revanche, c'est sans doute à Vallauris que j'ai appris l'amour de la terre, de l'argile, ce matériau originel et complice des créations de l'homme depuis qu'il est sapiens.

Il n'y a pas de hasard. Il y a quelques années, pour « m'amuser », j'ai commencé à sculpter. Ce divertissement a vite tourné à la passion. J'ai éprouvé les mêmes émotions qu'en faisant de la musique, cet état de transe qui vous met en sueur, même s'il fait froid, lorsque la terre se mue, peu à peu, de rien en quelque chose qui ressemble à l'âme, de même qu'une mélodie se fait jour, venant de nulle part, et s'impose comme une évidence.

Dans le village pagnolesque qu'était Vallauris en ce début des années cinquante se côtoyaient artisans et artistes, prolos et acteurs de cinéma. On rencontrait la fine fleur intello-parisienne attirée par la présence de Picasso, Cocteau qui venait de terminer la décoration de la chapelle de Villefranche, ou encore de Jean Marais qui résidait à Grasse. Montand et Signoret, quant à eux, venaient de s'installer à Saint-Paul-de-Vence. Tous ces « people » marchaient, j'en souris encore, dans des espadrilles lacées jusqu'au mollet, façon spartiates, et, du haut de mes neuf ou dix ans, je trouvais ça totalement ringard. Ils ne bronzaient pas, portaient des chapeaux ridicules pour se protéger du soleil et, si loin de leurs ports d'attache qu'étaient Le Flore ou Les Deux Magots, donnaient toujours l'impression d'être un peu en Afrique.

Picasso, il est vrai, tenait une grande place à Vallauris. À la fois respecté et considéré comme un peu barjo. On se racontait de boutique en boutique les illuminations du maître. La selle de vélo, par exemple, qu'il a trouvée dans une poubelle pour en faire une tête de chèvre a fait couler beaucoup de salive. Mais on aimait l'homme et, ce qui ne gâtait rien, le fait qu'il habite et travaille ici était bon pour le commerce. Il était communiste, ne cachait pas ses idées, et sa *Colombe de la paix* était devenue une sorte d'emblème du village. Chaque fois que je passe à Vallauris, je vais me recueillir, avec toujours autant d'émotion, devant *L'Homme au mouton*, cadeau du sculpteur à la ville, petit bonhomme en bronze portant avec courage son ovidé au milieu des cars de touristes, des bagnoles et des sacs à dos qui passent sans le remarquer.

Mes parents louaient le premier étage d'une petite maison, en face de celle, immense, de Picasso. Au rez-de-chaussée habitaient ou plutôt étaient gardés les tout jeunes

enfants du peintre, Claude et Paloma. Quand mon pap'
disparaissait, c'était souvent pour aller retrouver son pote
Paul, le fils du génie. Il rentrait d'ailleurs toujours un peu
éméché de ces escapades. C'était l'été. Tout était permis.
Mais mon père, tout penaud, tentait quand même d'expliquer qu'il était impossible d'échapper aux tournées de
pastis qui se succédaient au bistrot de la place en terre
battue où la pétanque était un rituel sacro-saint.

Ce bistrot fut, d'ailleurs, le cadre d'une anecdote dont
mon pap' est assez fier. Cela s'est passé le 2 août 1953.
Le héros en était Henri Martin, un jeune marin militaire
qui, pour faire court, militait contre la guerre d'Indochine
et que la IVᵉ République avait jeté en prison, créant, par
là même, une sorte d'affaire Dreyfus. La France entière
s'était mobilisée, pour ou contre, le peuple de gauche et
de nombreux intellectuels, écrivains, poètes, peintres,
acteurs et artistes en tout genre réclamant sa libération.
Cette vilaine histoire de notre Histoire dura suffisamment
longtemps pour que la libération en question soit perçue
comme une victoire emblématique par les défenseurs de la
justice et de la liberté.

Donc, c'est assez triomphant et pénétré de la solennité
de l'instant que Pierre Fugain, mon infatigable militant de
père, est entré dans le bistrot, s'est dirigé vers un tableau
noir qui servait aux concours de pétanque et, sûr de faire
un tabac, a écrit à la craie cette phrase toute simple : « Victoire ! Henri Martin a été libéré ! » Et il a signé. Liesse
générale et on n'a pas raté, bien évidemment, l'occasion
de fêter ça. Picasso qui passait par là, voyant le tableau
noir, se réjouit de la nouvelle, dessina sa fameuse *Colombe
de la paix* au-dessus de la phrase et signa également. Cinq
décennies plus tard, mon pap' s'enorgueillit, en rigolant,
d'avoir cosigné une œuvre de Picasso et se demande quand
même ce qu'est devenu le tableau noir qui, une fois verni

pour fixer la craie, devrait normalement représenter une petite fortune.

J'ai adoré ces hommes et ces femmes à la bonne humeur simple, humaine et permanente, les odeurs d'ail et d'huile d'olive, le goût incomparable du pan-bagnat et des ingrédients qui font que ce n'est pas par hasard que la Méditerranée est le berceau de l'humanité.

Tout ce coin de la Côte embaumait le jasmin. Un parfum lourd et entêtant qui plombait l'air brûlant. Il y avait des plantations sur toutes les collines alentour et la cueillette, destinée aux parfumeries de Grasse, se faisait en août. Orangers, jasmins et terre des potiers conféraient à Vallauris des faux airs d'innocence et de Grèce antique.

C'est aussi à Vallauris que j'ai été pour la première fois confronté à la mort.

La boutique avoisinant celle de Marie Caléca était une boucherie chevaline. Devanture rouge sang et tête de cheval argentée au-dessus de l'entrée. Le boucher s'appelait monsieur Dardanelli, un brave homme pas très grand, mince, petite moustache, que je n'ai jamais vu sans son large chapeau noir genre Borsalino. Je n'ai pas le souvenir de sa femme, mais il avait deux filles avec lesquelles je passais beaucoup de temps. Augusta, jeune adolescente, et Marie, l'aînée, une petite bombe méridionale, brune, rayonnante et fière de ses formes qu'elle ne cherchait pas à dissimuler. Elle chantait toujours. Ne doutant de rien et oubliant que je n'avais que douze ans, j'étais preneur du tout, en bloc, le chant et les formes, mais, à ma grande déception, Marie n'avait pour moi que des attentions de grande sœur et je me contentais donc du plaisir des yeux. C'était déjà pas mal.

Un après-midi où je traînais chez Marie Caléca, monsieur Dardanelli me proposa de venir avec lui pour « me montrer quelque chose que je n'avais jamais vu ». Je l'ai suivi dans un coin de Vallauris que je ne connaissais pas, où régnait un silence contrastant avec l'agitation de la grande rue bordée de magasins et pleine de vie. J'avais l'impression qu'il me faisait découvrir l'arrière-boutique ou, à la lumière de ce que je sais maintenant, les coulisses de la ville. Il pénétra dans une bâtisse isolée où je le suivis. Le passage de l'intense clarté à la pénombre m'aveugla un instant et je ne voyais toujours pas ce qu'il voulait me montrer. Peu à peu, mes yeux s'habituant à l'obscurité, j'aperçus, se tenant tranquille au milieu d'une salle glauque, un cheval. C'est beau, un cheval. Même à l'état de vielle carne, c'est beau, pour un môme. Monsieur Dardanelli voulait donc me montrer un cheval. Mais j'avais déjà vu beaucoup de chevaux. Normal. Je suis un campagnard, d'origine. Mon premier réflexe fut donc de lui caresser les naseaux, partie tendre et lisse au toucher soyeux. Tout à mon affection naissante je ne vis pas monsieur Dardanelli bander les yeux de mon nouveau copain, puis prendre une masse. Je l'entendis seulement me dire « Recule-toi, petit » et pan ! J'ai à peine vu le mouvement. Je n'ai vu que la masse frapper le front de l'animal et j'ai entendu ce bruit que je n'oublierai jamais. Les jambes du cheval se dérobèrent mais il chercha à se remettre sur pied. Il était près d'y arriver quand monsieur Dardanelli lui asséna un deuxième coup de masse qui l'assomma tout à fait. Il tomba lourdement, les quatre fers en l'air. Avec la rapidité et la précision d'un sicaire, le boucher sortit un couteau impressionnant et trancha la carotide au bas de l'encolure, au ras du garrot. Un énorme jet de sang rythmé par les pulsations du cœur qui battait encore jaillit de l'entaille et se répandit sur le sol, s'écoulant vers une grille où il disparaissait. Combien de temps cela a-t-il duré ? Quelques secondes ? Une éternité ? Je suis bien incapable de le dire. En revanche, j'ai encore en tête l'image contrastée, en noir et blanc, digne d'un film de Buñuel première époque, d'un cheval les yeux bandés qui se vide d'un fleuve de sang dans une salle sinistre, de son tueur calme et professionnel et de la porte ouverte surexposée par la lumière du soleil.

Je n'entendais plus que le gargouillement du sang et je ne pouvais détacher mon regard de ce flot rouge foncé. Alors monsieur Dardanelli me dit qu'il allait le laisser se vider et qu'il reviendrait plus tard. Nous sommes sortis et la clarté de l'air chaud m'a fait du bien. Malgré la chaleur torride, j'avais eu froid.

Je me suis souvent demandé pourquoi monsieur Dardanelli m'avait emmené assister au meurtre d'un cheval. Je n'avais que douze ans. Il n'y avait pourtant aucune perversion chez lui. Démarche initiatique ? Non. Désir de communiquer, d'exister peut-être ? Je lui ferais volontiers ce crédit. Il était boucher. C'était son métier, dont il ne pouvait pas parler aux autres, sans doute. Il est vrai qu'on mange des tonnes de viande mais on ne veut pas savoir qu'un assassinat est à l'origine du steak qu'on a dans son assiette. N'ayant que des filles qui n'auraient pas supporté ce spectacle, c'est moi qu'il a choisi pour montrer ce qu'il était et en quoi consistait son art, car je suis sûr qu'il était fier de bien faire ce qu'il faisait.

Avec le recul, j'ai réalisé que je suis très résistant aux événements et aux tragédies. Je garde mon sang-froid, je ne suis pas du genre à pousser des hauts cris ou tomber dans les pommes. Comme si ça glissait sur ma peau. En fait, ça s'enfouit au plus profond de mon âme et ça se planque dans un recoin. Je pourrais en vouloir au gentil monsieur Dardanelli, mais je ne suis pas rancunier. Pas la peine, puisque c'est là. Pour toujours. Ça sert à quoi, l'âme, si ce n'est à engranger des visages, des odeurs, des terreurs, des mauvais coups du sort et des autres ? Peut-être les rancuniers ont-ils peur de manquer de mémoire. Peut-être manquent-ils d'âme, tout simplement.

Après la période Vallauris, je me souviens d'un voyage en Yougoslavie. C'était un beau pays. Ça l'est, sans doute, encore. Mon père avait une Frégate décapotable, dont je reparlerai, dans laquelle nous avons sillonné la Croatie. En traversant les Velebits, montagnes de l'arrière-pays, sur une route en terre battue on a croisé un vieux paysan. Il a dit quelque chose à notre passage. Prédrag, un ami croate qui nous servait de guide, nous a traduit en riant la question que nous avait posée le vieillard : « Comment tu vis, toi ? » Bien que gamin, j'ai compris ce que cette question sous-entendait de différences entre nos vies confortables et celles d'une multitude d'hommes et de femmes dans le monde.

La question du vieux Croate me hante toujours. Au fait : comment vivons-nous ?

– 4 –

CHAMPO ET AUTOUR...

On dirait que toute la ville tourne autour du mastodonte. Délimité par quatre grandes artères de circulation, se trouve l'énorme établissement scolaire, la forteresse du savoir, le lycée Champollion. Champo pour ses intimes. Ce bâtiment imposant et austère, chef-d'œuvre d'architecture du XIXe siècle, témoigne de l'ambition des politiciens de l'époque de former des élites. Inscrit dans un quartier voué, semble-t-il, à l'éducation de la jeunesse, il faisait face, le long de l'avenue Lesdiguières, à un collège, à l'école des Beaux-Arts et à la faculté de médecine. Grenoble étant une ville de garnison, un peu plus loin sur le boulevard Gambetta se trouvait, construite sur le même modèle, la caserne des chasseurs alpins. Un esprit mal tourné aurait pu voir dans ce voisinage un parfait raccourci de l'avenir que l'on réservait aux élites en question : apprendre et cultiver son intelligence dans l'un, puis passer dans l'autre pour aller se faire trouer la peau dans les guerres qui se sont succédé. La parabole du gâchis.

Je suis entré à Champo en septième, mon père pensant que « l'esprit lycée » me préparerait mieux à la sixième. Il faut que je sois honnête, je n'ai jamais eu ce fameux « esprit lycée ». Obligé de me lever très tôt pour prendre un car à sept heures qui me menait de Voreppe à Grenoble, les cours commençant à huit, j'allais jusqu'à regretter monsieur Turc et son enseignement poussiéreux. Ma seule satisfaction était de retrouver à midi mes cousins, Yvan et Jeannot. Eux allaient en face, au collège. Je déjeunais chez ma tante Irma car on ne pouvait être demi-pensionnaire, « demi-pantin », qu'à partir de la sixième.

Après sept ans passés à Voreppe, mon père décida un jour de s'installer à Grenoble. Il trouva un vaste appartement dans un immeuble tout neuf, 138, cours Berriat. Le cours Berriat est une grande artère de pénétration vers le cœur de la ville, au bout de laquelle se situe le lycée Champollion. Dès lors, j'allai en classe à pied. Vingt minutes de marche en temps normal, un peu plus aux alentours de Noël, car je traînais volontiers devant la vitrine animée d'un marchand de jouets.

Lorsqu'il a fallu que je replonge dans le passé pour retracer les événements qui ont jalonné mon parcours, j'étais persuadé que l'épisode Champollion allait tenir une place considérable dans mes souvenirs. Finalement, en y regardant de plus près, je me dis que ce ne fut qu'une suite de jours mornes et d'heures de cours passées à regarder par la fenêtre, à imaginer et envier les gens qui vivaient dehors. Et pourtant... Onze ans ! J'ai passé onze ans de ma vie dans ces murs que je continue de considérer comme ceux d'une prison. Jusqu'en 1968, il y eut d'ailleurs des barreaux aux fenêtres. Il est vrai que je n'ai pas fait grand-chose pour raccourcir la durée de ma peine. J'ai redoublé trois fois et si je n'ai jamais été viré, c'est que mon père avait ses entrées dans ce bahut qui avait été le sien et dans lequel il avait même sévi en tant que pion. Il y connaissait tout le monde, et avait des espions partout. Il fallait que je joue serré pour déconner sans qu'il le sache. J'ai fait de mon mieux.

En gros, j'étais le prototype du cancre. Sympathique,

mais décidé à ne pas en foutre une rame. J'ai toujours eu un problème avec l'autorité, et mes soumissions épisodiques étaient consenties. Il fallait que le prof en vaille la peine. Le lycée était pour moi une destination où j'allais le matin retrouver des potes de mon acabit et essayer de couper à toutes les corvées, avec, je l'avoue, un peu de condescendance pour les premiers de la classe, ces forçats de la bonne note, ou carrément du mépris pour les besogneux zélés, souvent lèche-cul, qui ne dépassaient pas la moyenne. En revanche, quand il m'arrivait de bosser, j'étais bon. Il fallait, de temps à autre, que je teste mon QI et vérifie qu'il n'était pas en voie de déliquescence. Une fois rassuré, je retournais à ma coupable industrie : glander.

Avec le temps, curieusement, je me suis rendu compte que ce que je croyais n'avoir pas écouté s'est insinué, l'air de rien, dans mon cerveau, que les œuvres classiques dont l'étude m'a mortellement ennuyé m'ont marqué profondément et que je garde de mes dix ans de latin un souvenir attendri. Il n'y a guère que les maths à continuer d'être pour moi une langue étrangère qui ne me fait pas rêver. Histoire, géo, sciences-nat m'ont gonflé au-delà du supportable et pourtant je me suis, par la suite, découvert une vraie passion pour ces disciplines. Cela tendrait peut-être à prouver que j'ai eu moins de problèmes avec les matières enseignées qu'avec les enseignants.

Heureusement, il y avait en face de Champo deux ou trois bistrots qui me servaient de lieu de repli. Il y avait aussi les « cinémas permanents » où j'allais passer l'après-midi et restais deux séances de suite. Ma culture cinématographique s'en est, certes, trouvée renforcée mais, conséquence inattendue, lorsque, encore maintenant, je vais au cinéma l'après-midi, j'éprouve un léger sentiment de culpabilité. Comme si je sautais les cours.

Le cinéma – j'aurai à l'évoquer plus tard – m'a beaucoup marqué et, en classe, je griffonnais volontiers des petits scénarios à tourner avec la caméra super 8 de mon père, le jeudi et les jours fériés. Ça ne s'est jamais fait. Le cinéma français n'a pas perdu grand-chose.

C'est pendant cette période que, pour la première et unique fois, j'ai été fan d'un artiste. James Dean, image symbolique d'une jeunesse américaine éperdue et déboussolée. Les murs de ma chambre étaient recouverts des affiches des quelques films qu'il a eu le temps de tourner avant de se viander dans son spider Porsche. J'ai même sculpté son buste en pâte à modeler... Ce qui m'a d'ailleurs valu, pendant quelque temps, l'estime étonnée de mon papa.

De Champollion, je garde, bien évidemment, le souvenir de profs, de pions, de proviseurs qu'on appelait « protos », de censeurs dont l'un était dénommé « Subito ». Des surveillants généraux, dits « surgés », l'un, sympa, Marcou, et l'autre, « le Pitch », une teigne qui était déjà pion lorsque mon père était élève. Ma génération n'a jamais su d'où lui venait ce surnom. On a donc décidé que c'était la prothèse de son pied bot qui couinait quand il marchait qui lui avait valu ce sobriquet.

À chaque rentrée, on attendait la liste des profs comme une bande de malfaiteurs attend le verdict du tribunal. On soupesait les chances qu'on avait de souffrir ou de passer une bonne année. Et puis, on faisait avec.

Il y a quelques décennies, à l'occasion de l'arrivée de la télé en couleur à Grenoble, Patrick Sabatier m'a invité dans son émission « Avis de recherche ». Le jeu consistait à retrouver le plus grand nombre possible d'anciens élèves figurant sur une photo de classe. La recherche durait toute une semaine et la dernière émission se déroulait dans la ville d'origine de l'invité. Le comble du bonheur des producteurs était de débusquer également un des profs que nous avions. Ce fut Glastre. Monsieur Glastre, pas très grand, visage long, tête plate et nez aquilin, prof de maths à l'accent alsacien qui commençait la plupart de ses cours par une interrogation écrite. Ce tortionnaire avait l'autre particularité de ne plus avoir de main gauche et de nous filer des coups de moignon sur la tête pour nous stimuler quand il passait dans les rangées. Pas mauvais bougre pour autant, il était tout heureux de retrouver ses anciens disciples lors de cette émission. Le souvenir de ses vacheries était cependant tellement vivace que, quelque vingt-cinq ans plus tard, fusèrent dans les rangs des quadragénaires depuis longtemps passés à autre chose des « Salaud, Glastre ! », « Glastre enfoiré ! » qu'il a bien sûr entendus mais qu'il n'a pas relevés.

Heureusement, il y avait les copains. Avec le flair d'un directeur de casting, je repérais assez vite ceux qui allaient devenir mes inséparables de l'année. Au fil du temps, ça a fini par faire du monde.

La philo 1 est, à cet égard, un grand souvenir. Je ne sais pas comment l'administration du bahut s'est débrouillée, si c'était voulu ou le fait du hasard, mais tous les branleurs que j'avais pu croiser de classe en classe se sont retrouvés ensemble dans cette philo-là. Comme si on avait voulu nous regrouper pour assainir l'établissement. Une sorte d'épuration. Inutile de préciser que nous avons vécu cette ségrégation comme un honneur et que ce fut un grand moment de notre séjour à Champollion. Un matin, je ne sais plus pourquoi mais l'incident devait être de taille, Subito, le censeur, a débarqué dans la classe et nous a copieusement traités de jean-foutres. À l'en croire, cette classe était la honte de la nation et Jules Ferry avait dû faire un saut carpé arrière dans sa tombe. Résultat : sur trente élèves, nous fûmes vingt et un à être virés une semaine, juste avant les vacances de Noël. Certains en ont profité pour aller faire du ski plus tôt que prévu, d'autres, comme moi, ont passé la semaine en question au troquet. Le tout étant de faire croire à nos familles que nous allions en classe. J'avais à la maison deux complices, Mammine et Claude, ma petite sœur, qui ont bien joué le coup. Claude avait pris l'habitude d'intercepter le courrier qui arrivait de Champollion et mon père ne l'a jamais su. Il est vrai que les conséquences pouvaient être tellement terribles que ma mère, même en râlant, n'hésitait pas à m'éviter la raclée. Je l'aurais certes méritée, mais une de moins, c'était toujours ça de gagné.

C'est dans cette classe de philo 1 que, le 15 février 1961 vers huit heures et demie, on a assisté à une éclipse totale de soleil. Imprimés à jamais dans un tiroir de ma mémoire, la lumière, le silence, la chaîne de Belledonne enneigée dans cette clarté lunaire, ce non-jour et cependant pas non plus la nuit, la coupole du ciel, comme si on en devinait la rotondité irisée, très loin au-dessus, par des rayons dont on ne voyait pas la source. Image fugace, moment d'arrêt, de grâce absolue. Un cadeau de l'Univers.

Le prof en profita pour nous rappeler toutes les superstitions liées aux éclipses et, pendant un court instant, les cancres que nous étions réalisèrent que l'école, qui nous apprenait à échapper à l'ignorance, avait du bon.

Pour bien comprendre et justifier l'insouciance dont j'ai pu faire preuve tout au long de ma scolarité, il faut préciser que dans ces années de reconstruction du pays, le mot chômage n'existait pas. Pas un seul d'entre nous ne doutait du fait qu'il aurait de toute manière son bac, un boulot, une situation : il n'y avait pas de mouron à se faire. J'ai beau chercher dans ma mémoire des comportements qui auraient

évoqué l'appât du gain, l'envie de se faire une situation
juteuse, je ne trouve pas. L'argent n'était pas encore Dieu.
La notion d'avenir n'était évoquée qu'au moment de
choisir les études que l'on décidait de faire par la suite.
Les matheux, voulant tous devenir ingénieurs, allaient vers
les sciences, et les littéraires s'orientaient vers le droit ou
les lettres. Quant aux fils de médecin, c'était clair, ils faisaient médecine. Une société pas compliquée et solidement
ancrée dans le xixᵉ siècle. Les jeunes, dont le pouvoir
d'achat était très limité, n'étaient pas encore une catégorie
sociale. Ils n'avaient qu'à grandir, apprendre et s'amuser
en attendant le service militaire. Tout cela, bien sûr, chez
les bourgeois ou petits-bourgeois. Chez les prolos, rien
n'était aussi simple. Garder un môme à l'école, lui permettre de faire des études coûtait très cher et les parents
devaient se saigner et bosser dur pour pouvoir espérer que
leurs enfants aient un jour un meilleur sort que le leur.
Mais même dans cette frange de la population, tout le
monde avait du boulot et, excepté pendant les combats syn-
dicaux où ça ne rigolait pas, l'ambiance générale était à la
légèreté.

Jusqu'à la guerre d'Algérie, qui a méchamment plombé
l'atmosphère.

Avant d'en arriver à cette philo 1, honte du lycée pour
les profs et consécration pour nous, j'étais passé, à la fin
de la troisième, du statut d'enfant à celui d'apprenti jeune
homme à l'occasion de « vacances studieuses en Angleterre » que mes parents m'offraient, pour mon bien, avant
de partir en famille au mois d'août.

J'ai donc traversé le Channel, cette année-là, avec une
trentaine de jeunes pubères venus de tous les coins de
France pour se perfectionner en anglais. À Chichester

(Sussex). Hébergés chez l'habitant, on avait cours le matin et les après-midi libres. Au bout de quinze jours d'ennui où seule la trouille de se faire massacrer par les Teddy boys locaux – les inévitables crétins brutaux dont l'appellation change selon les modes – mettait un peu de piment dans nos vadrouilles postprandiales, on est tombé sur un essaim de jeunes Suédoises fraîchement débarquées. Elles nous ont vite fait comprendre, en gloussant, qu'en Suède le sexe était considéré comme très bon pour la santé. Les couples se sont formés. La mienne s'appelait Birgitta. Elle était blonde, pas mal du tout, avait de beaux seins fermes et riait beaucoup. Comme, en plus, elle était loin d'être conne, elle a vite compris que j'étais puceau et décidé que je ne le serais plus à la fin du séjour.

En Angleterre, à cette époque, les séances de cinéma comportaient deux films et on pouvait fumer dans la salle. On a peu regardé les films, pas mal fumé, et on s'est beaucoup tripotés, Birgitta et moi. À la sortie d'une de ces séances, ma walkyrie, chauffée à blanc, m'a entraîné derrière les buissons d'un parc au gazon dont seuls les Anglais ont le secret, et m'a déniaisé avec méthode. En ce qui me concerne, pas de quoi pavoiser. Elle me guidait, je me suis laissé faire. Elle savait où et comment. Moi pas. Elle attendait sans doute plus mais je ne contrôlais rien. Ce fut rapide... Et pourtant, en cette fraction de minute, j'ai entraperçu la magie que j'avais pressentie en découvrant le pubis glabre et douillettement enfantin de mon Arlette de Voreppe. La douceur, la chaleur, la moiteur, l'animalité du sexe de Birgitta m'ont lié à jamais à la femme. Le temps de cette étreinte éclair, ses gestes et son regard m'ont voué à une éternelle humilité devant le désir femelle. J'étais à la fois émerveillé, effrayé et sonné. Penaud, également, mais elle me rassura d'un sourire en me certifiant que la prochaine fois...

56

Elle avait raison. Il y eut des « prochaines fois ». Techniquement, j'ai progressé de façon régulière. Je regrettais quand même que mes mains connaissent mieux le corps de ma Suédoise que mes yeux. Je ne l'ai jamais vue nue. Nos ébats étaient toujours furtifs et dans le même genre de décor, toujours habillés ou juste déshabillés de ce qu'il fallait. Birgitta écartait simplement sa petite culotte. Il ne manquait que l'amour. Elle n'a jamais semblé en éprouver pour moi. Je n'en eus pas pour elle mais je lui garde toute ma gratitude. Nos adieux furent dignes, avec juste ce qu'il fallait de tendresse. Nos promesses de nous écrire ne furent pas tenues. Je suis rentré en France avec l'impression d'avoir vécu une sorte d'initiation, et la certitude d'avoir grandi. Il était temps. J'avais seize ans.

Ce dépucelage estival a largement conditionné mon attitude pendant les années qui allaient suivre. Fini les jeux d'enfant. Les filles, le bop et les boums allaient devenir mes principaux centres d'intérêt.

Une petite bande s'était peu à peu formée. Le leader incontesté en était Alain Vautier, fils de bourge, aisance naturelle, démarche assurée quoique un peu raide, l'œil railleur et l'humour souvent corrosif. Toujours bien sapé, souvent blazer-cravaté, un peu rouleur et très branché sur la mode parisienne, Alain, « le Vauch », avait des grands frères dont il pillait les bons mots et les manières. Patrice, son aîné, qui sera plus tard journaliste au *Canard enchaîné*, était un bon pianiste de jazz. Je crois pouvoir affirmer que c'est Alain qui m'a appris les premiers accords de guitare et qui m'a également filé les rudiments du bop, le trois-trois-deux, qu'il dansait fort bien. Le bop, extrapolation moins acrobatique du be-bop des caves parisiennes de l'après-guerre, était en fait notre manière de vivre.

J'aime bien rappeler à ceux qui voudraient que nous ayons tous la même culture musicale de base que notre génération est celle des *Tricheurs*. Nous avions dix-sept ans en 1959 lorsque sortit le film de Marcel Carné. Comme dans *La Fureur de vivre*, des jeunes gens y jouaient avec la mort, mais dans une version « Saint-Germain-des-Prés-Flore-Deux-Magots-Quartier latin ». Terzieff y était horripilant de maniérisme, Charrier semblait jouer le benêt sans composer, et Pascale Petit se révélait craquante. Ces jeunes désœuvrés, pour essayer de se désemmerder, jouaient, entre autres, au « jeu de la vérité », jeu qui consiste, comme son nom l'indique, à répondre sans mentir à toutes sortes de questions. Il n'y avait pas de raison pour qu'on ne fasse pas la même chose. Dès lors, plus une boum ne s'est terminée sans son jeu de la vérité, dont la question finale était forcément : « Est-ce que tu veux coucher avec un tel ou une telle ? » Vite fatigant. En revanche, la bande musicale du film était exclusivement composée de jazz. Là est la différence : nous écoutions du jazz.

En face de la sortie de Champollion, il y avait un bistrot, le Lamartine, dont l'arrière-salle était le jazz club de Grenoble. S'y produisait, notamment, un joueur de sax à qui je voue une estime éternelle, Baby Clavel. Comme Jonasz dans sa « boîte de jazz », Baby connaissait par cœur les chorus de Parker. On ne s'en lassait pas. Les musiques branchées de l'époque étaient du jazz. On écoutait et on dansait du jazz. On vivait jazz. *Ascenseur pour l'échafaud* était un de nos disques de chevet. Nos discothèques étaient faites de Miles Davis, Gillespie, Coltrane, Parker, Thelonius Monk, Charlie Mingus, les Jazz Messengers, Art Blakey, Max Roach et tout ce qui bopait. On dansait même sur le *Take Five* à cinq temps de Dave Brubeck. C'est dire...

Inutile de préciser que lorsque le rock 'n' roll et les yéyés sont arrivés, on a un peu considéré ça comme de la daube aux harmonies pitoyables, aux textes désespérants et au groove misérable. Et puis on s'y est fait.

L'émergence du rock annonçait une évolution de notre société. Ceux qui n'avaient pas la parole apprenaient à la prendre. Le rock est une musique de classe. Après la guere, la middle class française, qui n'existait pas auparavant, avait travaillé, fait des gosses et commençait à représenter une réalité économique. C'est naturellement au travers de ses enfants qu'elle s'exprimait et la chanson prouvait une fois de plus qu'elle est le premier degré de l'expression d'un peuple. Quand l'homme ne sait pas encore parler ou écrire, il chante. Sans grande culture, musicalement analphabète, cette masse dont le diplôme supérieur était le certificat d'études a, sans en avoir conscience, mis au monde une génération qui allait inventer un espéranto musical, compréhensible par le plus grand nombre. Calqué sur le modèle américain. La grammaire en était rudimentaire et le vocabulaire pauvre à pleurer. L'avenir se profilait.

En face de Champollion se tenait aussi l'annexe de la permanence du bahut, une grande brasserie qui devint très vite un lieu de vie et le passage obligé d'une bonne partie de la jeunesse grenobloise. L'Ascenseur. Ont traîné là des gens qui, selon leurs capacités intellectuelles, sont devenus chirurgiens, avocats ou politiciens. On y jouait au babyfoot, au poker et au plus malin jusqu'au soir. On s'y refilait les tuyaux et les adresses des boums. On y refaisait le monde et on discutait, sans rire, de l'existence de Dieu. L'un et l'autre, d'ailleurs, semblent n'avoir tenu aucun compte de nos efforts. C'est dommage.

Champollion était le lycée des garçons, Stendhal celui des filles. En été, à la sortie des cours, les garçons se précipitaient à l'Ascenseur et prenaient des poses devant la brasserie pour voir défiler les filles qui, bien sûr, faisaient le détour pour passer par là. Quelques bonjours furtifs, bises de retrouvailles dans certains cas, ou tout simplement fantasmes sur ce que cachaient les petites jupes en vichy gonflées par des jupons volumineux, d'où s'échappaient des jambes déjà bronzées sur des hauts talons. Les filles et les garçons faisaient leur scolarité séparément. Les mystères des unes et des autres restaient donc entiers. Nos rapports se limitaient à la séduction et plus si affinités. Aller attendre une petite amie à la sortie de son lycée ? Une expédition en terre étrangère. On se retrouvait au milieu d'une nuée de nanas. Des pas belles qui baissaient les yeux parce qu'elles le savaient, des pas mal qui se pensaient plus jolies qu'elles ne l'étaient, des jolies qui riaient trop fort parce qu'elles n'étaient pas vraiment sûres de l'être, ou des canons, les plus vulgaires, qui snobaient tout le monde, faisant bien sentir qu'elles ne détourneraient leurs regard que pour un fils à papa en MG ou en TR3. Devant un lycée de filles, les garçons ont toujours l'air un peu neuneus. À juste titre. Les filles savent naturellement des choses que nous ne savons pas.

Restaient les boums pour tenter de reprendre la main. Toutes les occasions étaient bonnes pour aller chez les uns ou les autres. Cela se passait en général l'après-midi. On dansait bops, slows et cha-chas. Gainsbourg chantait *L'Eau à la bouche* et on transpirait sur *Tequila*.

C'est dans une de ces sauteries que j'ai rencontré Gérard Goujon, une montagne de muscles, champion junior de natation, qui deviendra un ami-pour-la-vie. Gérard déambulait plus qu'il ne marchait, sans hâte, et sans jamais donner l'impression d'avoir un but. Comme tous les balèzes, il semblait balancer l'une après l'autre ses grandes et grosses guiboles terminées pas d'énormes pieds. Pareil pour les épaules et les bras. La force tranquille. Je crois que je ne l'ai jamais vu courir. Il promenait son doux regard mi-clos, paupière lourde, sur les choses et les êtres sans donner l'impression de pouvoir être étonné. Pas blasé : bonhomme. Nounours. J'ai souvent comparé notre amitié à celle de George et Lenny des *Souris et des hommes* de Steinbeck. Mis à part le fait que Gérard était tout sauf débile. Ami loyal, fidèle et réservé, il m'a permis d'être un petit con teigneux sans me faire amocher. Dès que ça devenait chaud, je dégainais mon « Gé » et ça calmait immédiatement les belliqueux.

Il y a quelque temps, Alain Vautier m'a fait parvenir une photo : cinq « copains », Gérard, Alain, Françoise, un autre Gérard et moi-même. Le message qui accompagnait ce souvenir était lapidaire : « Je réunis les gens de la photo les 11 et 12 juin ». Nous nous sommes tous retrouvés au rendez-vous comme si on s'était quittés la veille. Alain, le gardien du temple, la mémoire du groupe, a tenu à ce que l'on refasse un cliché dans les mêmes positions. Puis il nous a envoyé le montage Photo Shop des mêmes, quarante ans plus tard, dans le décor de la photographie d'origine. Le choc. Le travail de sape de la vie. Un raccourci terrifiant et sublime.

Jacques Bruynenx était le quatrième mousquetaire de notre bande : Alain Vautier, Gérard Goujou et moi-même. Blond, longiligne, malin comme un singe, il donnait l'impression de toujours être entre deux coups fumeux. Il y avait du mystère dans ce type. Il ne se livrait pas totalement. Un peu hâbleur, le sourire désarmant, il affichait l'œil aux aguets et l'agitation permanente du gars qui est toujours prêt à filer si un créancier, un redresseur de torts, un mari cocu, ou les trois à la fois se pointait. On le sentait capable du pire et du meilleur. Un peu plus vieux que nous, n'étant ni lycéen ni étudiant, il ne fut pas sursitaire et nous annonça, un jour, qu'il partait faire son service militaire.

61

On ne le revit qu'après ses classes puis il partit pour l'Algérie où la France perdait son honneur depuis quelques années déjà. Il est revenu, une fois, en permission, et nous a raconté avec exaltation sa guerre, les dangers, la mort omniprésente, les bougnoules, les ratons. Il était content de ne pas être dans le djebel, mais à Alger même. On a vite compris qu'il était de ceux qui torturaient. On a compris également que notre pote était cassé, complètement déglingué et que la guerre était en train d'en faire un demi-dingue, une machine à tuer fabriquée pour le bien de la Patrie. Je ne l'ai plus revu. J'ai su, par Alain, qu'il était revenu mais qu'il ne s'était jamais remis du sale boulot qu'il avait eu à faire. Il est devenu alcoolique, mais c'est de la guerre qu'il est mort plus que de l'alcool. Un jeune homme parmi tant d'autres, passé par pertes et profits d'une société gaspilleuse de chair et d'âmes humaines.

J'étais, au côté de mon père, de toutes les manifs contre la guerre d'Algérie et certaines ont été chaudes. Le slogan CRS = SS n'existait pas encore, mais les méthodes de charge et de répression n'avaient rien à envier à leurs cousines germaines.

Une chose est sûre, c'est qu'on était bien heureux d'être lycéens ou étudiant et de bénéficier du sursis. Il y avait là-bas quelque chose qui ressemblait à l'horreur et je n'avais pas l'intention d'y participer, ni mon père de m'y laisser emmener. Il nous arrivait même d'évoquer « le cas où » et les différentes manières de déserter ou de fuir l'incorporation. Mon pap' affirmait en avoir bavé pour au moins quatre générations. Le résistant refaisait surface.

Parmi les autres grands copains, il y avait un autre balèze, un échalas au physique de tueur, avec une grande belle gueule d'aventurier, Philippe Sainturat. Encore un avec qui je me sentais en sécurité. Lui aussi est parti en

Algérie, dans les troupes héliportées. À l'occasion d'une perm, on se voit, il raconte un peu et je sens qu'au contraire de Jacques, cette guerre n'est pas la sienne et qu'il vit avec la trouille d'y laisser sa peau. Il m'avoue qu'il n'a pas envie d'y retourner et m'explique qu'il va se casser la jambe. Quand un type dit ça, c'est un peu abstrait. On ne réalise pas tout de suite. Effectivement, c'est simple. Tu te casses la jambe et tu ne repars pas. Oups ! Désolé... Mais voilà qu'il précise qu'il va faire ça chez moi, mon père, en consultation à son cabinet, pouvant intervenir tout de suite.

Et en effet, la veille du jour où il doit repartir, il arrive à la maison avec un gros maillet et va directement à la cuisine, met sa jambe en porte-à-faux entre la table et une chaise...

Moi, je me suis tiré. Je suis passé dans le salon et c'est de là que j'ai entendu un bruit terrible. Il y est allé de toutes ses forces. Je me suis rué dans la cuisine où je l'ai trouvé par terre, recroquevillé de douleur, le visage crispé, blême. Pas un cri. Pas un mot. Solide le mec. Tellement solide que la jambe n'avait pas cassé. Tout s'est fini dans un éclat de rire nerveux. Philippe en fut quitte pour repartir à la guerre en boitant. Heureusement, il en est revenu. Intact.

Claude, ma petite sœur, a commencé à faire de la danse vers sept ou huit ans. Elle s'est très vite révélée douée, au point que son professeur l'encouragea à envisager une vraie carrière de danseuse et arriva à convaincre mes parents de l'envoyer à Paris à l'école de l'Opéra de mademoiselle Zambelli. Claude partit habiter chez Guy Genon, ami d'enfance de mon père, également médecin, 12 rue de Seine.

C'est chez Guy que j'atterrirai, moi aussi, quelques années plus tard, lorsque je déciderai de devenir cinéaste.

Je fus donc fils unique pendant trois ans. Au bout de ces trois années, Claude revint à Grenoble, bien décidée à ne pas retourner à Paris. Dans son regard d'adolescente de quatorze ans, quelque chose avait changé. Nul n'a jamais su pourquoi, mais très vite elle arrêta la danse et décida de s'orienter vers la médecine.

Dès son retour, mon amour de petite sœur qui, avant son aventure parisienne, n'existait pas encore vraiment dans mon univers de garçon, est devenue ma plus grande complice, mon indéfectible amie et mon bouclier contre toute forme de danger. On commença à aller en boum ensemble. Elle s'amouracha d'un de mes très bons copains, Stéphane Gumuchian, adorable mec, respectueux, calme, doux et posé, juste un peu enclin à rayer la Turquie et ses habitants de la surface de la Terre, au nom du génocide arménien.

Plus tard, elle tombera amoureuse d'un type bien, étudiant en sciences, Roby, et une deuxième bande, en parallèle à l'autre mais familiale celle-là, se formera avec Robert Curutchet, « le pote à Roby », son copain de fac, un des mecs les plus drôles que j'ai rencontrés dans ma vie, et Mané, diminutif de Madeleine, la copine confidente de ma petite sœur, charme et candeur, humour et douceur, définitivement déjantée. C'est avec Roby, qui avait passé son diplôme de maître nageur pour se faire des sous pendant l'été, que j'ai découvert Dieulefit, village « à la Giono » de la Drôme provençale au milieu des champs de lavande. Toute notre bande y a eu rapidement des attaches. J'ai encore là-bas des amitiés auxquelles je tiens. Un jour, Roby, en fin d'études, nous quittera pour devenir plongeur à la Comex à Marseille. Les autres s'installeront tous à Paris et sont encore ma famille.

Toute cette tranche de vie, dont le lycée Champollion

était l'épicentre, me laisse une impression de bouillonne-
ment. Nos cerveaux n'étaient pas encore structurés et on
ne sentait pas d'urgence à ce qu'ils le soient.

À la maison, rien n'allait plus entre Mickey et Mickette.
Pap' et Mammine allaient se séparer. L'atmosphère familiale était insupportable. C'est à partir de ce moment-là que
j'ai cultivé mon aptitude à m'enfermer dans ma bulle et à
devenir étanche. Claude, au contraire, fut profondément
meurtrie et resta longtemps sans pouvoir pardonner à Martine, qui sera un jour la deuxième femme de mon père. Et
puis le temps révélera que Martine était une sorte de fée,
douce et intelligente. Elle fera le bonheur de notre pap' et
leur mariage fera d'Alain, son fils, notre frère.

Boums, ski, piscine et, à partir de dix-huit ans, bagnoles.
Grenoble, environnée de montagnes, était une ville
idéale pour les apprentis pilotes de rallyes. Les routes qui
montaient à Chamrousse, en Chartreuse ou dans le Vercors
constituaient autant de courses de côtes possibles. Dès
qu'on sortait du bahut, on allait se mesurer, sur des parcours, postant un pote à chaque virage pour sécuriser la
trajectoire. Puis on redescendait à l'Ascenseur, rouler des
mécaniques au volant de nos Dauphine. La mienne s'appelait « 947 FT 38 », son immatriculation que tout le monde
connaissait. Même les flics. C'était celle de Mammine qui
ne conduisait plus depuis qu'un cousin de Mouloudji était
venu se fracasser en vélomoteur contre sa voiture et en
était mort bêtement sur le coup. Traumatisée, ma petite
mère n'a plus touché un volant de sa vie. C'est ainsi que
sa Dauphine est devenue mienne, et ce fut le début de ma
passion pour les bagnoles et la conduite automobile.

En ce qui concerne le ski, mon père, qui ne ratait pas une occasion de rendre ses mômes heureux, montait à l'automne sa caravane aux Deux-Alpes et la laissait jusqu'au printemps. Là, on avait une paix royale. Nos parents détestant la neige et les stations de sports d'hiver, aucune chance les voir arriver pour gâcher nos fêtes. Nous montions dans la station dès le vendredi soir pour en redescendre le dimanche en fin d'après-midi. L'âge aidant, on a peu à peu délaissé les pistes pour passer le plus clair, et aussi le moins clair de notre temps à l'Étable, la boîte de l'époque. De sorte que, bien que Grenoblois, je ne suis toujours pas un skieur émérite. La godille continue de me faire problème. En revanche, que de rigolades dans cette caravane où il nous est fréquemment arrivé d'être en surnombre ! Un week-end, nous étions treize à dormir dans ce temple de la déconne. Imaginez une seconde, treize jeunes cons, un peu bourrés, les fesses en l'air, en train de s'allumer des pets et vous aurez le niveau intellectuel moyen de ces moments inspirés. Pour ce qui était des flirts et plus si affinités, il fallait évidemment trouver d'autres lieux de repli. On choisissait donc plutôt des filles qui logeaient à l'hôtel... En se dépêchant, pour aller rejoindre les autres à la caravane.

J'avais une famille que j'aimais, des copains, et un destin tout tracé, puisqu'il était certain qu'après le bac je ferais médecine...

C'est à la fin de mon année de philo qu'Alain Vautier me dit avoir rencontré un super mec qui préparait une sorte de spectacle avec des amateurs. « Amateur », je l'étais. De filles, de cinéma, de danse, de musique, d'autos et de vitesse. Même ma scolarité, je l'ai faite en amateur. Je vivais en amateur.

Jusqu'au jour où j'ai rencontré Jean-Michel Barjol.

5

JEAN-MICHEL BARJOL

De type méditerranéen, avec la chaleur et un petit accent du Sud, Jean-Michel n'était pas haut de taille. De grands yeux bleus aux paupières ourlées de longs cils bruns et un sourire ravageur, la mine avenante, un visage aux traits appuyés lui faisaient une belle gueule. Une façon de marcher en se dandinant aurait pu laisser penser qu'il avait une légère claudication. Il m'expliquera un jour que les grands acteurs ont toujours une « démarche ». Il faisait incontestablement partie du lot. Comme devant la plupart des gens intéressants, j'entends par là ceux qui ont quelque chose à dire ou à transmettre, on hésitait d'abord entre l'idée qu'il était un peu frappé ou pour le moins excessif et la certitude que c'était un escroc qui se la jouait intello pédant. Une fois passée la première impression, on s'attachait très fort au bonhomme et à sa vision. Il avait quelque chose d'un animal solitaire. On ne savait jamais d'où il venait ni où il habitait. Il a fallu beaucoup de temps pour que, recoupements après recoupements, on connaisse un peu son histoire.

Il était, à cette époque, président du ciné-club de Grenoble, fou de cinéma et de « la Nouvelle Vague » qui était en train de bousculer l'univers cinématographique français.

Il nous a donné à voir tous les films de cinémathèque qu'il pouvait faire venir de Paris et les analyses qu'il en faisait après la projection, autour d'un pot, place Grenette, étaient toujours de vrais moments d'initiation au septième art.

Mais pour l'heure, présenté par Alain, je découvre la bête dans une petite maison de la banlieue grenobloise où se tient la première réunion. Jean-Michel nous explique qu'il a effectivement en tête de réunir un certain nombre de jeunes gens pour monter un petit spectacle, et le jouer sur les places de villages de Provence. Enthousiasmant, a priori, alors ouais... Pourquoi pas... J'ai quand même mon bac à passer... Pas trop de temps...

On s'est quittés en se promettant de réfléchir mais, peu à peu, l'idée a fait son chemin dans ma petite tête. Le ver était dans la pomme.

Quelques jours plus tard, je me faisais étendre au bac. Avec un 4 en philo coefficient 7, c'était rédhibitoire. Même pas les points pour le rattrapage de septembre.

C'est dans ce type de circonstance que mon père m'a toujours étonné. Je m'attendais logiquement à une branlée historique, une mise aux fers et des vacances austères. Il n'en fut rien. Mon pap' m'a quasiment consolé et recommandé de passer de bonnes vacances, de bien me reposer pour être d'attaque à la rentrée et en finir, une fois pour toutes, avec ce putain de bachot qui devait m'ouvrir les portes de la fac de médecine. Plus fort encore : quand je lui ai parlé un peu plus tard du projet de Barjol, il m'a tout simplement proposé de prendre la Frégate décapotable. Là, j'avoue, il m'a eu.

Et c'est dans ce cabriolet Frégate incroyable, beige et bordeaux, intérieur cuir rouge, carrossé par Chapron en onze exemplaires, le seul véritable objet de luxe que j'ai connu dans la vie de mon père, qu'un jour de juillet on a quitté Grenoble pour une « tournée » en Provence qui devait bouleverser ma vie.

En plus de la Frégate, Barjol avait trouvé une vieille camionnette genre Trèfle Citroën, ancêtre de tous les ancêtres des pick-up actuels, dont on doutait qu'elle puisse dépasser Valence. La guimbarde sans âge était chargée à bloc du matériel pour le spectacle et l'intendance, et le gros de la troupe était entassé dans le cabriolet obligatoirement décapoté.

Le soir même, on arrive à proximité de Roussillon, près d'Apt, dans le Vaucluse, et on établit le premier campement. Il fait bon, la nuit est belle et les grillons nous font la fête. Les vacances s'annoncent bien. Pendant le mois et demi qui va suivre on va apprendre à camper, à choisir l'arbre sous lequel on décide de dormir et à inspecter les duvets avant de s'y glisser. On va se laver dans les ruisseaux et y faire la vaisselle chacun à son tour. On va jouir du soir qui tombe et du soleil qui se lève. On ne se sentait pas campeurs puisqu'on couchait à la belle étoile. Et Dieu sait qu'elles sont belles, les étoiles, dans ce coin de France dont on a l'impression que le ciel y est toujours dégagé. C'était généralement Jean-Michel qui cuisinait sur un réchaud à gaz, quand il en restait, ou sur le feu de bois qu'on allumait dès qu'on s'installait quelque part. Il disait en rigolant que la cuisine c'est un peu comme la mise en scène. Je l'ai cru parce que l'idée me plaisait, et maintenant je suis sûr que c'est la pure vérité, même quand on fait des patates aux oignons, des pâtes au pistou ou de grosses salades de tomates, car c'était tout ce qu'on pouvait se payer avec les quelques sous qu'on récoltait au spectacle. La Frégate, à elle seule, bouffait une grosse partie de notre budget.

Le spectacle en question était fait de bric et de broc. On y disait des poèmes, on y chantait des chansons. Mon pote Alain avait depuis longtemps un répertoire pré-baba et un morceau de bravoure, *Le Déserteur* de Boris Vian. On avait également dans la troupe un rocker, fan de Johnny première époque, qui hoquetait, entre autres, *Souvenirs, souvenirs*. Quant à moi, je surjouais *La Grasse Matinée* de Prévert et le bruit de l'œuf dur sur le comptoir d'étain et chantonnais plus que je ne la disais *La Fourmi de dix-huit mètres* de Desnos. Tous à chier, mais pénétrés. Enfin, on terminait la soirée en massacrant une courte pièce de Feydeau ou de Courteline, je ne sais plus exactement, mais l'exécution était si désastreuse que la précision me paraît superfétatoire.

On arrivait l'après-midi dans un village et Jean-Michel repérait le lieu qui allait nous servir de cadre. Dans ces vieux bourgs, il y a toujours une bâtisse moyenâgeuse ou un mur chargé d'histoire et c'était ce qu'il cherchait. Pendant qu'on déchargeait la camionnette et qu'on installait le matériel rudimentaire, Barjol se débrouillait pour que le bistrot d'à côté nous prête des chaises de terrasse qu'on disposait devant une petite estrade. Puis on partait sillonner le village, faire un battage bon enfant auprès d'une population volontiers acquise. À 21 heures, il y avait toujours une cinquantaine de personnes qui payaient, en souriant, une somme dérisoire, sans jamais nous reprocher de nous être approprié un bout de leur place pour en faire un théâtre de rue. Je n'en reviens toujours pas. C'est vrai, les gens n'avaient pas encore la télévision dans cette région et les vieux encore vivants n'avaient aucunement l'intention de vendre leurs maisons à des acteurs, à des Anglais, à des Hollandais ou à des Parisiens friqués. Les habitants étaient encore intacts dans ce coin de Provence qui sentait bon Giono ou Pagnol et les blés récemment moissonnés, malgré les effluves nauséabonds venant, selon le vent, de l'usine de fruits confits d'Apt.

Le premier soir, à Roussillon, des filles nous ont invités chez elles après le spectacle. Elles s'appelaient Abeille, étaient très sympathiques, marseillaises et fières de ne pas avoir l'accent. Décidément, ces vacances commençaient très bien.

On a sillonné la région pendant un mois et demi. Bonnieux, Gordes, Oppède, Saignon, Lacoste... Des villages magnifiques, à l'abri des touristes qui, en ce début des années soixante, se ruaient vers les plages encombrées et les campings de la Côte. Les riches cherchaient des propriétés vers Saint-Tropez. Le Luberon restait à l'écart des grandes voies de transhumance, hormis celle des troupeaux de moutons qui montaient vers les alpages. Et c'était très bien comme ça.

Le retour à Grenoble fut morose. Il allait falloir survivre.

En arrivant, on décida finalement de passer par le centre-ville pour parader un peu et, le hasard faisant bien les choses, la première personne qu'on a vue traversant la place Grenette fut Mammine. Je pile, je saute de la Frégate, bloquant la circulation, et me précipite pour la soulever dans mes bras. Je réalise à quel point elle commençait à me manquer. Elle rit. Elle est heureuse de retrouver son grand fils, mais fait aussitôt la gueule et tord le nez en me disant que je pue l'oignon, l'ail et les herbes de Provence. Et les gens qui passent à côté de nous ont l'air contents que tous ces garçons l'embrassent et ce n'est pas grave s'ils puent autant l'oignon. Dans les voitures, personne ne klaxonne. Personne ne nous insulte. Tout le monde sourit. Pourquoi c'est plus comme ça ? Pourquoi ça a changé ?

Un mois après c'était la rentrée. Retour au bahut. Avec un bémol supplémentaire. Tous mes potes étaient partis. Ils avaient tous réussi leur bac et étaient désormais en fac.

Et moi, pauvre connard qui n'avait pas prévu les conséquences de mon inconséquence, je me retrouvais en classe avec des mecs plus jeunes que moi à qui je n'avais strictement rien à dire. Pour me donner toutes les chances de réussir, j'ai choisi de faire sciences-ex. Dans cette section, pas de coefficient vertigineux qui pouvait être éliminatoire. Cette année-là, j'ai bossé. Pour me tirer définitivement de ce lycée qui me sortait par les trous de nez.

Quelque chose avait changé. L'entrée de Barjol dans nos vies et l'aventure provençale de l'été nous avaient fait grandir. On délaissa l'Ascenseur pour le Hollywood bar, QG de Jean-Michel qui devenait jour après jour un véritable ami. Le chamboulement en profondeur était tel que je suis même incapable de resituer la liaison que j'ai eue à l'époque avec une jeune comédienne qui portait le doux prénom de Lucette mais se faisait appeler Lucky. Était-ce pendant ? Avant ? Je ne sais plus. Et pourtant c'était sérieux. Avec le recul, je réalise que cette année 1961-62 a été le carrefour dont je ne savais pas sortir et dans lequel je tournais en rond.

Lors d'une discussion où j'avais dû proférer une énormité, Jean-Michel me traita de petit con. Comme ses propos n'étaient pas teintés de malveillance et que je sentais que ce mec me tirait vers le haut, je l'ai cru. Pendant toute l'année qui a suivi, j'ai baissé la tête et fermé ma gueule. Pour la première fois de ma vie, j'ai écouté. Je n'avais rien dont je pouvais être fier. Fils d'un toubib atypique et viscéralement de gauche, je me comportais, de fait, comme un fils de bourgeois ou de notable, n'aspirant à rien de bien précis puisque le chemin semblait dicté par la volonté de mon père de me voir devenir médecin ou neurochirurgien. Pourquoi pas ? Aucun enthousiasme. Pas de passion ravageuse. Pas de quoi pavoiser. Alors je me suis tu.

Qu'est-ce qu'on entend bien quand on se tait ! Qu'est-ce qu'on entend mieux quand on fait soi-même silence ! On devient spectateur des autres. On trie les informations en toute sérénité. On sépare le bon grain de l'ivraie. Pis encore, on peut éprouver une certaine délectation à n'être qu'apparemment passif, quitte à passer pour un sot. Car chacun sait qu'il y a de la volupté à être pris pour un con par les imbéciles.

Quand j'ai repris la parole, plusieurs mois après, j'ai eu, pour la première fois, l'impression qu'on m'écoutait.

Au cours de cette année, Barjol commença à nous parler d'un film qu'il voulait réaliser. Son projet était de repartir en Provence l'été suivant et de tourner là-bas. Il lui fallait trouver une caméra 16 mm, suffisamment de pellicule, et un trépied. À partir de ce moment-là, je n'ai fait qu'attendre.

J'ai eu mon bac sans problème. J'ai vécu pendant quelques jours l'euphorie d'un ex-taulard. J'avais purgé ma peine et, fin juin, mon sac était déjà prêt à repartir.

Cette fois, j'avais un bagage de plus. Une guitare que m'avait offerte ma grand-mère de La Rochette pour mes vingt ans, le 12 mai 1962. Pourquoi ma mémé m'a-t-elle offert une guitare et pas la traditionnelle serviette du médecin ? Elle ne se doutait pas que ce cadeau allait, un jour, faire basculer ma vie. C'est sur cette guitare que, quatre ans plus tard, j'allais composer mes premières chansons.

Début juillet, Barjol, Alain, quelques autres potes et moi installions un campement sur un plateau, près de Caseneuve, petit bled situé à une dizaine de kilomètres d'Apt, en Vaucluse. De là, nous ne bougions que pour faire le plein de tomates, spaghetti, oignons, comme l'année précédente, ou pour aller tourner. Je ne savais pas bien quoi, d'ailleurs, mais je faisais une confiance aveugle à Jean-Michel qui m'avait dit cent fois que dans un film, ce n'est pas l'anecdote qui compte, mais le fond. C'est petit à petit que j'ai compris qu'il faisait un film dont je tenais le rôle principal. Il m'a beaucoup fait marcher. Il m'a fait courir. Il m'a fait mourir, après avoir couru, la tête dans le Calavon, la petite rivière qui coule dans cette vallée. Et puis on remontait au campement et on se la coulait douce, profitant des belles soirées pour faire de la musique et, en ce qui me concerne, apprivoiser ma guitare toute neuve. Puis, tombant d'une saine fatigue, on s'endormait sous le ciel étoilé. Très western comme ambiance et style de vie. D'ailleurs, ce premier film de Barjol s'appellera *Le Petit Cow-Boy*. On est restés là presque deux mois. Sans filles. On n'a même pas cherché. On a fini par être aussi pierres que les pierres des murets et aussi herbes que les herbes grillées par le soleil sur ce plateau aride. C'est sans doute ce que Jean-Michel attendait de nous. Nos rares escapades consistaient à descendre boire un verre en ville, et être, malheureusement, obligés d'écouter *Pour une amourette* de Leny Escudero, le tube des juke-boxes de cet été-là, dont Jean-Michel était fan. On ne peut pas être bon partout.

On est rentrés fin août, mais Barjol nous a dit qu'il avait encore des images à faire et on est repartis pour Arles. Autre Provence, différente mais tout aussi belle. Jean-Michel y connaissait beaucoup de monde. On a dormi chez des manadiers de Camargue, chez des artistes peintres ou des photographes, dont Lucien Clergue pour lequel j'ai une grande admiration. On a visité les copains gitans de Barjol, aux Saintes-Maries-de-la-Mer. Il a fait ses images et on est retournés à Grenoble.

C'est pendant ces quinze derniers jours, me semble-t-il, que mon esprit s'est le plus ouvert. J'ai eu le sentiment d'avoir rencontré un monde que je ne connaissais pas ou auquel je pensais ne pas avoir accès. Mi-mondain, mi-culturel. J'ignorais cette facette de Barjol et j'ai vite compris qu'il n'était pas dupe, lui l'enfant venu d'on ne sait pas bien où, et élevé chez des paysans dans un coin perdu de l'Ardèche.

Toujours pour avoir des images supplémentaires, il m'emmena, le printemps suivant, à la Feria de Nîmes. J'étais encore censé être le petit cow-boy, mais je ne comprenais toujours pas le sens des images qu'il tournait. Ce voyage-là m'a donné l'occasion de voir ma première corrida. Barjol et ses copains aficionados m'en ont expliqué l'histoire, la mythologie, la signification de chaque geste, chaque mouvement du torero. Ils me commentaient le moindre détail du drame qui se jouait dans l'arène et j'ai été envahi par l'émotion. N'étant pas porté à l'anthropomorphisme, je n'ai vu dans ces taureaux, ces toros bravos, que des fauves qui combattaient car c'étaient dans leur nature de combattre et j'ai aimé le respect de leurs adversaires face au courage de l'animal. J'ai vu ces hommes en costume coloré décoré de broderies et de paillettes inquiets lorsque, jaillissant du toril, le monstre se lançait à pleine vitesse, ou verts de peur lorsqu'il s'abîmait une corne en attaquant les burladeros. On m'expliqua qu'avec une corne endommagée, le taureau devient imprévisible et qu'alors, chargeant de travers, il peut, à chaque passe, accrocher le torero. J'avais l'impression que tout cela touchait à l'essentiel de l'humanité. La vie et la mort. L'ombre et la lumière. L'Homme et ses démons. Dans ces arènes antiques et majestueuses, j'étais au cœur de l'éternité.

J'ai vu aussi un taureau, estoqué dans les règles de l'art par Pablo Camino, ne pas s'écrouler et retourner doucement mourir à la barrière dans un silence de plomb. Le temps s'est arrêté quelques secondes. La Terre a cessé de tourner. Les peones et toute la cuadrilla de ce fabuleux matador se sont rangés en bon ordre derrière lui et ont accompagné le guerrier vaincu en se découvrant. Moi, je pleurais.

L'année 1962-1963 fut celle de mon entrée en fac, exactement en face de Champollion. Rien d'exceptionnel. Mon père m'avait tellement vanté la fac comme étant le contraire du lycée, liberté et intelligence conjuguées, que j'ai d'abord été surpris que ça ne me saute pas aux yeux tout de suite. La différence essentielle étant que les classes, au lieu d'être à plat, étaient en pente et s'appelaient des amphis, que les profs donnaient toujours l'impression d'avoir un rancard avec une nana et que c'était à nous de nous démerder avec des polycopiés. La seule vraie nouveauté, c'étaient les macchabées en salle de dissection.

J'ai coutume de dire, pour faire court, que j'ai fait deux années médecine. Le gouvernement Pompidou avait, en effet, décrété que PCB et première année se feraient en un an au lieu de deux. Ce qui voulait dire plus de boulot et, forcément, moins de temps libre. Pas très bon, ça.

Vu le retard que j'avais pris, j'ai commencé mes études de médecine en même temps que ma petite sœur. Au contraire de moi, c'était une bosseuse à la puissance de feu d'un cuirassé. Comme on travaillait dans la même pièce, sur des bureaux face à face, j'ai vite compris, en la regardant potasser, que je n'allais pas y arriver. Sept ans de ce régime-là ! Je le sentais mal.

Barjol, de son côté, était en plein montage du *Petit Cow-Boy*. Toute notre bande se retrouvait chez lui le plus souvent possible. On se jetait sur la collection complète des *Cahiers du cinéma* avec Aznavour en fond sonore. On dévorait les articles sur Welles, Cocteau, Bresson, Truffaut,

Godard, Chabrol en fumant des Celtiques, grosses cigarettes immondes très en vogue dans la Nouvelle Vague, au milieu des bobines de film pendant que la table de montage ronronnait. C'est sans doute dans cette ambiance que ce qui devait suivre m'est apparu comme une évidence.

Le 12 mai 1963, j'ai eu vingt et un ans. Je devenais majeur.

Ma décision était prise : je ne serais pas médecin.

Comment annoncer à mon toubib de père que son fils ne suivrait pas ses traces ? Comment éviter la scène dramatique, les coups de gueule, et peut-être même la rupture définitive ? Car cette fois, j'étais déterminé.

J'en parle à Mammine, qui meurt de peur sur le coup, et à Claude qui comprend d'autant mieux qu'elle sait très bien que je ne suis pas assez passionné par la médecine pour aller jusqu'au bout. Finalement je décide d'écrire une lettre d'explication dans laquelle, et pour conclure, je dis comprendre la déception de mon pap' en l'assurant de mon amour filial indéfectible.

Je ne dois pas être normal, je n'ai jamais « tué le père » et, pis encore, je n'en ai jamais eu la moindre envie. Mon père ne m'a pas élevé, en vérité. Je n'ai fait que le regarder faire, l'écouter parler, le regarder rire avec ses copains, discuter politique avec passion, le voir en baver, trimer pour boucler péniblement ses fins de mois en bossant nuit et jour. Non content d'avoir le plus gros cabinet du Dauphiné, il a été, dans la région, le précurseur de l'accouchement dit sans douleur. Il préparait les femmes enceintes jusqu'à la délivrance. C'est dire que rares étaient les nuits où le téléphone ne sonnait pas. Il se réveillait comme un zombie, sautait dans son pantalon, allait mettre un enfant au monde et puis rentrait terminer sa nuit. Mais l'argent n'était pas son truc. Conventionné dès la première heure, oubliant de faire payer, il n'a été financièrement à l'abri qu'à la retraite qu'il a prise à cinquante-neuf ans. Il n'en pouvait plus. Comment voulez-vous qu'on ait envie de tuer un père pareil ? J'espère simplement avoir hérité de la moitié de ses qualités. Et c'est à cet homme que je devais écrire ma décision de ne pas prendre sa succession !

À force de le regarder et de l'aimer, j'avais fini par assez bien le connaître. Je savais qu'il ne supporterait pas longtemps de ne pas savoir où était son fils si celui-ci quittait la maison. Je décidai donc de me tirer, avec, bien sûr, la complicité de Mammine et de ma sœur. Mais où aller ?

J'ai connu Daniel Gérin lorsqu'il était barman au Whisky à gogo, une boîte très fréquentée de Grenoble. Physique élancé, belle gueule, haut en couleur, très rapide, de cette catégorie de mecs qui ont tous les bons plans et dont on suppose qu'ils savent tout sur tout le monde sans que ça déborde, juste à la limite entre futé et voyou. On est devenus très copains assez vite. Lui aussi, comme Gé, était rassurant. Il avait finalement amassé suffisamment d'argent pour pouvoir monter à Voreppe une pépinière. C'était son rêve du moment. Lorsque je lui ai annoncé ma décision, il m'a écouté avec d'autant plus d'attention qu'il connaissait mon père et qu'il le respectait beaucoup. Aussi sec, il me proposa de venir chez lui, le temps de laisser passer la bourrasque. C'est comme ça que je me suis retrouvé une semaine dans ses serres en train de rempoter des bégonias rex, qui sont depuis les seules fleurs que je reconnais au premier coup d'œil.

Pendant cette période rempotage, Mammine, par téléphone, me tenait au courant chaque jour des réactions de la haute direction. C'était, finalement, moins dramatique que je ne pouvais l'imaginer, et mon père, une fois de plus, me prenait à contre-pied. Il avait dû sentir que, depuis quelque temps, mes centres d'intérêt avaient changé. Il m'avait bien vu m'enflammer pour les aventures barjolesques que je venais de vivre en Provence et ailleurs. J'ai su qu'il n'avait pas cessé de demander où j'étais et Mammine, une fois de plus, a été une tombe. Il est vrai que, dans la famille, on sait ce qu'est la clandestinité : on n'est pas des balances. Si bien qu'au bout d'une semaine il lui a ordonné, très calme : « Dis-lui de rentrer. »

Adieu les bégonias. Merci Daniel, mon ami. Je rentre à la maison.

J'étais quand même dans mes petits souliers. Et pourtant, tout s'est bien passé. Quand je lui ai fait part de mon intention d'être cinéaste, mon père, ignorant tout du cinéma, n'a pas bien compris ce que ça voulait dire. Comme cela ne pouvait se passer qu'à Paris, il a pris le téléphone et appelé Guy Genon, son ami d'enfance qui avait déjà hébergé Claude, lorsqu'elle était à l'école de danse de l'Opéra. Guy le rassura, lui dit que cinéaste était un très beau métier et qu'il avait des copains susceptibles de me faire travailler. Il fut finalement décidé que je monterais à la capitale et que je logerais chez Guy. Mon destin basculait d'un coup... de téléphone.

L'été suivant, c'est à Antibes que Barjol tourna son deuxième film. En 35 mm, avec chef-opérateur et Caméflex. J'étais plus ou moins assistant.

Il a fait très gris. Je n'en ai pas un grand souvenir. Ma tête était déjà ailleurs.

En septembre je montai à Paris.

6

12, RUE DE SEINE

La peur au ventre, je m'étais enfermé à double tour dans ma bulle des mauvais jours. Je n'avais de Paris que l'image gaulliste et godillote qu'en donnait la télévision et, par nature, je n'ai rien de Rastignac. En cette mi-septembre 1963, le ciel de la capitale était aussi bas et gris que mon moral. Il faudrait une grosse séance sous hypnose pour faire ressurgir de ma mémoire la manière dont je suis arrivé chez Guy Genon, 12 rue de Seine, Paris 6e. Peut-être Guy est-il venu me chercher à la gare de Lyon ? Je ne sais plus. J'ai complètement occulté. Je ne suis sorti de ma coquille imperméable et n'ai refait surface qu'en passant la grande porte cochère.

L'immense appartement des Genon-Catalot occupait le premier étage d'un bel et vieil immeuble en fond de cour, donnant, de l'autre côté, sur un espace verduré. Le 12 est situé juste derrière l'Institut de France, sous lequel un passage voûté donne accès au pont des Arts. Il y a pire comme adresse.

C'est Ninon qui a ouvert la porte. Toute petite jeune femme, brunette à l'accent du Var, frêle et fragilisée par un mal de Pott qui avait distordu son buste et la privait de cou, elle tenait de son sourire plein de dents et de ses yeux rieurs un charme méditerranéen rayonnant. C'est en tant que belle-sœur que Ninon gérait d'une main ferme la maison et le secrétariat de Guy depuis qu'il avait divorcé de sa sœur aînée, tout son contraire, grande, sombre, intello, écrivaine quelque peu déjantée, Dominique Aubier. De cette union était née une fille, sa nièce, dont elle était l'ange gardien depuis sa naissance, Marie-Dominique, dite Marie-Do, seize ans, brune, assez jolie, grande et suragitée, tenant une place considérable. Du peps et de longues jambes surmontées de jolies fesses.

Guy, quant à lui, comme tous les médecins généralistes, bossait comme un dingue, le matin en visites à domicile et l'après-midi à son cabinet qui se trouvait au fond du couloir. Avec un physique de prof de lettres classiques, complètement miraud, il portait des lunettes à verres épais qui masquaient ses yeux globuleux. Il était sympathique et, bien qu'un peu lourdaud, voulait toujours donner l'impression d'être revenu de tout, sans pouvoir cacher, même après toutes ces années passées à Paris, qu'il était provincial et dauphinois de surcroît, accent compris.

Voilà les trois personnes qui, pendant un peu plus d'une année, seront ma famille d'accueil.

Il a fallu quelques jours pour que je mette le nez dehors. D'abord, il ne faisait pas beau et, comme toujours quand j'ai la trouille, j'attendais que le besoin se fasse impérieux. Il a fallu que je manque de cigarettes pour que je tombe amoureux, sinon de Paris, au moins du Quartier latin. J'ai eu la chance de débarquer dans cette ville en son plein cœur, à deux pas de Saint-Germain-des-Prés. Des galeries de peinture, des cafés légendaires, l'école des Beaux-Arts au coin de la rue, des bouquinistes un peu partout et cette vue imprenable, quand on est sur la passerelle des Arts, de l'enfilade de ponts sur la Seine, avec là-bas au fond, le Grand Palais puis le jardin des Tuileries, la gare d'Orsay, le Louvre, le palais de l'Institut, le pont Neuf, le square du Vert-Galant avec la statue équestre d'Henri IV et, pur joyau enchâssé dans un écrin sublime, Notre-Dame de

Paris. Grand lecteur d'Alexandre Dumas et de Michel Zévaco, je passais des heures à imaginer le Louvre d'origine et, face à lui sur l'autre rive, la tour de Nesle. Je voyais Buridan refaisant surface après que la reine nymphomane et cruelle eut commandé qu'il fût « jeté en un sac, en Seine ». Mais où sont les neiges d'antan ?

Finalement, Guy m'annonça la visite de Guy Blanc, mon futur premier patron. Chaleureux sans excès, le regard ouvert dans un visage sans grande personnalité et la poignée de main franche, Guy allait à l'essentiel et j'ai dû lui paraître suffisamment capable d'être son assistant pour qu'il m'engage sur un premier projet qui devait voir le jour en novembre. Ce film, *Le Chemin des Dames*, était une œuvre personnelle, et mon salaire de stagiaire lui permettait d'économiser celui d'un assistant professionnel qui aurait lourdement pénalisé son budget. C'était de bonne guerre pour un documentaire qui traitait de celle de 14-18.

J'étais content. J'avais, mieux qu'un boulot, un métier qui se dessinait. Je pouvais donc retourner à Grenoble annoncer cette bonne nouvelle à mes parents. Il était d'ailleurs juste temps car j'avais promis à Barjol de l'assister sur le prochain tournage, en octobre, de son moyen métrage *Les Châtaignes*.

Jean-Michel est un portraitiste. Il sait apprivoiser les êtres les plus secrets. Élevé à Saint-Étienne-de-Boulogne, petit bled de la campagne ardéchoise, le pays des marrons entre Privas et Aubenas, il connaît bien ces paysans taiseux et le poids de leurs silences. Il a la patience et l'humilité. Il sait attendre et disparaître. Devant sa caméra, les hommes finissent par ouvrir à deux battants la porte de leur âme qui était à peine entrebâillée sinon cadenassée. Impressionnant.

Voir travailler un portraitiste est toujours enrichissant. On apprend le regard. De la même façon qu'à force de parler sans cesse on n'entend plus les autres, on peut ne pas voir l'invisible, domaine privilégié des artistes.

Tournage sans problème. Rural et rustique à souhait. On a fait le tour des châtaigniers, des cochons et de leurs propriétaires qui les engraissaient aux châtaignes. On couchait dans une auberge couleur locale qui, vu la mine patibulaire des taverniers, aurait très bien pu être la fameuse « Auberge rouge ».

Au bout de quinze jours, fin de la leçon de choses. Retour à Paris pour préparer le film de Guy Blanc, *Le Chemin des Dames*.

Je ne savais pas bien en quoi consistait le métier d'assistant. Je m'attendais au pire. On m'avait prévenu que le gros du boulot était d'apporter des sandwichs et le café au réalisateur et au chef-opérateur. Ma nature ne me porte pas au larbinisme, mais j'étais prêt à me faire violence. Il fallait bien commencer. En fait, j'ai surtout porté du matos caméra, fait des liaisons entre l'équipe et les lieux de tournage et je me suis caillé comme jamais dans ma vie. Amis et frères montagnards, vous croyez savoir ce qu'est le froid ; la neige, le gel, les sourcils et la moustache blancs de givre vous paraissent être le must en termes de froidure. Que nenni ! Un séjour en novembre sur ces terres balayées par le vent du nord avec pour seules montagnes des monceaux de betteraves sucrières reléguera votre rude climat alpin au rang de douceur angevine. J'exagère à peine. Et dire que là, des dizaines de milliers d'hommes ont pataugé dans la boue, transis de peur, ne croyant plus à rien, et se sont fait faucher par les mitrailleuses des mecs d'en face, dont le sort n'était pas plus enviable. Pendant quinze jours je n'ai pensé qu'à eux.

Guy Blanc s'est révélé être un type bien. Plein de son sujet, il abordait chaque site avec le respect dû à la mémoire des hommes tombés là, sans même que ces massacres servent de leçon puisque, vingt ans plus tard, l'Histoire bégayera et repassera ce plat écœurant sous le nom de Seconde Guerre mondiale.

Je n'ai jamais vu ce film. Il ne devait pas être marrant-marrant.

Moi, j'avais touché mes premiers sous, même pas gagnés à la sueur de mon front. La température ne s'y prêtait pas.

On était fin novembre. C'est le 23 de ce mois qu'Oswald et quelques autres ont choisi d'assassiner John Kennedy à Dallas. On l'a appris par la radio. Il n'y avait pas de télévision chez les Genon.

On met du temps à couper le cordon. Il n'est pas évident non plus de se déshabituer du rythme scolaire. Je me retrouvai donc logiquement à Grenoble pour les vacances de Noël.

Au programme : ski aux Deux-Alpes et caravane en fête.

Le rendez-vous incontournable était l'Étable. Déconnes, bop et rigolades en perspective... Et puis un soir, derrière un poteau, un regard plus intrigué qu'il ne le laissait paraître, une bouche à la limite de la moue moqueuse si ce n'est méprisante me narguèrent si fort que je relevai le défi.

Je croyais être à l'abri de ce genre de situation archibanale et, pour tout dire, un peu vulgaire : la rencontre dans une boîte de nuit. De plus, je savais très bien qu'en général, après les dragues nocturnes, les lendemains déchantent. Tant pis, j'y vais. J'invite la jolie narquoise pour un bop... Et badaboum ! Coup de foudre. D'une seconde à l'autre elle est devenue indispensable. À ma vue, à ma vie et mes sens. Chaque passe était un délice. Son corps frôlait le mien et j'avais la sensation d'être balayé par un rayon de scanner, chaud et bénéfique. Je me rechargeais à chaque contact. Dans les lumières clignotantes, elle affichait un

sourire énigmatique. À la fois docile et ferme, elle s'avé-
rait, au moins en ce qui concernait le bop, être le complément que, sans le savoir, j'attendais. Quand j'ai lâché sa
main, j'étais amoureux. D'un amour fou. Celui qui fait
qu'on baisse sa garde, qu'on abdique toute volonté d'être
maître de soi-même et qu'on se met à la merci de l'autre,
celle qui peut faire de vous son esclave ou son chien.
Encore aujourd'hui, je ne m'explique pas ce qui s'est passé.
Les phéromones ? Elles ont, sans aucun doute, joué un rôle
et fait, en tout cas, qu'en quelques minutes de petit cador
j'étais devenu pantin.

Il faut dire qu'elle était jolie, Maïotte. Des cheveux
blonds tirés en chignon mettant en évidence un visage
d'ange, un regard pervers ou malicieux selon son humeur,
une bouche boudeuse à la Bardot, le tout dans un teint de
lait. Elle était femme plus que femelle. Physiquement,
Maïotte était moderne. Des petits seins bien formés, un
bassin étroit, des fesses rondes et musclées d'où partaient
de superbes jambes. Elle n'était pas grande, mais pas petite
non plus. Élancée, déliée, racée, elle se servait du balance-
ment de ses hanches comme un illusionniste utilise sa main
droite pour qu'on ne voie pas ce qu'il fait de la gauche.
Fashion victime, branchée, coquette, elle avait tout des
Parisiennes de Kiraz. D'ailleurs, Maïotte l'était, parisienne.

Nous avons flirté toute la semaine. Nous n'avons même
pas skié ensemble. Nous nous retrouvions le soir à l'Étable.
À la fin de la semaine, nous avons échangé nos adresses et
nous nous sommes donné rendez-vous à Paris... Peut-être.

Redescendu à Grenoble, j'ai écrit ma première lettre
d'amour. On y trouvait de tout. Du romantique à l'en-
flammé, des envolées bucoliques aux sous-entendus éroti-
ques, de la biche au brame du cerf. Tout. J'avais des
excuses, c'était ma première. Je ne savais pas que c'était,
également, ma dernière.

Je crois qu'il n'y a guère de place au hasard dans nos vies quand on tient compte des images obsessionnelles et des rémanences enfouies sous le fatras d'informations qui s'accumulent et les masquent. Des années plus tard, je me dis que Maïotte aurait très bien pu être la petite fille de riches de Golfe-Juan, cette petite blonde que j'ai aimée au premier coup d'œil et qui ne m'a jamais vu. Douze ans après, elle ne devait pas être très différente. Au moins physiquement.

Début janvier, Paris, me revoilà.

Mais cette fois j'ai des marques, des repères et un cœur qui explose d'amour. Je vais te manger.

J'avais bien ressenti, en filigrane, que Maïotte, diminutif de Marie-Charlotte, était plutôt le genre de fille à aimer les gagneurs ou les frimeurs et, pourquoi pas, les deux à la fois. Les retrouvailles furent moins tendres que je ne l'espérais, mais ma lettre avait fait son petit effet. Elle me trouvait trop provincial et décida de changer ce qui ne s'appelait pas encore mon look mais mon allure. On a écumé toutes les boutiques de Saint-Germain pour faire de moi un parfait minet. Les quelques sous qui me restaient du *Chemin des Dames* y sont passés. Elle m'a appris le hully gully, le madison, m'a emmené dans des boîtes où tout le monde dansait en carré. Je m'y suis copieusement ennuyé et ne croyais pas une seconde à ce que j'étais. Je faisais mon apprentissage de la vie parisienne au bras d'un canon pour qui seule l'apparence semblait compter. Je commençais à entrevoir le vrai visage de la Ville-Lumière. Assez artificielle, la lumière en question.

Sur le plan sexuel, on flirtait au-delà des limites, mais ni l'un ni l'autre n'avions de coin où nous retrouver seuls pour pouvoir enfin libérer nos énergies atomiques qui montaient en pression et entraient dans la zone rouge. Maïotte n'était pas du genre à faire ça sous une porte cochère ni moi à le lui proposer. Pas question non plus d'« aller à l'hôtel ». Cette expression me paraît toujours d'un autre siècle, petite-bourgeoise et synonyme de sexe triste. Je préfère m'abstenir. De toute façon, je n'avais pas de quoi. Nous avons donc continué de nous explorer, en haletant beaucoup et en attendant des jours meilleurs.

C'est l'appel de la Patrie qui m'a sauvé de l'explosion.

Ayant arrêté mes études de médecine, je n'étais plus sursitaire. La guerre d'Algérie était terminée, c'était déjà ça, mais le service militaire qu'on me promettait, dans l'aviation, en Allemagne, ne m'enthousiasmait pas outre mesure.

Mon premier contact avec les militaires datait de mon année de première. À poil, alignés comme du bétail, on était passés sous l'œil critique d'un toubib scrogneugneu qui suintait l'imbécillité. J'étais maigre, pas musclé et génétiquement antimilitariste. Ce con trouva pour me décrire cette définition qui résonne encore dans ma tête : « Type asiatique : sec mais robuste » ! Et il me déclara « bon pour le service ».

Deux ans plus tard ce furent « les trois jours ». Dans une caserne lyonnaise, avec un nombre d'analphabètes qui m'a littéralement sidéré. Là, j'ai eu la confirmation que je n'étais vraiment pas fait pour ce genre de voyage organisé. Heureusement, des confrères de mon père m'avaient préparé un dossier qui faisait de moi un souffreteux incurable, en tout cas fragile, ne pas trop secouer s'il vous plaît. C'est pourquoi mon encasernement se fit à l'hôpital militaire de Grenoble où j'ai passé douze jours en pyjama. On s'emmerdait ferme, alors on jouait au poker les immondes clopes de ces paquets jaune paille qui faisaient partie du paquetage et qu'on appelait des « troupes ». Douze jours de ce régime ne rendent pas très intelligent. À tel point qu'aux examens respiratoires, j'y suis allé de bon cœur en soufflant comme un bœuf. Les médecins militaires, qui voulaient absolument me trouver de l'emphysème pulmonaire, ont dû faire des contorsions intellectuelles pour excuser ma capacité thoracique normale sinon très bonne et m'ont finalement réformé. J'ai bien compris que la solidarité médicale l'avait emporté sur le règlement, car mon père l'a su avant moi. C'est lui qui m'attendait à la sortie de l'hosto. J'étais libre. Je gagnais dix-huit mois de vie. Encore merci mon pap'.

De retour 12 rue de Seine, j'ai eu envie de lui écrire pour lui dire combien j'étais fier d'être son fils et l'assurer de ma détermination. Je n'étais pas monté à Paris pour glander et je saurais lui en donner la preuve. Profession de foi et déclaration d'amour filial auquel, je l'affirme, je n'ai jamais manqué.

La maison de Guy Genon-Catalot était une sorte de carrefour des arts. Aux murs étaient accrochés des Soulages, des Hartung qui faisaient partie de ses amis. Son cabinet étant situé dans la partie chic de Saint-Germain-des-Prés, Guy soignait de nombreuses personnalités du monde artistique et intellectuel qui comptaient à l'époque. Un soir, à table, je me suis retrouvé en face de Nicholas Ray, géant du cinéma américain, l'immense réalisateur d'une flopée de chefs-d'œuvre dont *Johnny Guitar* et *La Fureur de vivre*, qui sortait des *55 jours de Pékin*, et était de passage à Paris. Géant et déjà vieux bonhomme à la gueule burinée, une élocution rendue pâteuse par quelques doubles scotchs, il avait la courtoisie de poser son regard las sur ses interlocuteurs et de répondre, sans les envoyer balader, à toutes leurs questions insipides.

J'ai toujours été fasciné par cette génération de créateurs américains, cinéastes ou écrivains qui ont façonné puis transmis l'image mythique de l'Amérique. Sans lui faire de cadeau. À coups de machette parfois et à l'alcool fort. En la prenant comme des vachers et l'adorant pourtant, sans démonstrations de tendresse, car le WASP n'embrasse pas. Des hommes hors gabarit, trop grands pour nos rues, nos portes, nos salons, improbables descendants d'émigrés ou de pionniers qui, voulant échapper aux turpitudes européennes, ont défriché des immensités et finalement recréé, au nom de cette liberté nouvelle, d'autres cruautés, d'autres ignominies et beaucoup de malheurs. C'était peut-être ça qui imprégnait de lassitude le visage de vieux cow-boy de Nicholas Ray.

Le lendemain matin, avec Guy Blanc qui assistait également à ce repas, nous reprenions la préparation d'un film institutionnel qui vantait les mérites du compteur bleu. C'est ça aussi, le cinéma professionnel.

Le 12 mai 1964, petite révolution dans mes habitudes. Je reçois un coup de fil de mon père qui me conseille de courir le plus vite possible à une adresse. C'était un garage. Une surprise m'y attendait : une petite auto. Rien que pour moi. Une Fiat 600 bleu marine au toit décapotable qui, bien que d'occasion, représentait un cadeau d'anniversaire considérable, vu l'état des finances de mon pap'. Au volant de mon bolide, je me suis lancé dans la circulation parisienne, qui n'avait rien à voir avec celle d'aujourd'hui. Il faisait grand soleil pour saluer l'événement. J'ai commencé à découvrir le Paris du dessus, alors que, jusque-là, je n'avais circulé que dans ses dessous peu ragoûtants. Je me remplissais les yeux de toutes ces images nouvelles et réalisais que j'avais bien fait de ne pas « tuer le père ».

Je n'ai plus jamais repris le métro.

C'est pendant le tournage du *Compteur bleu*, moyen métrage alimentaire, que j'appris, de Guy Blanc, qu'Yves Robert mettait en chantier *Les Copains*, adaptation de l'œuvre de Jules Romains, dont le tournage était prévu pour l'été. Guy était le premier assistant attitré d'Yves et logiquement, étant l'assistant de l'assistant, j'étais sur le coup. Mon premier long métrage ! J'ai déchanté lorsque j'ai su que Xavier Gélin, le fils de Danièle Delorme et de Daniel Gélin, beau-fils d'Yves Robert, serait second assistant à ma place. Dépité, je détestai immédiatement ce Xavier dont je ne pouvais pas savoir qu'un jour, il deviendrait un de mes meilleurs amis. Mais pour qu'il soit de ce tournage, il y avait une condition sine qua non : il fallait que Zazie, son surnom pour tous ceux qui l'aimaient, réussisse son bac. Et Zazie queuta ! Il fut donc convenu qu'il ne ferait que le mois de juillet et qu'il irait réviser pendant le mois d'août. Et là, je le remplacerais.

Mais pour l'heure, je savais qu'en juillet je serais libre et j'avais bien l'intention d'en profiter.

Dès que je le pouvais, j'allais chercher Maïotte à la sortie de ses cours de l'École du Louvre. Parlant des vacances à venir, elle me dit un jour qu'elle et sa mère passaient l'été en Espagne. À Torremolinos d'abord, puis à Sitges où ses parents avaient un petit appartement. Va pour l'Espagne !

Après un court séjour à Grenoble et les centaines de réponses enthousiastes aux questions un peu inquiètes de mes parents, je partis rejoindre l'objet de mon amour. Pour le confort et la vitesse, j'avais troqué ma petite Fiat contre la Dauph' Gordini de Mammine. Torremolinos est exactement au bout de la péninsule Ibérique et, en ce temps-là, il n'y avait pas d'autoroutes. Mammine a dû murmurer avec un sourire ému quelque chose comme : « L'amour,

qu'est-ce que ça fait pas faire ! » Bisouilles, et j'ai tracé.
J'étais pressé.

J'imaginais ma Maïotte, bronzée, bikini-lunettes noires,
star de la plage et je comptais les kilomètres restant à
dévorer sous un soleil de plomb. À la nuit tombante, j'étais
à Barcelone où j'ai eu la fâcheuse idée de m'arrêter dans
un resto-route douteux et de commander du poulet frit dans
je ne sais quelle huile de vidange. Cinquante bornes plus
loin, mon foie endolori m'obligeait à conduire de côté, quasiment allongé. Je ne me suis arrêté qu'à Alicante, mort de
fatigue et de sommeil. Comme avait dit Mammine :
« L'amour, etc. » L'amour ou le désir ? Réprimé pendant
des mois !

Torremolinos est une station balnéaire entre Malaga et
Marbella, à une petite deux-centaine de kilomètres de
Gibraltar. Déjà en 1964, cette monstruosité archi-bétonnée
était une usine à touristes sur un bord de mer assez quelconque mais un must de l'époque en termes de lieu de
vacances et de fêtes pour snobs n'ayant pas les moyens
d'aller se faire dépouiller sur la Côte d'Azur ou à Saint-
Tropez. J'y suis arrivé en milieu d'après-midi.

Elle était exactement comme je l'avais rêvée. Belle à
mourir. Parfumée de mer et de soleil. Je lui aurais volontiers sauté dessus, arrachant à la hussarde, comme je me
l'étais promis pendant le long trajet, le moindre tissu qui
la recouvrait... Malheureusement, maman était là et j'ai dû
me comporter en faux-cul avec le sourire du gendre idéal
et l'onctuosité d'un jeune homme bien élevé. Maïotte me
conduisit à l'hôtel qu'elle m'avait réservé et me donna
rendez-vous, à 22 heures, heure à laquelle les Espagnols
recommencent à mettre le nez dehors.

J'adore ce rythme de vie qui fait que la soirée est réellement coupée de la fin du jour. J'aime ce temps qu'il
laisse aux hommes et aux femmes pour oublier le stress de

la journée, puis se pomponner, se bichonner, se remettre à neuf, et qui fait de chaque soir un nouveau départ.

Cette soirée-là fut à la hauteur de mes espérances. Pendant le dîner, dans un restaurant de la plage, je devais avoir le regard lubrique d'Albert Finney dans *Tom Jones* quand il mangeait des langoustes en face de la femme qu'il avait bien l'intention de posséder, corps plutôt qu'âme. Maïotte se laissa déshabiller des yeux sans se dérober. Au contraire, un dialogue aussi muet que sensuel nous tint lieu de conversation, sous-jacent aux platitudes convenues que formulaient nos lèvres. À moitié ivres de désir, on a regagné la voiture et cherché un coin désert près de la mer en dehors de la ville. Là, contre la portière, debout, nous nous sommes étreints sans dire un mot. Tout avait été dit pendant le repas sur la plage. Nos corps se sont aspirés et nous nous sommes pris. Que tu étais belle, Maïotte ! J'ai encore, au fond de ma tête, ton regard de petit animal, ton rictus jouisseur qui dégageait tes dents carnassières, et les soubresauts de ton bassin avide. J'ai encore, dans les oreilles, la musique de tes appels rauques, de tes gémissements de plaisir. J'ai encore la sensation de tes mains accrochées à mes fesses, me collant un peu plus à toi, comme pour m'engloutir dans ton ventre. Je te voyais pour la première fois femelle, Maïotte. Cette nuit-là, tu as été plus qu'une femme. Une déesse de l'amour. Nous avons explosé dans la même seconde.

Exténués, haletants, il nous a fallu un peu de temps pour redescendre. Calmés, il ne nous restait plus qu'à rire de la folie qui nous avait emportés, de l'éternité qu'il avait fallu attendre pour que ce moment soit, et aussi du fait que pendant ce corps à corps, nous ne nous étions même pas embrassés. Léchés, mordus, dévorés, certes, mais sans s'embrasser. Et pourtant, il n'avait été question que d'amour. On le savait tous les deux.

Après une balade tardive dans le centre de Torremolinos,

je l'ai raccompagnée. Le lendemain, puisque j'avais une voiture, Maïotte exprima le désir d'aller se baigner en dehors des plages de la ville. Maman serait du voyage. Au pied de son immeuble, nos baisers de bonne nuit se transformèrent en étreinte, mais cette fois amoureuse et tendre. Nous n'avons fait que l'amour. Toujours debout.

En rentrant à l'hôtel, je rendis grâce à l'été, au soleil, au ciel étoilé d'Andalousie et à la douceur de la nuit, et leur adressai l'hommage appuyé que je pensais leur devoir. Je les tenais pour responsables, dans une large mesure, de ce que je venais de vivre.

Je me suis endormi, dingue de Maïotte et de ses trésors désormais découverts, avec la ferme intention de vérifier le plus souvent possible que ma fortune n'était pas qu'une illusion.

La semaine se passa en baignades, en siestes crapuleuses dès que la maman avait le dos tourné, et en sorties nocturnes. Il fallut nous montrer très rusés pour que Maïotte puisse me rejoindre dans ma chambre. À cette époque, on ne plaisantait pas dans cette Espagne franquiste et bigote, où chaque concierge d'hôtel était un flic ou un Torquemada en puissance.

La deuxième semaine, on remonta à Sitges, en Catalogne. Je m'en souviens comme d'un village pittoresque et pas frelaté. L'appartement des parents de Maïotte était situé dans la vieille ville, dédale de ruelles étroites entre des maisons blanches aux volets colorés. Mais je n'étais pas là pour faire du tourisme. L'unique objet de toute mon attention était Maïotte. J'étais monomaniaque, monothéiste, idolâtre. Complètement obsessionnel.

Il me fallut quand même laisser ces dames à leurs vacances et retourner vers la civilisation. Je suis rentré le cœur lourd et léger à la fois. Chaque kilomètre m'éloignait de mon amour, mais me rapprochait de mon avenir. Mon cerveau avait, par là même, suffisamment de grain à moudre pendant le long trajet de retour en bagnole vers Grenoble, puis Paris.

L'équipe des *Copains* rentrait d'Ambert et Issoire, charmantes localités du Puy-de-Dôme, où s'était effectué le tournage en décors naturels, sur les lieux mêmes où se déroule l'action du roman de Jules Romains. Il restait à tourner les séquences en studio et, pendant quelques jours, aux alentours de Paris. J'avoue que je n'étais pas franchement mécontent d'avoir échappé à l'épisode auvergnat de la réalisation du film. Il m'aurait privé de mon escapade amoureuse espagnole sans m'offrir une contrepartie digne du souvenir que j'en gardais. Prendre la succession de Zazie était chose délicate. Tout le monde adorait ce mec, adorable il est vrai, dont j'aurai l'occasion de reparler. Par nature je suis très liant comme garçon. Je n'ai donc pas eu de difficulté pour m'intégrer. Yves Robert savait que je bossais avec Guy Blanc et lui faisait confiance.

Yves faisait déjà partie de ces légendes du spectacle pour lesquelles un peuple entier éprouve sympathie et respect. Parce que, à vingt-cinq ans, ces acteurs, metteurs en scène, scénaristes, histrions à tout faire ont, après la tourmente, réinventé le rire, la fantaisie ou la loufoquerie pour le grand plaisir d'hommes et de femmes qui avaient bien besoin d'oublier l'horreur, et de reconstruire leur moral autant que leur pays. Selon l'expression qui avait encore un sens à cette époque, Yves Robert était de gauche. De cette gauche qui se veut plus intello qu'elle ne l'est vraiment ; qui, les soirs d'été, va écouter du jazz New Orleans en plein air, en chemisette à carreaux, fumant la pipe, et qu'on voit le lendemain sur la photo dans le canard local. Une gauche plus passéiste que moderne. Ce n'était pas un hasard si les sources de l'inspiration d'Yves Robert se trouvaient plutôt chez Pergaud, Allais, Marcel Aymé, Jules Romains et plus tard Pagnol. En revanche il était doté d'un pif redoutable pour repérer, dénicher, et généreusement porter sur les fonts baptismaux de nouveaux talents. Il l'a prouvé maintes fois en produisant des films difficiles de jeunes réalisateurs.

Raconteur intarissable d'histoires drôles du métier dont les héros étaient en général de grands artistes du passé, il était ancré dans une culture un peu surannée pour le jeune homme que j'étais. Je me suis rendu compte, par la suite, de la chance que j'ai eue de côtoyer des êtres de sa trempe. Sans que j'en sois conscient, ils m'ont enraciné, ont étoffé mon bagage et m'ont porté au respect admiratif de ceux qui nous ont laissé des œuvres qui leur ont largement survécu.

Yves était toujours en spectacle. Il avait d'ailleurs un costume de scène, en l'occurrence de tournage : une veste pied-de-poule bleu clair de boulanger-pâtissier, ou de boucher-charcutier peut-être, qu'il enfilait en début de journée et qu'il ne quittait qu'au moment de rentrer chez lui. Sur le plateau, il se montrait généralement de bonne humeur et son équipe, composée de professionnels sûrs et rapides, était totalement à son service. Il est vrai qu'étant également producteur, Yves était pour eux une source de boulot non négligeable. Ça compte, au cinéma. Ce qui n'empêchait pas ledit producteur de faire un peu de paternalisme avec les machinos et les éclairagistes. Travers agaçant mais compréhensible de la part d'un ex-prolo.

Les sortis du rang, les fils de personne qui sont devenus quelqu'un, les enfants de pauvres qui un jour roulent en Jaguar sont souvent embarrassés en face de leurs ex-congénères. Comme s'ils devaient s'excuser de leur réussite qui les a fait changer de statut social. Ils voudraient bien pouvoir leur dire qu'ils sont pareils à eux, à ce qu'ils étaient avant, que le pognon ne transforme pas à ce point un homme... Pas facile. D'abord parce que les autres s'en foutent, n'imaginant même pas leur sentiment de culpabilité, et finalement parce que c'est faux. La réussite et le pognon changent profondément la vie d'un mec, donc le mec lui-même, sans en faire pour autant un renégat. Certains, c'est vrai, vouent une telle haine à leur vie antérieure que pour se venger, ils la font payer à leurs subalternes. Ceux-là, malheureusement, ne font que grossir le rang des salauds infréquentables.

L'équipe des productions de la Guéville s'était installée aux studios d'Épinay. L'ambiance était bonne et plutôt relax dans le staff régie. Tout se passait à merveille.

Le gros avantage du plateau, pour un second assistant, c'est qu'il n'a pas à passer sa journée à bloquer les rues ou les gens pendant les prises de vues. En revanche, il gère les artistes. Il va les chercher dans leur loge et veille à ce qu'ils soient à l'aise. C'est eux qu'il va pourvoir en bouffe, clopes et boissons fraîches. Je ne peux pas me plaindre, je n'ai jamais eu à materner des caractériels et autres divas. Au contraire, je me suis régalé de voir et entendre déconner entre eux Philippe Noiret – un géant –, Pierre Mondy – voyou bonhomme –, Claude Rich – exceptionnel –, Michael Lonsdale – pince-sans-rire very british –, Guy Bedos – lutin farceur et chafouin –, Hubert Deschamps – complètement déjanté et un peu imbibé –, Claude Piéplu – surréalistissime –, et Tsilla Chelton, hilarante à la ville et à la scène avec un physique de directrice d'école libre. Que d'intelligences réunies ! Pas des stars de pacotilles. De grands comédiens au talent lumineux, en pleine possession de leur art. Des outils de rêve pour un metteur en scène qui les adorait. Chaque prise ou reprise était l'occasion de nuances supplémentaires dans leur jeu. Un festival. Et la plupart du temps, du metteur en scène au dernier des machinos, tout le monde était plié de rire. Merci, messieurs-dames, d'être ce que vous êtes et, pour ceux qui ne sont plus là, pas de problème, vous resterez inoubliables.

Lors d'un tournage dans les environs du Moulin de la Guéville, la propriété d'Yves Robert et Danièle Delorme, par une belle matinée de fin août, Guy Blanc apporta une bande magnétique qui avait été déposée aux bureaux parisiens de la production. Yves semblait l'attendre avec impatience. Il appela tout le monde autour du Nagra du preneur de son et nous dit que c'était la chanson du film. La petite bande de rien du tout, qui sentait le fait maison, commença de se dérouler. On entendit le déclenchement de l'enregistrement, un bruit de chaise qu'on avance, un toussotement puis la voix et le timbre inimitables de Georges Brassens s'accompagnant à la guitare dans la « réverbe » naturelle de sa cuisine. Yves nous précisa qu'il avait fini le texte la veille. On l'écouta et le réécouta. Chacun de nous avait l'impression que c'était un cadeau personnel. La chanson s'appelait *Les copains d'abord*. Nous étions les premiers à entendre ce chef-d'œuvre dont nous ne savions pas qu'il allait devenir ce que l'on appelle, dans le métier, une immortelle. Mais Brassens en direct de sa cuisine à nos oreilles... Grosse émotion dans les rangs.

Après le traditionnel pot de fin, on casse. On range tout, et le matériel est rapporté chez les loueurs. L'équipe soudée se disloque. Une fin de tournage, comme une fin de spectacle ou de tournée, est toujours un peu triste. Depuis quelques jours, les techniciens commençaient à parler du film avec lequel ils enchaînaient. J'ai d'abord ressenti ça comme une sorte de trahison. J'avais tort. C'est la vie du cinoche. Avant d'être une contribution à l'art cinématographique, un tournage est, pour ces mecs-là, un boulot. Ce sont des ouvriers du film. C'est ce qui les fait manger et peu importe la qualité de l'œuvre. En revanche, quand ils sont sur un coup, ils se défoncent et font tout pour satisfaire le plus vite possible – car le temps coûte cher au cinéma – le désir le plus mégalo ou farfelu du metteur en scène. Quitte à le considérer, en tapinois, comme le dernier des connards. Quand ces types-là vous aiment bien, c'est que vous n'êtes pas trop mauvais. En tant qu'être humain, au moins. Il m'est arrivé, beaucoup plus tard, « quand j'étais chanteur », d'en revoir quelques-uns. Ça m'a fait plaisir.

Je n'avais pas l'impression d'avoir appris grand-chose si ce n'est qu'une équipe de cinéma est très hiérarchisée et que cette hiérarchie crée des strates, finalement assez hermétiques. Pour le rêveur d'absolu que j'étais, ça manquait un peu de souffle et de générosité. En définitive, ce n'est qu'une microsociété, réplique naine de la grande, celle que nous constituons et que nous contribuons, les uns et les autres, à en faire ce qu'elle est. En 1964, ça n'allait encore pas trop mal. Ça s'est gâté par la suite.

Retour à l'oisiveté début septembre, sans projet pour l'immédiat. Après avoir vécu avec beaucoup de monde pendant un mois, j'ai ressenti le manque. Manque d'échanges, de commentaires sur le film qu'on a vu la veille, du café-clope les pieds sur le bureau quand les chefs ne sont pas encore arrivés, de la dernière blague à deux balles qui circule... En manque de potes, tout simplement. Ça faisait maintenant un an que j'étais à Paris, et je n'avais pas encore un vrai copain. Jusque-là, chaque fois que le besoin s'en faisait sentir, je rentrais à Grenoble. En fait, je n'étais pas encore parisien. Il était temps que ça change.

Maïotte est rentrée mi-septembre. Après les tendresses

d'usage, elle n'avait pas une grande envie d'évoquer nos frasques espagnoles. J'avais l'impression que ce n'était pas la même nana. La sauvageonne était revenue dans sa cage. On a donc parlé de tout, de rien et aussi de mon manque de copains. C'est là qu'elle a évoqué le cours de comédie Yves Furet. Un cours de comédie pour se faire des potes ? Pas mal. Et les apprenties comédiennes sont, en général, plutôt jolies. L'idée commença à me séduire, sauf que la comédie, ce n'était pas du tout mon truc. Trop timide. Ma justification officielle fut de vouloir fréquenter des comédiens pour apprendre à les diriger.

Le cours Furet était situé rue Paul-Valéry, dans le seizième. C'était bien Maïotte, ça. Pour elle, Paris se limitait à quatre arrondissements : septième, sixième, cinquième, seizième, plus les Champs-Élysées. Elle ne savait même pas comment était fait un quartier populaire, ni même que ça existait.

J'ai tout de suite rencontré le patron du lieu, et lui ai exposé mon problème. Il a bien compris et m'a annoncé que c'était trois cents balles par mois.

Yves Furet, pas très grand, encore blond, avait une petite cinquantaine d'années. Une allure plutôt bourgeoise pépère, pantalon au pli impeccable et blouson en daim. Une belle voix, qui lui valait de faire partie de cette caste très fermée que sont les comédiens qui font de la postsynchro, c'est-à-dire les doublures d'acteurs américains ou les raconteurs sinistres des documentaires chiants. Il avait une autorité naturelle qui lui permettait de tenir son petit monde sans avoir à blesser ou ridiculiser. Il cabotinait juste ce qu'il fallait pour détendre l'atmosphère et se glorifiait volontiers de la réussite de tel ou tel de ses poulains, comme si seule sa méthode en était la cause. En gros, Yves Furet s'aimait bien.

Parmi les élèves de son cours, un gros pourcentage venait, de toute évidence, des environs immédiats. La rue

Paul-Valéry est située entre la place de l'Étoile et la place Victor-Hugo, et, au prix du mètre carré, ne peuvent habiter dans le coin que des gens très friqués. D'où le nombre de jolis petits lots, très classe, qui prenaient des cours de comédie comme certaines font du piano ou apprennent à faire des bouquets, et une flopée de minets du drugstore des Champs, aussi niais qu'était haute l'idée qu'ils avaient d'eux-mêmes. Certains d'entre eux étaient carrément des caricatures. Je revois très précisément Patrick Balkany, bellâtre sûr de lui qui arrivait toujours suffisamment en retard pour que les têtes se retournent vers la porte d'entrée. Il portait un blazer sur une chemise ouverte et, comble du ridicule pour un mec de vingt ans, un foulard façon yachtman des films américains des années trente. Je ne l'ai jamais vu jouer quoi que ce soit. Il venait sans doute faire son marché parmi les mignonnes filles de riches qui n'avaient pas d'autre talent que leur sourire Colgate-jeune-femme heureuse et le compte en banque de leurs parents. Encouragé par ses résultats, il a dû appliquer plus tard la même façon de faire en politique. Il est certain, en revanche, que l'art dramatique français n'a pas trop souffert de son changement d'orientation.

À Champollion, j'avais cultivé mon talent pour dégoter les lascars avec lesquels je pouvais avoir des affinités, mais là, j'ai bien cru que j'allais faire chou blanc. J'acceptais déjà l'idée de repartir bredouille lorsque, lors d'une pause cigarette, un mec me parut sympa, pas con, plutôt lâché quoique un peu raide, mais bon... Il se prénommait Patrick. À la fin du cours, on est allés boire un pot au Scossa, brasserie très connue de la place Victor-Hugo. Patrick était copain avec un Patrice, que j'avais repéré et qui me paraissait être un grand frimeur, très salonard et paradant autour d'une Sybil qui semblait ne pas détester ça. Salut ! Salut ! Chacun rentre chez soi et à la prochaine.

Le cours avait lieu deux fois par semaine. Furet m'avait demandé de travailler le rôle du fils dans *La Mort d'un commis voyageur* d'Arthur Miller. Pourquoi pas ? Essayons. Patrick devait me donner la réplique. C'est comme ça qu'on est devenus amis, Patrick Villechaize et moi...

Un soir, un nouveau débarqua. Il y avait en lui quelque chose d'une petite frappe qui attira immédiatement notre attention. Il était jeune, dix-huit ans, le visage poupin, les yeux cernés du couche-tard et des airs bourrus qui ne lui servaient qu'à masquer sa timidité. Yves Furet lui a demandé de présenter sa scène. Je crois me souvenir qu'il s'agissait des *Jours heureux*, que la jeunesse de ses personnages rendait incontournable dans le répertoire d'un cours d'art dramatique. Le petit jeune est monté sur l'estrade et nous a mis sur le cul. Il était carrément bon. Naturellement bon. Le texte était dit intelligemment, la voix timbrée, avec une sorte d'assurance assez inattendue de la part d'un gars de son âge. On l'a aimé tout de suite et à la fin du cours, on est allé lui faire part de notre enthousiasme. Son prénom, à lui, c'était Michel. Michel Sardou. On se retrouve tous au Scossa. Le groupe se forme petit à petit. On commence à s'apprivoiser. Ça devient fluide. Patrice, quand il ne fait pas la roue devant une nana, nous rejoint. Il jouit, au sein du cours, d'un petit prestige car il a déjà joué dans un film à succès, *Le Gendarme de Saint-Tropez*, dans lequel il interprétait un jeune premier un peu nunuche. Il n'était donc plus puceau. Il avait tâté du sunlight, lui. Laffont était son patronyme.

Au fil du temps, Patrick Villechaize, Patrice Laffont, Michel Sardou et moi-même allons devenir amis pour le meilleur et pour le pire.

Sur les bancs du cours Yves Furet, il y avait aussi un

grand garçon, plus réservé et doté d'une bonne voix bien timbrée. Je n'ai su que plus tard qu'il avait chanté dans des chorales ou des manécanteries. Il ne savait pas encore, pas plus que nous-mêmes, qu'il allait faire une belle carrière. C'était Roland Giraud, pour qui j'éprouve respect et amitié.

Il y avait également la star du cours, Yves Rénier, qui « triomphait » dans la série télévisée *Les Globe-Trotters*. Il passait de temps en temps pour se faire caresser dans le sens du poil par Furet qui en profitait, exemple à l'appui, pour vanter la qualité de son enseignement. Et il est vrai que ce n'était pas si mal que ça. Encore que...

L'enseignement de l'art dramatique passe par la psychologie, l'intelligence et la finesse du jugement de l'interprétation. Le prof doit encourager l'effort et saluer les progrès, ou mettre exactement le doigt sur les défauts, qu'ils viennent d'un manque de compréhension du texte, d'une pudeur qui fait obstacle à la liberté de jeu, ou encore de l'imitation, en moins bien, de clichés éculés. Apprendre à des jeunes gens à jouer ou chanter, ou, d'une façon générale, interpréter, c'est leur apprendre la liberté. C'est une sacrée responsabilité que d'apprendre la liberté à des mômes empêtrés dans des tabous familiaux, socioculturels, religieux ou coutumiers, depuis leur naissance. Pour que le prof soit plus convaincant, il est préférable qu'il soit, lui-même, dégagé de toute contrainte ou entrave. Pour enseigner la liberté, il faut être hors de la prison : Yves Furet n'était qu'au parloir.

Ce qu'il me reste de son cours, à part, bien sûr, le souvenir des bons moments avec les copains ? Au mur, à droite en entrant, une affichette sur laquelle était écrite cette définition de la création artistique, quelle qu'en soit la forme : « 20 % d'inspiration, 80 % de transpiration ». Ça marche pour tout.

Je baignais dans une douce euphorie. J'habitais Paris, dans un quartier dont on avait encore l'impression qu'il rendait intelligent, et, de surcroît, dans une famille pour laquelle j'éprouvais une profonde tendresse. J'avais maintenant des copains, un métier qui, bien qu'épisodique, me permettait de me dire que j'étais « dans le cinéma », une petite auto avec laquelle je sillonnais la capitale, découvrant tous les jours une merveille, et une super nana qui avait réussi à gommer mon côté province. Pas riche, mais heureux.

C'est le moment que choisit Maïotte pour m'annoncer solennellement qu'elle allait se marier. Pardon ? Te quoi ? Te marier pour quoi ? Avec qui ?

Ça s'est passé dans la grande salle d'attente de Guy Genon. Nous étions seuls, je me suis vidé d'un coup. Un grand trou au milieu du corps. Plus de cœur, plus de poumons, plus de tripes, plus de couilles, plus rien. Sur des guiboles flageolantes. Elle, assise, royale, les jambes croisées, affichait l'attitude ferme de celle qui édicte et que rien ne peut faire revenir sur sa décision. Elle parlait, la tête haute et fière. Les paupières basses, recouvrant les yeux jusqu'à la pupille, pouvaient traduire à la fois le mépris ou la provocation qui, souvent, masque la gêne.

Maïotte me dit être enceinte d'un garçon qu'elle avait rencontré en août à la campagne, et donc dans l'obligation de se marier. Les parents... Le qu'en-dira-t-on... Je ne sais plus bien ce que j'ai bredouillé. Ai-je seulement bredouillé ? Ce que je sais, c'est que je lui ai dit, comme un naufragé s'accroche à une épave, que, moi aussi, je pouvais l'épouser. J'adopterai ton enfant, c'est pas un problème... Je veux pas te perdre, c'est tout. Me connaissant, elle savait bien que je n'étais pas encore mûr pour le mariage et les gosses, et que, pour l'instant, ce n'était pas la première de mes priorités. Pendant qu'elle ronronnait des « C'est bête, mais c'est comme ça... » et des « Tu t'en remettras, va... », j'imaginais ses bourges de parents allant voir ceux de l'engrosseur et exiger réparation. J'imaginais aussi Maïotte prise par cet usurpateur sans visage et hurlant son plaisir avec la sauvagerie dont je la savais capable et cette image continuait de m'exciter. Pourtant elle était là, devant moi, froide. J'aurais pu penser, morte. Elle avait déjà changé d'histoire.

En sortant de l'appartement, Maïotte est sortie de ma vie.

Je ne suis pas du genre à étaler mes états d'âme. Personne ne l'a su et, le plus vite possible, j'ai enfoui Maïotte au plus profond de moi.

N'ayant aucune nouvelle, je ne pouvais pas imaginer ce qu'il y avait de vrai dans son roman à l'eau de rose. Je la savais suffisamment bricoleuse de vérité pour inventer une tragédie, ne serait-ce que pour échapper à ce qu'elle haïssait par-dessus tout, la banalité.

Dix ans plus tard, alors que mon spectacle était installé à l'Olympia, j'ai reçu dans ma loge un court message et un numéro de téléphone. C'était elle. Je n'ai pas détesté l'idée de lui montrer ce qu'elle avait perdu en ne restant pas avec moi. Je sais, c'est une réaction qui ne m'honore guère. C'est, en tout cas, la preuve que j'avais été plus atteint que je voulais bien le reconnaître. Et puis, l'envie de la revoir... et qui sait ?

Je l'ai appelée. La voix était sensiblement la même. Nous nous sommes donné rendez-vous dans un bistrot de l'avenue de Neuilly. Elle ne rayonnait plus. Je ne savais pas bien par quel bout commencer. On est restés en surface. Elle m'a fait parler de moi, sans rien me dire d'elle-même. Je n'ai pas évoqué son enfant. Je crois qu'elle m'a dit être divorcée, mais je n'écoutais plus et je me mordais les doigts d'avoir répondu à son message. Maïotte avait en elle quelque chose de profondément fracassé. La moue boudeuse qui m'avait rendu fou d'amour n'était déjà plus qu'une ébauche de grimace. J'étais triste. On s'est fait la bise, et je me suis enfui pour retrouver mes camarades de jeux, là où était la joie, la vie pleine de rires et, surtout, la passion.

Chaque fois que je revenais de Grenoble, en voiture, j'éprouvais la même émotion en arrivant vers Paris. Sur l'autoroute, après l'embranchement d'Orly, au début de la descente vers la porte d'Orléans. Il y a là une vue sur la ville qui donnait au provincial que j'étais le sentiment que tout y était possible, que les rêves les plus fous avaient des chances de s'y réaliser.

Une fois de plus, en rentrant des vacances de Noël, j'ai sacrifié à ce petit rituel personnel et mentalement pria-pique : j'ai pénétré la capitale jusqu'en son cœur au volant de ma Fiat 600 toute guillerette.

Chaleureuses retrouvailles avec les âmes amies du 12, rue de Seine, et le plus vite possible, en ce début janvier, retour au cours Furet. Les mousquetaires étaient de nouveau réunis.

Le train-train allait s'installer lorsqu'on apprit que René Clément, qui tournait *Paris brûle-t-il ?*, cherchait des jeunes figurants. Michel Sardou et moi avons été engagés pour faire une panouille, de nuit, au bois de Boulogne. Nous étions des jeunes étudiants qui se faisaient descendre à la mitrailleuse à l'arrière d'un camion bâché allemand. Ce n'était pas très compliqué. On a mangé des sandwichs, bu du café et gagné un peu de sous. C'était toujours ça de pris. J'ai su plus tard que dans le groupe d'étudiants se trouvait

Patrick Dewaere. Pas étonnant. Les grands acteurs, les artistes incontestés, savent bien que le premier commandement de toute démarche artistique est le mot « humilité ».

Le reste du trimestre est passé sans rien de bien passionnant. J'attendais des réponses pour le boulot. Une bonne rentrée d'argent m'aurait bien arrangé. Mon père continuait de m'allouer huit cents francs par mois, mais je commençais à être un grand garçon, avec les frais que cela implique : pots, ciné, et restos cheap. Le Roger la frite de Montparnasse était en quelque sorte notre cantine. Pas cher, certes, mais l'odeur s'incrustait jusque dans nos caleçons à fleurs, à la mode de l'époque.

Ce calme relatif annonçait une tempête. De l'ennui naît souvent la volonté de changement. C'est Michel Sardou qui jeta le pavé dans la mare.

Un soir, au Scossa, à la sortie du cours, Michel nous fit part de son envie de chanter et de passer une audition chez Barclay. Pourquoi Barclay ? On n'a jamais su. Il est vrai que les disques Barclay semblaient être ce qu'il y avait de plus swingant en ce début des années soixante. Eddie Barclay avait « inventé » le microsillon et jouissait d'une réputation de tombeur sulfureux qui alimentait les gazettes à potins qu'on n'appelait pas encore « la presse people ». Que ce soit Patrice, Patrick ou moi-même, on ne connaissait strictement rien au métier de la chanson, et, pour tout dire, on s'en foutait un peu. On était en pleine période yéyé, et franchement, mis à part quelques-uns qui privilégiaient plutôt les textes, on considérait, en moyenne, que c'était de la soupe. Bien sûr, restaient les hors concours, Brel, Brassens, Bécaud, Béart, Aznavour, mais parmi les jeunes, il n'y avait guère qu'Hugues Aufray, chanteur catalogué folk, et Adamo, entre chansons à texte et sérénades, qui trouvaient grâce à nos yeux.

Comme on n'en avait jamais parlé auparavant, on découvrit que Michel était fan de Johnny Hallyday. Je persiste à croire que c'est le mythe naissant qui le fascinait. Le parallèle entre la vie de Johnny et celle d'Elvis Presley était chaque jour plus marqué, depuis qu'il faisait son service en Allemagne. Tout contribuait à faire que des jeunes gens, Michel compris, s'identifient à la jeune star.

– Mais... Qu'est-ce que tu vas chanter ?

La réponse fut vague. On a compris que Sardou avait écrit des bouts de textes mais qu'il lui fallait de la musique. Le groupe s'était resserré autour de la table et de Michel. Ça gambergeait dur. Il allait lui falloir, c'était sûr, plusieurs chansons pour une éventuelle audition. Après tout, pourquoi pas ? À mon grand étonnement, j'ai appris ce soir-là que Patrice Laffont écrivait aussi et qu'il adorait ça, et que Patrick Villechaize était poète à ses heures. Ah, bon ? J'ai pensé dans un premier temps que je ne devais pas être normal. Je n'avais jamais composé le moindre poème sur mes cahiers d'écolier. J'ai d'ailleurs essayé par la suite d'expliquer ça par une trop grande exigence. Je tiens la vraie poésie, la noble, en si haute estime que je supporte difficilement la poétaillerie à deux balles, les rimes faciles ou approximatives et les cadences bancales. Arriver au résultat parfait implique un tel travail et une si grande abnégation... que j'ai fini par m'avouer que j'étais tout simplement un gros feignant.

Mais moi, j'avais ma guitare ! La guitare que ma mémé de La Rochette m'avait offerte pour mes vingt ans... au lieu de m'acheter une serviette de médecin. Le destin ?

Eh ben, où est le problème ? On va en faire, des chansons !

On ne doutait de rien. On avait vingt ans et des broutilles et la vie devant nous. Tous les coups étaient permis. Nous ne pouvions pas savoir que ce projet plutôt excitant allait changer le cours de nos existences.

12, rue de Seine

À la sortie du Scossa, ce soir d'hiver 1965, Michel et moi étions au tout début d'une aventure qui n'est pas encore terminée.

Dès le lendemain, on s'est mis au travail.

Patrice Laffont et Patrick Villechaize cherchaient, chacun dans son coin, tandis que les deux Michel planchaient sur les bribes du tout premier texte, *Les Arlequins*.

Michel Sardou, fils unique de Fernand et de Jackie, habitait un tout petit appartement près de la place Pigalle, à quelques mètres et sur le même trottoir que l'actuelle Cigale. Fils de saltimbanques, il avait, dès son plus jeune âge, dormi puis traîné dans les coulisses de nombreux théâtres et music-halls, au milieu des jambes, des fesses et des seins de danseuses qui changeaient à toute vitesse de costumes entre deux tableaux, ou des choristes d'opérettes dans lesquelles jouaient ses parents. Michel est le parfait mélange d'une culture méridionale, quasi pagnolesque par son père qui a tenu de nombreux rôles pendant les grandes heures de ce cinéma haut en couleur qui avait l'accent provençal et sentait bon l'ail et le pastis, et d'une culture populaire parisienne gouailleuse et forte en gueule, par sa mère, toujours prompte à la vanne et au quolibet. Moitié cacou, moitié titi, Michel avait alors dix-neuf ans et déambulait dans les nuits de Pigalle, Montmartre et Blanche avec une aisance qui me fascinait. Arrivant de la rive gauche-caviar, j'avais l'impression de suivre un petit malfrat dans son univers de cabarets, boîtes de nuit et arrière-salles bourrées de gangsters façon Lautner. Ce quartier sentait l'homme. Il n'y avait pas encore de sex-shops et le boulevard n'était pas la vitrine de la misère sexuelle qu'il est aujourd'hui. Michel s'y baladait comme un poisson dans l'eau, saluant au passage putes et aboyeurs.

Il avait une fiancée, Françoise, une belle plante blonde

qui dansait à la Nouvelle Ève. On travaillait jusqu'à son retour, vers deux-trois heures du matin. En l'attendant, Michel faisait, de temps en temps, des pâtes avec un jaune d'œuf, ou on allait, à l'angle de Pigalle, manger pour pas cher un « Wimpy », sandwich de bœuf avec beaucoup d'oignons, qui nous laissait sur les joues les mêmes traces et les mêmes odeurs qu'un burger de chez McDo dont il était le mauvais signe avant-coureur. Quand on était vraiment raides, on montait jusqu'au cabaret **Chez Fernand Sardou** que tenaient les parents de Michel, rue Lepic, où Jackie nous nourrissait à l'œil. C'est là qu'on a marié Michel et Françoise. Une jolie noce toute simple qui s'est terminée par une grosse bouffe à laquelle assistaient comédiens connus et sans grades rivalisant de cabotinage. Une vraie fête dans le droit fil des *Enfants du paradis.*

Pendant cette période « Macadam cow-boy », j'ai fait une grosse connerie. L'oisiveté, sans doute. Un soir où j'étais resté à la maison, 12 rue de Seine, j'ai transgressé les lois de l'hospitalité. Avec Marie-Do, la fille de Guy Genon, on avait pris l'habitude de déconner. Innocemment, comme un grand frère et sa petite sœur de dix-sept ans qui, l'air de rien, se faisait de plus en plus jolie et appétissante. Ce soir-là, le jeu est allé un peu trop loin. Pas grave, mais un peu trop loin. Juste assez pour frôler le danger de commettre l'irréparable et de regagner ma chambre le plus vite possible, pas très fier de moi.

Quelques jours plus tard, un peu avant Pâques, je partis préparer un documentaire sur le Val de Loire. En plus de mettre un peu de beurre dans mes épinards, ce film me donnait l'occasion de fréquenter les merveilles que sont les châteaux de la Loire et de me dire que les grands seigneurs de la Renaissance savaient ce qu'était la beauté. Le tournage prit une dizaine de jours. J'ai bien aimé cette immersion dans l'histoire de France mais, si magnifiques que soient les splendides résidences secondaires des rois, des princes et autres ducs, comme un cheval sentant l'écurie je piaffais de l'impatience de retrouver Michel qui était finalement arrivé à dégoter une audition chez Barclay.

En rentrant du Val de Loire, mauvaise nouvelle. Quelqu'un avait cafté. On croyait avoir été suffisamment discrets, Marie-Do et moi, mais Ninon, en bonne nounou qu'elle était, avait compris que quelque chose de sulfureux s'était produit cette nuit-là. Peut-être même avait-elle entendu craquer le parquet du couloir du vieil appartement. Elle avait mis Guy au courant, et celui-ci n'avait pas apprécié que le fils de son copain d'enfance ait suborné sa fille de dix-sept ans. Il n'était pas question que le loup reste dans la bergerie. Dès que j'ai tourné la clef, Ninon m'a fait savoir que je devais quitter la maison. Tout penaud, j'ai bouclé mon sac en vitesse, pris ma guitare et me suis retrouvé sur le trottoir, sans bien savoir où j'allais dormir. Je n'en voulais à personne. Je l'avais cherché et j'assumais ma connerie.

À ce moment précis, je n'avais pour tout refuge que mon auto et je rejoignis Michel Sardou. Il habitait un trop petit appartement pour pouvoir m'héberger. Le soir, heureusement, on avait cours chez Furet. J'ai raconté mon histoire aux copains et c'est Patrick Villechaize qui m'a sauvé la mise en m'invitant à partager son rez-de-chaussée du 10, quai aux Fleurs, sur l'île de la Cité.

7

44, RUE DE MIROMESNIL

Patrick Villechaize, originaire de Toulon, vivait à Paris dans un petit deux-pièces sombre qui appartenait à sa mère. L'Hôtel de Ville en face, de l'autre côté de la Seine, et Notre-Dame derrière.

C'était un garçon bien élevé, dans le genre baisemain et « mes hommâges mâdâme », sans jamais être ridicule. On sentait que ça venait de loin. Ni affecté ni emprunté. Un vrai fils de bourgeois de province. Intelligent, assez pince-sans-rire et doté d'un humour froid qui pouvait se révéler assassin, Patrick était un copain loyal, attentif et modérateur quand le ton montait. De taille moyenne, élancé, classieux, très costume trois pièces, il avait un regard qui semblait d'autant plus perçant que ses yeux en amande surmontés de paupières supérieures lourdes lui donnaient un air asiatique. Deux fentes au milieu d'un visage olivâtre à la barbe bien marquée, le tout balayé par une longue mèche tombant sur l'œil, parfois remontée d'un mouvement de tête qui lui servait de contenance. Il avait aussi une façon de porter le menton haut qui lui donnait des faux airs de cadet de Gascogne en mal de provocation.

Il m'a accueilli dans son antre sans donner l'impression que je le dérangeais et nous nous sommes mutuellement apprivoisés. Passer du stade de copain à celui de « coloc » n'est pas si évident et c'est toujours un petit miracle quand ça fonctionne. De toute façon c'était une solution de dépannage. Mais les affinités étaient telles que le dépannage dura.

Notre objectif était l'audition de Michel Sardou pour Barclay. Patrice Laffont m'avait donné un texte sur lequel je planchais, *Le Madras*. Michel de son côté écrivait *Les Arlequins* et *Je n'ai jamais su dire*. Patrick, quant à lui, transpirait sur *Il pleut très fort sur ma vie*. J'allais devoir mettre des notes sur tout ça.

Ma vraie rencontre avec la musique date réellement de cette période. J'avais bien fait un peu de piano à Voreppe, de l'accordéon, mais je ne m'en vantais pas, et je solfie toujours à deux à l'heure... J'avais gratouillé sur ma guitare les accords de base qui me permettaient de chantonner avec mes copains, mais je ne m'étais pas préparé à devenir musicien. J'étais d'ailleurs à ce moment-là bien loin de l'être, mais chaque jour je découvrais quelque chose, un petit truc de rien, une nouvelle position, le regard concentré sur mes doigts qui se baladaient sur le manche. En définitive, je ne suis jamais devenu un instrumentiste digne de ce titre et c'est, je crois, ce qui m'a permis d'être mélodiste. J'ai simplement compensé mon manque de technique par les airs que j'entendais en filigrane de la ligne harmonique. C'est là que l'inné intervient. Je ne savais pas, avant qu'on se mette au travail, que ma tête chantait. Je ne l'aurais peut-être jamais su si on n'avait pas fait le pari présomptueux de faire les chansons de Michel. Je trouvais une mélodie par jour, sinon plus. J'avais l'impression d'avoir ouvert un robinet à musique. Il y avait au tréfonds de moi une nappe souterraine sur laquelle j'étais tombé par hasard, qui débitait à gros goulot. Et ça ne me coûtait aucun effort.

Finalement, les chansons furent prêtes à temps et l'on se rendit à l'audition, Michel et moi, au studio Hoche. Là nous attendait Naps Lamarche, un des directeurs artistiques de Barclay. Michel connaissait bien ses chansons et moi je serrais les fesses. C'était la première fois que nous mettions les pieds dans un studio d'enregistrement et nous devions, sans doute, passer pour deux touristes aux yeux des professionnels qui affichaient un air blasé derrière leur console. Michel chanta. Je l'accompagnai. On ne sut que deux ou trois jours plus tard que ça avait marché. Michel devenait un artiste Barclay et nous, ses potes, on était, tout simplement, bien contents.

Sans faire de sentimentalisme, et avec le recul du temps, j'ai une grande tendresse pour l'image qui me reste de ce moment qui fut le carrefour de nos vies : Michel Sardou passant l'audition qui va lui mettre le pied à l'étrier accompagné par Michel Fugain. Deux Michel, deux destins ayant le même point de départ. Au-delà de la symbolique, les liens invisibles qui se sont créés entre nous pendant ce début de l'aventure ont pu se révéler extensibles, certes, mais sont à jamais insécables.

Michel, de son côté, continuait de chanter, notamment dans un cabaret de Montmartre, le Tire-Bouchon. C'était parti. Son destin était scellé. À cette nuance près qu'il balançait encore entre la grande tradition du cabaret et la variété. D'état d'esprit, il était plus montmartrois que showbiz et très attaché à ses origines saltimbanques. Il gagnait sa vie en passant d'un cabaret à un autre comme le faisaient la plupart des seconds ou troisièmes couteaux de l'époque. Un petit cacheton plus un petit cacheton finissait par faire une misère, mais ce n'était déjà pas mal.

J'avais rencontré l'arrangeur du futur super 45 tours de Michel pour lui donner les quatre chansons. Après ça, ce fut l'enregistrement auquel, auteurs et compositeurs, nous n'étions pas conviés. Pudeur tout à fait compréhensible de l'artiste. On attendit donc le résultat qui arriva courant avril. Je ne peux pas dire que je suis tombé raide. Les arrangements étaient poussifs et n'aidaient pas Michel. Il est vrai que *Le Madras* était un morceau à cinq temps et les musiciens de l'époque ayant déjà des difficultés avec quatre... Michel m'a longtemps reproché, d'ailleurs, de lui avoir fait un truc aussi difficile à interpréter. Mea maxima culpa, Mic.

Entre-temps, pour signer les contrats, Barclay nous avait demandé de nous rendre dans ses éditions. Il en avait deux. L'une, Marine, toute proche de la maison mère à Neuilly, et l'autre 44, rue de Miromesnil, Les Nouvelles Éditions Barclay. Il fut décidé que Michel irait dans la première et moi dans l'autre, pour ne pas faire de jaloux.

Ce qu'on appelle éditions musicales sont des sociétés qui éditent les partitions vendues dans le commerce, qui perçoivent les droits d'édition, et qui gèrent ou possèdent des catalogues d'œuvres modernes ou anciennes. Une partie de leur activité consistait à l'époque à découvrir de nouveaux talents, auteurs et compositeurs ou les deux à la fois, et, dans le meilleur des cas, à les aider à s'épanouir. C'était comme ça. Ça a bien changé.

La première chose que j'ai vue d'elle, c'est son ventre. J'attendais dans le grand hall et elle finissait sa discussion sur le seuil de son bureau. Rolande Bismuth, le bras droit de Gilbert Marouani, patron des Nouvelles Éditions Barclay, était enceinte jusqu'aux yeux.

Un sourire accueillant, de belles dents blanches illuminant un visage au teint méditerranéen encadré d'une épaisse chevelure brune, Rolande avait une trentaine d'années totalement épanouie. Il est vrai que la grossesse rend les femmes plus belles encore et leur confère une plénitude qui subjugue les hommes autant qu'elle les déconcerte. « C'est beau, une femme enceinte », avait dit

116

à mon père Picasso qui peignait sa belle-fille grosse et nue. Je partage l'avis du maître et cette phrase resurgit chaque fois que j'en côtoie une qui me semble digne de cet hommage. Une belle femme enceinte est souvent désirable.

Rolande l'était. Juive tunisienne, elle avait pour mari un grand et beau goy, expert en géologie et mécanique des sols, professeur au Conservatoire des arts et métiers, un crack dans sa discipline, éminemment sympathique de surcroît. Elle m'expliqua rapidement en quoi consistaient les contrats d'édition et comment marchait le métier de la chanson. Je ne comprenais pas tout et, franchement, c'était, à ce moment précis, la moindre de mes préoccupations. Je ne suis pas un homme d'argent et j'éprouve depuis toujours une méfiance instinctive envers les obnubilés des droits d'auteur. Après ce petit topo, Rolande me demanda si j'avais d'autres chansons. Oui, j'avais. Je lui ai chanté, en vrac – chantonné serait d'ailleurs le terme plus approprié – tous les airs qui m'étaient passés sous les doigts depuis que j'habitais chez Patrick Villechaize... Elle s'est montrée intéressée et, tout de go, a pris son téléphone. J'ai compris qu'elle appelait Pierre Delanoë car elle pensait que certaines de ces mélodies pourraient très bien aller à Hugues Aufray pour qui il venait d'adapter de nombreuses chansons de Bob Dylan. La belle déesse sémite brune était-elle une fée à ses heures ? Ça paraissait tellement simple. Vous êtes sûre ? Ça ne va pas être ridicule ? Elle me demanda de lui refaire les deux qui l'avaient particulièrement touchée.

– Non, non ! Ça vaut la peine, dit-elle, je vous assure.

Il y avait de quoi être un peu scié. Qu'est-ce que c'est que ce métier où l'on fait écouter des airs qui sont venus comme ça, en s'amusant, et qui se transforment d'un coup en projets sérieux, avec plein de gens célèbres impliqués dans l'affaire ? J'ai tout de suite bien aimé ça et me suis promis de continuer.

Pierre Delanoë ne pouvait venir que le surlendemain. Je suis rentré quai aux Fleurs sur un coussin d'air.

Pierre Delanoë était ce que les femmes appellent un beau mec. Auteur de succès planétaires avec son complice Gilbert Bécaud qui avait cartonné avec *Et maintenant* ou *Nathalie*, il trimbalait son aura d'édition en édition, écoutait des dizaines de mélodies que les éditeurs essayaient de lui faire paroler, quand il n'était pas au golf de Fourqueux où il pratiquait son swing avec talent. Des yeux bleus, une vraie belle gueule à la William Holden et une voix basse et mâle qui pouvait laisser imaginer que le monsieur n'avait qu'à ouvrir la bouche pour que les dames se liquéfient. Lorsqu'il arrivait quelque part, il devenait immédiatement le patron. Son charisme et son charme opéraient dès qu'il franchissait la porte. Voilà, au premier coup d'œil, le monstre devant lequel je me suis retrouvé. J'arrivais de nulle part, lui descendait de son Olympe. Je n'en menais pas large et j'étais déjà prêt à le détester s'il avait montré une once de condescendance à l'égard de mes chansonnettes. Non mais !

Il n'en fut rien. Il écouta attentivement les deux chansons que Rolande avait choisies et, au contraire, se montra amical et presque paternel. Il m'a dit plus tard qu'il avait senti tout de suite que j'étais un vrai mélodiste et qu'à cette époque où l'on adaptait beaucoup de hits américains, ça ne courait pas les rues. Pierre prit les deux mélodies pour Hugues Aufray qui préparait un album. L'une s'appela *Dam di dam* et l'autre *La Princesse et le Troubadour*.

Quatre chansons pour le disque de Michel plus deux pour Hugues, décidément, ce milieu me plaisait d'autant plus que tout ça ne me coûtait aucun effort. Il suffisait que je me cale dans un coin, que je gratte ma guitare qui me démangeait de plus en plus et que j'attrape au vol les airs qui passaient dans ma tête. Elle chantait toute seule.

Je pouvais partir en vacances le cœur léger. Patrick m'invita à les passer chez lui à Toulon.

À Grenoble je n'ai même pas posé ma valise. J'ai annoncé les bonnes nouvelles en coup de vent. Mon père ne comprenait pas tout. Le cinéma, déjà, ce n'était pas simple, mais les chansons en plus... Et pourtant, il me gardait sa confiance. Mammine, elle, me dorlotait et Claude continuait ses brillantes études de médecine avec la ferme intention de pouvoir subvenir à mes besoins si je devais un jour me retrouver à la rue.

La propriété des Villechaize était une grande et belle maison bourgeoise du cap Brun entourée d'arbres centenaires dans un quartier résidentiel. Les parents de Patrick étaient des gens discrets, notables sans ostentation et naturellement hospitaliers. Patrick m'avait présenté comme le compositeur qui mettait ses poèmes en musique et ça suffisait, on m'adopta sans hésitation. J'ai eu vaguement l'impression que, face à son choix de devenir un artiste, ses parents s'étaient simplement fait une raison mais qu'il n'était pas question une seconde, pour eux, de le dissuader.

Il y avait un petit quelque chose de trouble chez les Villechaize. Je savais que Patrick avait un frère aîné qui vivait aux États-Unis, mais curieusement personne n'en parlait. Seule sa mère l'a évoqué un jour et il m'a semblé percevoir une petite fêlure dans sa voix. Je savais qu'il se prénommait Hervé, mais j'étais frustré de ne pas pouvoir mettre un visage sur ce prénom. Il n'y avait pas une photo de lui dans la maison. J'ai respecté le secret de la famille et ce n'est que plus tard, en regardant la télé, que j'ai réalisé que le frère de Patrick était le nain de la série américaine *L'Île fantastique*.

Je ne sais pas si, finalement, la notoriété de leur fils aîné a libéré les parents de Patrick du fardeau qu'ils semblaient porter. Je le souhaite. Si c'est le cas, le succès de cette série et d'Hervé Villechaize lui-même aura, au moins, servi à ça.

En repassant par Grenoble, j'ai rencontré Jean-Michel Barjol qui me dit son projet de partir pour Paris. Il était temps qu'il franchisse son Rubicon à lui. Ni une ni deux, pour réduire nos frais, on a décidé de louer un appartement ensemble. Encore de belles soirées bouffe-picole-refonte de l'univers en perspective. Ça m'allait.

On a trouvé un meublé rue Cernuschi dans le dix-septième et la fête a rapidement commencé.

Dernière contribution à l'art cinématographique français, *Le Lit à deux places*, un film en trois sketchs dont un était de Jean Delannoy. C'est Guy Blanc qui m'avait mis sur le coup en tant que second. J'ai donc eu l'occasion de voir sur un plateau un brontosaure du septième art, qui se comportait comme la légende qu'il était. En seigneur. Vieux monsieur calme et chenu habitué aux égards de tous, Jean Delannoy représentait un cinéma hors d'âge, celui dont les gens de ma génération pensaient qu'il était temps de le mettre au rancard. Avec les années, on se dit quand même que ces vieux réalisateurs nous ont laissé quelques œuvres maîtresses, block busters du passé, de *Macao, l'enfer du jeu*, *Le Bossu*, *Le Secret de Mayerling* à *Chiens perdus sans colliers*, *Marie-Antoinette* ou *Notre-Dame de Paris*, pour lesquelles on peut avoir une tendresse émue. *Le Lit à deux places* n'était pas du même tonneau.

Coïncidence, Michel Sardou a tenu un petit rôle dans un

des sketchs. Pas celui sur lequel je travaillais. Dommage, j'aurais adoré avoir à le gérer pendant le tournage. Il en aurait bavé, le bougre !

*
**

Rolande Bismuth avait accouché en mai d'une petite fille et était tout à fait resplendissante en septembre. Elle m'a remis au boulot en me commandant des chansons. Patrice Laffont, qui avait pris, lui aussi, ses habitudes 44, rue de Miromesnil, avait des textes en avance. On s'est mis au travail pour Dalida et Hervé Vilard. Hervé nous chanta *Jolie ou pas jolie* et Dalida eut droit à *Si j'écrivais le livre...* de ses amours déçues.

Avec Hervé, on avait un peu l'impression d'être en famille. Il faisait fréquemment le tour des éditions, toujours à l'affût de la chanson qui pouvait faire un tube. Il avait une écoute très populaire. Ses critères étaient simples : il disait venir du monde qui achetait ses disques et savoir ce qu'il aimait.

Pour Dalida, en revanche, ce fut plus tortueux. Dali était une méga star et ne l'approchait pas qui voulait. Jalousement gardée par son frère, Orlando, qui lui-même avait tenté sans succès de faire une carrière de chanteur, elle habitait à Montmartre, tout près de la rue Lepic, une superbe maison blanche sur plusieurs étages. C'était la première fois que je mettais les pieds chez une vedette. Le mot star était, à l'époque, réservé à quelques actrices américaines, en général peroxydées et hollywoodiennes. Ce rendez-vous n'aurait jamais eu lieu sans la longue négociation de Rolande Bismuth.

Je garde de cette rencontre l'image d'une femme adorable, intelligente et un peu lasse, et celle d'un Orlando furioso quand sa sœur l'appelait Bruno (à prononcer, à l'italienne, « Brouno »). « Ah ! Ne m'appelle pas Brouno ! » Il est vrai que ça ne doit pas être facile de ne pas appeler son frère Bruno, quand c'est son vrai prénom et qu'on l'a toujours appelé comme ça.

Le patron des Nouvelles Éditions Barclay était un des innombrables Marouani qui se partageaient alors les différents métiers du métier. Il était difficile de leur échapper. Certains étaient imprésarios, d'autres éditeurs, d'autres encore agents de spectacle. Certains étaient des seigneurs, d'autres des affairistes, d'autres encore des épiciers, mais tous venaient de Sousse, charmante station balnéaire au sud de Tunis. Je crois que le premier venu, Daniel, a ouvert la voie, puis a appelé ses frères et ses cousins à profiter de la manne que représentait le show business de ces années-là.

Gilbert Marouani, lui, était éditeur. Pas très grand de taille, intelligent et rusé, il aurait pu être le renard au jeu de « Si c'était un animal ». Il en avait le museau pointu, et le ton doucereux du gars qui veut piquer au corbeau son fromage. Il parlait en serrant les dents et sans ouvrir les lèvres, ce qui lui faisait une voix un peu coincée et nasale. Il passait la journée dans son grand bureau et on ne le voyait, finalement, qu'assez peu.

Il y avait beaucoup de passage 44, rue de Miromesnil. C'était vraisemblablement dû à la bonne ambiance qui y régnait, et aussi, sans doute, le fruit de la volonté de Gilbert Marouani que l'endroit soit convivial. Les auteurs et compositeurs fréquentent plus volontiers des lieux agréables que des bureaux fermés où il faut demander audience pour, quelquefois, n'être pas reçu. En gros, Gilbert savait très bien qu'on n'attrape pas les mouches avec du vinaigre. Car c'était encore le but d'un éditeur d'avoir le plus de propositions possible de chansons à éditer, à présenter aux chanteurs et chanteuses et, dans le meilleur des cas, faire de l'argent avec. Logique. C'était appelé à changer. Trop humain.

Mon emploi du temps était simple. J'arrivais aux Éditions vers onze heures. Je prenais le temps de déconner avec Nicole Damy, qui n'était encore que secrétaire en attendant de devenir, plus tard, une bonne éditrice et je filais au fond du couloir à droite où je rejoignais mes compagnons de cellule. La cellule en question était une petite pièce où se trouvaient un bureau, un piano, une guitare et un Revox, magnétophone magique et sans égal. Dans cet antre où il n'était question que de musique et de chanson, Georges Blaness, Michel Jourdan et Jean Schmitt vont devenir peu à peu mes complices et inséparables acolytes.

Jean était souvent le premier sur les lieux, puis Georges arrivait pour faire son courrier et, plus tard, Michel déboulait en lançant une des boutades dont il avait le secret, étant d'un naturel rieur. On ne s'est jamais trop demandé d'où on venait les uns et les autres mais il semble que nous étions tous du Sud. Michel avait un accent du Midi, Georges était pied-noir, et Jean, peut-être bien du Sud-Ouest. Ex-danseur bâti comme un pilier de rugby, il souriait tout le temps et avait un petit côté paysan archéo-écolo en harmonie avec sa tendresse naturelle. Jean était solide. Georges, lui, était arrivé d'Algérie depuis longtemps et après avoir tenté sa chance en tant que chanteur, s'était peu à peu cantonné à des seconds rôles dans des opérettes ou des revues. Il avait une voix chaude, quasi suave, à la diction un peu affectée, ce qui est assez fréquent quand des chanteurs ou des acteurs veulent masquer leur accent. Pour ceux qui ont vu *Les Demoiselles de Rochefort*, il est la doublure chantée de Michel Piccoli, monsieur Dame, dans le film de Demy. Noirs ses sourcils, noirs ses yeux, noirs ses cheveux, mate sa peau. Un sourire charmeur, une envie de faire rire continuelle, Georges était un des plus grands queutards que j'aie rencontrés dans ma vie. Bien que vivant avec une comédienne fantaisiste adorable, Lucette Raillat, qui eut un succès énorme avec *La Môme aux boutons...* « ton, aux boutons de culotte », il avait un flair de carnassier et repérait immédiatement la proie sur laquelle il allait se jeter. Où que ce soit et n'importe quand. Rien à voir avec Michel, très réservé sur ce chapitre, beaucoup plus passionné par les chansons et les idées. Ce dernier vivait alors chez sa maman et ne semblait pas avoir envie d'en partir. Grand, mince, un regard de clown triste en totale opposition avec sa bouche toujours au bord de s'esclaffer, il riait avec les sourcils en accent circonflexe.

Jean et Michel étaient paroliers, Georges et moi-même étions compositeurs. Un jour où le génie ne soufflait pas vraiment, nous nous sommes appelés les « Incorruptibles ». On a cosigné à quatre la plupart des chansons qui ont été faites dans la pièce au fond du couloir.

Patrick Villechaize s'est senti un peu exclu. Rolande n'avait pas accroché à ses poèmes. Il est vrai qu'il y a un monde entre les deux modes d'expression que sont les paroles de chanson et la poésie. Ça peut marcher, mais c'est rare. Quand ça marche, je l'avoue, c'est souvent un chef-d'œuvre que l'on doit, d'abord, à la sensibilité et à l'intelligence du compositeur. Patrick boudait.

Patrice Laffont, fils de Robert Laffont, grand éditeur et homme admirable, a sans doute réalisé qu'il devait se stabiliser. Peut-être l'a-t-on aidé à s'en rendre compte. Il allait intégrer les éditions paternelles. Il commençait, ou n'allait pas tarder, à fréquenter une adorable Provençale, Catherine, qui sera son épouse et la mère de ses futurs enfants, dont Axelle Laffont la délurée, déjà craquante quand elle était petite. Patrice se fit un peu oublier. On allait le voir réapparaître quelque temps plus tard.

Michel Sardou, qui était dans sa dix-neuvième année, semblait avoir bien fait son trou chez Marine, l'autre édition, et ne mettait pas les pieds au 44, rue de Miromesnil. Il y avait un petit côté « chacun dans son camp », mais le contact restait étroit et chacun savait tout de l'autre. Le cinéma continuait de me titiller et j'avais fait de Michel mon acteur fétiche. J'avais même commencé d'écrire un scénario dont le héros, une petite frappe qui se faisait descendre à la fin, s'appelait Mick Saredo. L'image de Belmondo dans *À bout de souffle* a longtemps hanté mon imaginaire et je voyais bien Michel, dans son milieu naturel, Montmartre-Pigalle-Blanche, dans ce type de rôle. Puis son deuxième 45 tours fut à l'ordre du jour et on commença à penser à de nouvelles chansons. On travaillait chez lui, juste sous le Sacré-Cœur en bordure du funiculaire ou à la maison, rue Cernuschi. C'est là qu'en bossant, essayant, bricolant, et tout à ma recherche, j'ai eu le malheur de lui dire : « Michel, tu chantes mal, merde ! » Il s'est levé, a pris son cahier, est sorti et je ne l'ai plus revu pendant des années.

Pour l'heure, Michel partit faire son service militaire, ce qui a contribué à ce qu'on se perde de vue mais, en contrepartie, lui a inspiré *Le Rire du sergent*. À quelque chose malheur est bon.

Le 5 janvier 1966, je vais pour la première fois à la Sacem toucher mes premiers sous, gagnés avec des chansons. On disait « toucher sa Sacem » quand on allait retirer son argent au guichet de cette belle institution. Cérémonie rituelle que nombre d'anciens n'auraient ratée pour rien au monde. C'était pour eux l'occasion de se rencontrer au moins deux fois par an, en janvier et en juillet. Le 5. Maintenant on ne dit plus « toucher » mais « recevoir ». Tout se fait par la poste et par virement bancaire.

Quoi qu'il en soit, c'est ce jour-là que mon itinéraire a bifurqué. Les chansons d'Hugues Aufray me rapportaient, ô divine surprise, un peu plus de dix mille francs ! Je décidai, illico, de ne plus faire que des chansons. Fini le cinéma ! Je ne vivrais que de la musique.

Vivre de la musique... Au début, c'est très relatif. D'autant que les dix mille francs sont rapidement partis en fiestas, restos et cinés. Heureusement, les filles qui passaient à la maison avaient la courtoisie de laisser traîner leur sac ouvert avec quelques billets bien en vue pour ne pas avoir à nous faire l'aumône. Barjol avait le talent de faire des repas pantagruéliques pour trois fois rien. L'appartement de la rue Cernuschi sentait la Méditerranée, l'ail et les fines herbes.

Aux éditions, j'avais trouvé mon rythme de croisière. La complicité avec Rolande Bismuth était totale. Elle me regardait grandir et, de mon côté, j'aimais être ancré à cette femme belle et rieuse qui me guidait sans le montrer, et me faisait découvrir ce qu'était réellement le métier.

Quel métier au fait ? Compositeur, et, plus précisément, compositeur d'éditions. Avec mes complices de « la pièce au fond du couloir », on faisait des chansons. À raison d'une par jour, au moins. On n'arrêtait pas. Comme des gamins insouciants, loin des autres et de leurs problèmes, on se sentait protégés par la longueur du couloir. On était chez nous dans cette petite pièce où l'on pouvait hurler, rire à se faire mal, déconner et taper comme des sourds sur le vaillant piano qui vibrait de plaisir et, peut-être aussi, de douleur. Bien sûr, il y avait plus de déchets que de bon, mais c'est là, dans cette pièce de dix mètres carrés, que j'ai appris à « faire » des chansons. Chaque jour on découvrait de nouvelles harmonies, on osait, on cherchait tous azimuts, on essayait de s'émouvoir les uns les autres. Les airs passaient et on ne s'y attachait que si, le lendemain, la mélodie nous revenait toute seule. Sinon, on oubliait.

C'est là aussi que nous écoutions en boucle, histoire de nous remettre à notre place et de nous préserver de la grosse tête, l'album *Rubber Soul*, des Beatles. Ceux-là nous ont ouvert des voies qui ne sont pas près de se refermer.

Chaque fois qu'un auteur ou compositeur me demande un conseil pour avancer dans sa propre création, je lui réponds sans hésiter qu'il faut, d'abord, « faire ». Faire à longueur de temps. Ne pas s'autocongratuler. Ce n'est pas lui qui choisit la chanson mais la chanson qui s'impose d'elle-même. Ou non, et, dans ce cas, on jette. Se méfier comme de la peste des amis et des parents. Généralement, ils n'y connaissent rien et trouvent tout « sympa », cet adjectif qui traduit la nullité de l'analyse étant un des plus agaçants que je connaisse. Les mamans sont tellement fières des trois notes que la chair de leur chair a pondues qu'elles crient vite au génie, oubliant qu'une vie, une carrière ou beaucoup de déception sont au bout de leur indulgence aveugle. Quant aux copains, s'ils ne sont pas eux-mêmes musiciens, leur culture musicale se limite, on le sait, à ce que leur génération écoute ; ils ne sont donc pas des découvreurs et se bornent à comparer avec ce qu'ils connaissent. Or, un talent véritable est avant tout original et, s'il l'est, ne ressemble à rien qui préexiste. Faire à longueur de journée sert précisément à révéler la véritable unicité de l'artiste. Pour dégager un diamant de sa gangue, il faut d'abord casser à grands coups de burin l'écorce minérale et, seulement ensuite, tailler et ciseler la pierre précieuse pour en faire un joyau de prix. Si l'on utilise le mot « faire » au sens où l'entend Éluard dans une de ses *Anthologies*, l'humilité – nécessaire à toute démarche artistique – consiste à admettre qu'on peut faire de la merde, et le courage, à continuer d'en faire jusqu'à ce qu'une fleur apparaisse sur le lisier. Ce n'est pas le cheval qui fait la fleur. Il se contente de faire du crottin et de souiller sa litière. La fleur, elle, pousse toute seule... Sans doute apportée par le vent.

On a donc beaucoup « fait » pendant ces années-là. On a aussi cueilli quelques fleurs.

C'est à ce moment-là que commença ce que les journalistes, qui n'en sont pas à un lieu commun près, appellent la période de vaches maigres. Les vaches ne sont jugées maigres que par ceux qui veulent les manger. Les vaches sauvages qui n'ont aucunement l'intention de se laisser manger se contentent souvent de peu, se démerdent et restent libres.

Ayant définitivement abandonné mes visées cinématographiques, j'étais bien obligé d'attendre le « feuillet Sacem » qui n'arrivait que tous les six mois. C'est d'ailleurs pour des gens comme moi que le conseil d'administration décida, un jour, de faire quatre répartitions par an. On n'a pas plus, mais on reçoit plus souvent. La plupart des artistes ne sont pas de bons gestionnaires, c'est bien connu. D'un naturel insouciant et volontiers partageur, je vidais donc très vite mon compte en banque en me foutant éperdument du lendemain.

Les Incorruptibles de la pièce au fond du couloir continuaient de s'exploser et cherchaient des chansonnettes en essayant de cibler la recherche en fonction des enregistrements d'albums qui se préparaient dans les différentes maisons de disques. Un jour, ce fut pour Marie Laforêt. Marie cartonnait très fort avec des chansons mi-folk, mi-variété et sa voix particulière, un peu nasale, était plutôt inspirante pour les façonniers que nous étions. Charly Ganem, un des cadres des Éditions Barclay, était le dealer, l'intermédiaire entre Roger Marouani, un des frères de Gilbert, directeur artistique de Marie, et nous. On se met donc au travail et on fabrique une chanson dont je serais bien incapable de dire si elle était bonne ou mauvaise, je n'en ai aucun souvenir. Rendez-vous est pris chez Festival, une maison de disques depuis longtemps disparue. Je m'y rends avec Charly. Je chante la chanson. Roger met sur pied une rencontre avec Marie, et, au débotté, me demande si je veux faire un disque. Il me dit que Charly lui a vanté mon talent de compositeur et que si je voulais... J'avoue que je ne m'y attendais pas et, très franchement, chanter n'était pas trop mon truc. J'étais persuadé de ne pas avoir de voix, ou en tout cas pas assez pour faire chanteur.

Je m'entends dire « Heu... Pourquoi pas ». Devant mon air ahuri, Roger Marouani a dû être persuadé qu'il était en train de proposer la botte à un crétin. Banco quand même. Ce jour-là, j'étais venu chez Festival comme simple compositeur de bluettes et j'en suis sorti chanteur. Virtuel, pour l'heure...

C'était quand même une drôle d'époque. Mais belle. Les brontosaures que nous sommes avons eu la chance de débuter dans une industrie qui n'était encore qu'à l'aube de ce qu'elle est devenue. Il y avait, bien sûr, des structures, des commerçants de la musique, des producteurs, dont certains étaient talentueux, mais, en contrepartie, trois radios dignes de ce nom, deux chaînes de télévision et les écoles d'attachés de presse n'avaient pas encore déversé des flots de minets et minettes colporteurs de rumeurs et de buzzs plus ou moins frelatés. S'engager dans la voie du spectacle et de la chanson était d'ailleurs jugé inadmissible par nombre de parents bourgeois ou petits-bourgeois, et impensable dans les couches populaires de notre société. Les premiers coupaient les vivres à leur progéniture et les deuxièmes distribuaient des baffes en traitant leurs filles de putes ou leurs garçons de feignants. Pendant de longues années, lorsqu'un musicien ou un artiste parlait de son art, il entendait immanquablement : « Mais qu'est-ce que vous faites pour gagner votre vie ? » Parmi les auteurs-compositeurs débutants de l'époque, beaucoup étaient fils ou filles d'artistes, ou de bourges à l'esprit ouvert, professions libérales, médecins, ou bien en rupture avec leur famille, archéo-babas, hippies avant l'heure. Les chanteurs ou chanteuses venaient généralement de milieux plus modestes, en passant par le radio-crochet, le bal et autres divertissements populaires.

En résumé, il n'y avait pas pléthore. Aujourd'hui un jeune doit ramper, se mettre les genoux et les coudes en sang pour avoir une toute petite chance d'être écouté, alors que nous avons vécu la situation quasi inverse. Les maisons de disques étaient les demandeuses. Elles voulaient des albums et nous, nous prenions tout notre temps.

Pour rire, un peu jaune et de mauvaise foi je l'avoue, je soutiens la thèse que tout a changé le jour où une princesse a chanté et donné le mauvais exemple. D'un seul coup, faire ce métier n'était plus caca. J'imagine la « ménagère de moins de cinquante ans » de ces années quatre-vingt se retournant vers sa fille qui rêve d'être coiffeuse et lui demandant : « Tu chanterais pas, toi ? Regarde, la Stéphanie elle le fait bien... T'es pas plus bête qu'elle ! »

Le rendez-vous chez Marie Laforêt fut pris. Elle nous a reçus chez elle. J'ai le souvenir d'un appartement lumineux et surtout d'une femme volubile, rieuse et apparemment sûre d'elle. Je ne peux pas affirmer qu'elle nous a pris la chanson. Je ne sais même plus qui était avec moi. Jean Schmitt ou Michel Jourdan ? Peut-être les deux. Je ne me souviens que de son regard. « La fille aux yeux d'or » n'est pas un surnom usurpé. J'étais sous le charme, et pour qui aime les femmes, Marie en est une vraie de vraie. Elle est du Sud et a gardé au fond d'elle un morceau de soleil qui en fait un être de lumière irradiant les pauvres mortels qui l'approchent. Je suis sorti de chez elle plus bronzé que je ne l'étais en y entrant.

Lors d'un petit saut à Grenoble, j'ai annoncé à mes parents, au détour d'une conversation, que j'allais enregistrer un 45 tours. Sans triomphalisme. Je n'étais pas certain que ça enchante vraiment l'auteur de mes jours de savoir que son fils qu'il avait rêvé médecin ou neurochirurgien devienne, au bout du compte et après toutes ces années de sacrifice, chanteur populaire. Mammine, inconditionnelle comme d'habitude, trouva ça très excitant. « Amuse-toi, mon amour, profites-en pendant que tu es jeune. T'auras bien le temps de devenir sérieux. » La surprise vint de mon père. « C'est vrai ? » Avec un grand sourire. Je m'attendais à une attitude méfiante. J'étais parti à Paris pour faire du cinéma, puis j'avais commencé à écrire des chansons, et maintenant j'allais faire le chanteur. Le manque de cohérence dans la démarche aurait pu l'inquiéter. Eh bien non ! Il m'a donné l'impression d'être rassuré. Pourquoi ? Je ne le sais toujours pas. Peut-être a-t-il pressenti que ce métier, dont je pensais encore, et à tort, qu'il n'en était pas un, était plus approprié à ma nature glandeuse. Peut-être n'a-t-il jamais été convaincu que je m'épanouirais dans l'univers très hiérarchisé et technique du cinéma. Peut-être aussi avait-il, tout simplement, confiance en mes facultés d'adaptation à toutes situations, y compris les scabreuses. Si c'est pour ces trois raisons-là, alors il me connaissait bien. Je pouvais donc continuer de faire de la musique, chanter, tracer ma route de lonesome cowboy libre et disponible. J'avais la bénédiction paternelle.

Bizarrerie comportementale, moi qui passais mon temps à écrire avec des paroliers complices et amis, je me suis mis en tête de devenir auteur-compositeur des chansons qui devaient figurer sur « mon » disque. Je l'ai déjà dit, je n'avais jamais écrit de poèmes sur mes cahiers d'écolier et, de plus, j'avais vite pris l'habitude de composer la mélodie d'abord et de la faire paroler ensuite. Cette façon de procéder m'a paru longtemps un gage d'efficacité. Une mélodie doit pouvoir s'entendre toute seule. C'est elle que l'on sifflote sous sa douche et, si elle est réussie, elle peut être aussi parlante qu'un texte. Et puis, surtout, on « joue » de la musique et on « travaille » sur un texte. Étant plus joueur que travailleur, mon choix était vite fait. Par la suite, il m'est fréquemment arrivé de théoriser et d'alléguer de façon péremptoire qu'une manière était meilleure que l'autre mais je suis largement revenu, depuis, sur ces affirmations. Seuls comptent la liberté d'expression, quelle que soit la voie qu'elle emprunte, et le résultat : l'œuvre. Je préciserai simplement que mettre en musique un poème et en faire une vraie chanson exige un grand talent et de l'expérience. Le compositeur se doit de faire oublier la versification, les alexandrins étant le pire cas de figure. Julien Clerc l'a prouvé de façon magistrale en faisant un chef-d'œuvre absolu des *Séparés*, un poème très moyen et, pour tout dire, un peu cucul, de Marceline Desbordes-Valmore. Mais... c'est Julien Clerc. Alors, je vous en prie, arrêtez de nous poser cette question qui semble de toute première importance dans ce monde en furie : « Vous faites d'abord la musique ou les paroles ? »

J'ai donc trouvé des mélodies en jouant, et travaillé les textes en trimant. Pas de quoi pavoiser. Sur quatre chansons, une seule me satisfaisait réellement, *Un pas devant l'autre*. Roger Marouani s'en contenta et mit en branle l'enregistrement. Il fallut faire le choix d'un arrangeur. Je n'en connaissais pas. Ma seule exigence était que ce ne soit pas celui du disque de Michel Sardou. Roger me proposa un certain Jean Bouchéty, en me vantant sa science des cuivres, des cordes et des rythmiques. Va pour Jean Bouchéty. Roger ne pouvait pas imaginer à quel point Jean allait être important dans ma vie musicale future. Je ne savais pas, non plus, que notre collaboration allait durer douze ans.

Les séances d'enregistrement commencèrent aux studios Blanqui, qui jouxtaient l'ex-maison de disques Philips. On était encore au Moyen Âge et nous ne disposions que de quatre pistes, trois pour l'orchestre et une pour la voix, et d'une console à faire mourir de rire nos mômes qui baignent depuis leur premier biberon dans un univers high-tech délirant.

C'était la première fois que je me trouvais au milieu d'une flopée de musiciens. Bons, moyens ou mauvais, les musiciens forment une catégorie à part dans le showbiz. Une caste d'autant plus fermée, à cette époque, qu'ils devaient survivre dans un pays où le statut de musicien n'existait pas et dont la culture musicale était nulle. Ça n'a pas changé radicalement de nos jours mais le miroir aux alouettes, conjugué au désir d'échapper au bureau ou à l'atelier, et ce fameux besoin de « s'exprimer » font qu'on peut avoir l'impression que la musique est la deuxième nature de notre peuple. Il n'en est rien. On en écoute, on en achète ou on la vole sur le Web, on l'analyse, on la commente, mais l'apprendre et la pratiquer reste un phénomène marginal. Dommage.

Ceux qui étaient dans ce studio Blanqui, ce matin-là, étaient ce que l'on a appelé longtemps des « requins ». Et comme des requins, ils requinèrent.

De ce premier contact avec mon nouveau métier pour lequel je ne vibrais pas encore très fort, je garde le souvenir des attitudes caractéristiques des uns et des autres dans la cabine. Le directeur artistique qui essaie de se rassurer sur le produit qu'il est en train de financer, l'arrangeur qui fait des allers-retours entre la cabine et son pupitre pour checker que son œuvre n'est pas dénaturée, et le preneur de son qui fait de son mieux pour cacher qu'à part une dizaine de boutons, il ne sait pas bien quoi faire des deux mille autres. Roger Marouani pour détendre l'atmosphère, y est allé d'une anecdote. Il avait eu à diriger une séance pour Tino Rossi. Le mythe vivant avait pour habitude de ne chanter qu'une ou deux fois maximum la chanson. Roger lui demanda de faire un raccord sur une note qui lui semblait douteuse. Tino prit son manteau et son chapeau et quitta le studio en lançant : « Tino Rossi ne chante pas faux. Au revoir. » Rien de délirant, mais instructif quant à l'ego des divas.

Les prises de voix eurent lieu dans un studio aujourd'hui disparu, le studio de la Gaîté, au-dessus de Bobino. Je n'aimais pas ma voix nasillarde. J'avais la preuve sonore que je n'étais pas chanteur. Où aurais-je appris, d'ailleurs ? Je n'ai jamais chanté sur les tables de banquets ou dans les noces sous le regard émerveillé de ma mère « qui aurait tellement voulu être une artiste elle-même », etc. Roger s'en contenta.

J'eus alors droit à ma première séance photo et j'ai détesté ça, d'emblée. Me faire photographier est encore aujourd'hui une corvée pour moi. Sans aller jusqu'à redouter qu'on me vole mon âme, je ne raffole pas de l'idée qu'un inconnu, qui se planque derrière son viseur, puisse voir quelque chose que je n'ai pas envie de lui montrer. J'ai toujours l'impression d'être à poil devant un mec habillé. Avec le temps et comme la plupart de mes confrères et sœurs, j'ai résolu le problème en ayant pour amis un ou deux photographes qui savent tout de moi et dont je suis sûr qu'ils ne me trahiront jamais.

Le super-45 tours arriva quelques jours plus tard sur le bureau de Rolande. On était en mai 1966.

Le disque fut distribué en radio et, franchement, le PAF de l'époque n'a pas tremblé sur ses bases. Ça m'a conforté dans l'idée que ce n'était pas très bon et je suis retourné à mon boulot de compositeur d'édition. Je n'ai pas changé un iota à mes habitudes : le 44, rue de Miromesnil restait mon port d'attache.

Un jour, le service de promotion de Festival m'annonça que la maison avait acheté du temps d'antenne sur Radio Monte-Carlo et que ce serait formidable si j'allais l'occuper pendant le mois de juillet. Pardon ? Redites-moi ça ? Un matin sur deux, pendant une demi-heure, de 8 heures à 8 heures et demie, Festival, qui avait acheté la tranche horaire pour passer ses disques, avait carte blanche. Et on me demandait d'aller animer cette émission pendant un mois.

J'y suis allé. Je suis passé sur ma timidité et tous les deux matins, j'ai commenté les chansons des artistes Festival. J'ai donc eu à vanter le talent de certains chanteurs qui sont rapidement passés par profits et pertes du show business. J'en faisais des tonnes quand je présentais un titre de Marie Laforêt dont je n'avais pas de mal à dire du bien et je cirais les pompes de Michel Delpech, que je ne connaissais pas encore mais qui avait déjà à son actif un chef-d'œuvre, *Chez Laurette*. Il chantait cet été-là *Inventaire 66*, dont chaque couplet se terminait par « ... Et toujours le même président ». En fait, ce type m'énervait. Je l'imaginais très bourge, hautain, propre sur lui. En plus, il chantait de bonnes chansons. Et il chantait bien, ce con ! Car Michel chante bien. Beau phrasé, belle voix chaude et interprétation intelligente. Un bon. Quand on s'est rencontrés, un peu plus tard, j'ai aussitôt aimé cet artiste réservé, fragile et profond, en tout point le contraire d'un m'as-tu-vu, pour qui j'éprouve une amitié solidaire et confraternelle.

Je ne sais pas expliquer par quel phénomène, mais le grand public a souvent confondu les deux Michel que nous étions. Mille fois on m'a appelé Michel Delpech. Ne me sentant pas sali, je laissais, bien évidemment, les gens dans l'erreur.

Je crois n'avoir jamais dit à Michel que c'est à cause de *Chez Laurette* que nous avons donné ce prénom à notre deuxième fille. Notre amour envolé.

N'ayant pas trouvé de chambre d'hôtel à Monte-Carlo, Festival m'avait logé à Menton, déjà capitale du citron et, dans ce milieu des années soixante, un repaire de dangereux retraités, tous plus vieux les uns que les autres, nantis de surcroît, ce qui n'arrangeait pas les choses. Cet univers m'angoissait. Je m'y sentais seul et m'y suis copieusement emmerdé.

Mammine, heureusement, m'a rejoint. Elle avait loué, pour le mois d'août, une maison au Cannet. C'est là, dans ma voiture, que j'ai entendu pour la première fois *Eleanor Rigby*, premier extrait de l'album *Revolver*. Je me suis garé, j'ai écouté et j'ai chialé. Une émotion inimaginable due, je pense, à l'espoir. Quoi ! On peut faire ça aussi ? Les Beatles continuaient de dégager le chemin vers ailleurs, et nous n'avions qu'une envie : les suivre.

En septembre, retour rue Cernuschi et aux éditions. Joyeuses retrouvailles avec Rolande et les Incorruptibles. J'avais l'impression de revivre. Finalement, *Un pas devant l'autre* était un peu passé en radio. Pas beaucoup, mais suffisamment pour que le déclic se produise. Ce qui n'était pour moi qu'une expérience amusante devenait un choix. Roger Marouani, satisfait par l'accroche du premier 45 tours, planifia le deuxième. Sur les conseils de Jean Bouchéty, il fut décidé que l'enregistrement se ferait en octobre, à Londres. J'avais quelques chansons prêtes et je me sentais nettement plus concerné par la façon dont elles allaient être réalisées. La confiance s'installait entre Jean et moi. Ce métier commençait à me plaire.

Jean-Michel Barjol, qui était à l'écriture de son prochain film, m'annonça qu'il allait quitter Paris pour le tournage et qu'il ne garderait pas la coloc. On avait deux mois de préavis. Pas lieu de paniquer.

Les séances d'enregistrement ne pouvaient se faire à Londres que parce que Jean Bouchéty était admis par l'Union des musiciens anglais. Encore fallait-il faire attention à ce qu'on répondrait, à la douane d'Heathrow Airport.

– Que venez-vous faire en Angleterre ?

– Je viens travailler, enregistrer... diriger... des musiciens.

– Avez-vous un permis de travail ?

– Heu... Non.

Hop ! ils vous remettaient dans un avion de retour vers la France et fin du coup. C'est arrivé. Je crois que ça n'a pas vraiment changé. L'Anglais se protège. C'est dans sa nature d'îlien.

Nous allions donc faire du « tourisme » à Londres. Pendant douze ans. Très exactement, au Lansdowne Studio dont Adrian Kerridge était le manager, ingénieur du son en chef et ami de Jean.

Pour un changement ce fut un changement. Les musiciens anglais avaient dix longueurs d'avance sur leurs confrères français. Les techniciens du son également. Le résultat était un son incomparable, musclé et très rock, qui résiste au temps. Des cuivres qui sonnaient, des cordes sublimées, et à la rythmique, une bande de voyous. Un bonheur dont nous étions trois chanteurs à profiter : Eddy Mitchell, Michel Polnareff et moi. Tous les trois, poulains de Jean Bouchéty, pouvions bénéficier, entre autres, du talent de « Big Jim » Sullivan, guitariste flegmatique dans la vie et démoniaque dès qu'il avait son instrument sous les doigts. Eddy avait été le premier avec *Toujours un coin qui me rappelle*, puis est venu « Poldo » (C'est ainsi qu'on surnommait Polnareff quand il n'écoutait pas) avec *La Poupée qui fait non,* et moi avec *Prends ta guitare, chante avec moi*, chanson un peu nunuche pour laquelle, curieusement, j'ai une tendresse émue. Je l'ai mise récemment au programme d'un « best of tour » et, près de quarante ans plus tard, les grands garçons que nous faisons semblant d'être, musiciens et chanteurs antédiluviens, nous sommes éclatés tous les soirs comme des gamins dans l'eau fraîche d'un torrent en pleine canicule.

On est rentrés à Paris avec, dans nos bagages, un nouveau disque que j'assumais plus volontiers que le premier. J'avais mordu à l'hameçon ou à l'appel des sirènes. Au choix.

Mon problème de logement restait entier. J'allais devoir trouver rapidement un refuge...

Rolande avait reçu un certain monsieur Sindrès et ses deux garçons, Georges et Jacky, qui écrivaient des chansons et rêvaient de les chanter. Elle me fit venir du fond de mon couloir et me demanda gentiment de les coacher. On a beaucoup parlé, ils m'ont joué des choses assez bien foutues et on est devenus très copains. Monsieur Sindrès ne savait rien refuser à ses fils, surtout dans le domaine de la chanson, et était prêt à investir ses propres deniers pour voir un jour leur nom figurer sur une pochette de disque. Georges écrivait les textes et Jacky composait de très jolies mélodies. En fait, le défaut principal était précisément que c'était joli. Sans aspérités. Les deux garçons, rieurs et bien élevés, semblaient avoir été épargnés par toutes les difficultés de la vie sociale et ça se sentait dans ce qu'ils faisaient. J'ai donc surveillé avec une attention amicale l'évolution de leurs créations, et une vraie amitié s'est installée entre cette famille et moi.

Dans tout ce qu'on a pu se raconter, j'ai forcément évoqué le fait que j'allais bientôt être à la rue et, comme un seul homme, les trois Sindrès m'ont dit aussitôt : « Bien ! Tu viens à la maison en attendant de trouver quelque chose. »

J'étais libre comme le vent qui me poussait où il voulait... Quelques jours plus tard j'emménageais avenue de Suffren dans une famille juive algéroise et j'allais devenir pendant neuf mois le goy le plus juif de Paris.

J'ai adoré vivre dans cette tribu aux ramifications multiples et aux attaches fortes. Étant tout à fait étanche à toute idée raciste, ségrégationniste ou antisémite qui voudrait se prévaloir d'une quelconque supériorité physique ou intellectuelle sur tel ou tel autre individu, qu'il soit noir, jaune, arabe, juif ou musulman, ce n'est que le soir, à table, que j'ai découvert la judéité de la famille Sindrès. J'ai immédiatement demandé ce qu'il fallait faire ou ne pas faire pour éviter de heurter une éventuelle religiosité et avoué dans la foulée que j'étais un mécréant de base. Je respectais cependant scrupuleusement la liberté de chacun de penser et de croire ce qu'il voulait, à condition qu'il ne fasse pas de prosélytisme à mon égard et me laisse à mon athéisme atavique. Il m'ont rassuré et m'ont dit que leur religion, à part quelques grands rendez-vous incontournables, se bornait à faire toutes les fêtes et, bien sûr, les repas qui les accompagnaient. Je n'en ai pas raté un et je garde de ces moments de joie, de ces couscous pantagruéliques et des gâteaux au miel, aux amandes, à tout ce qui est interdit dans nos régimes occidentaux, un souvenir magnifique.

Monsieur et madame Sindrès prospéraient dans la fourrure. Nous, les fils de la maison, car ils me considéraient comme tel, n'avions qu'à faire de la musique et des chansons, sous le regard attendri des parents. Je continuais, bien sûr, à aller chaque jour aux éditions et je poursuivais mon petit bonhomme de chemin.

Un soir, juste avant le dîner, je me suis mis au piano qui était en bonne place dans notre chambre de garçons. J'avais dans la tête *L'Enfant au tambour* que je trouvais beau, dépouillé et fluide à la fois, qualités suprêmes et rarissimes. C'est souvent comme ça que ça arrive. Un battement rythmique, une pompe qui s'installe, trois ou quatre harmonies simples. Je me suis mis à chantonner. En cinq à dix minutes, j'avais un couplet-refrain et un pont. Puis la tante Jeannette, sœur de madame Sindrès et cuisinière hors pair, appela tout la maisonnée à table. Une fois le repas terminé, je suis retourné au piano, sans grande conviction, certain d'avoir oublié ma petite chanson. Elle est revenue toute seule, sans effort, évidente. Elle allait figurer sur le prochain 45 tours, le troisième, et, parolée par Pierre Delanoë, devenir *Je n'aurai pas le temps*.

Les événements se précipitaient. L'infime mise en lumière de *Un pas devant l'autre*, pendant l'été, avait suffi pour que Rolande et Gilbert Marouani me conseillent de prendre un imprésario et me fixent un rendez-vous avec Jacques Marouani, fils de Félix, neveu de Charley, Gilbert, Roger, frère d'Alain, Philippe, cousin de...

Jacques était tout jeune. Grand, beau mec, souriant, avenant, déconneur à l'humour rapide. Il m'a reçu dans les vastes bureaux de la rue Marbeuf. L'agence était au nom de son père Félix et de son oncle Charley, deux seigneurs.

Le téléphone arabo-judéo-tuniso-familial avait bien fonctionné : Jacques, en gros, savait tout de moi et notre rencontre n'était, en fait, qu'une simple formalité. Il se trouve qu'on avait sensiblement le même âge et que nos rapports se sont tout de suite placés sous le signe de l'amitié.

Le résultat ne s'est pas fait attendre. Une semaine après, je recevais mon premier contrat. En banlieue parisienne. Finalement je me suis vite retrouvé avec un calendrier bien rempli, à raison d'un « gala » tous les samedis et quelquefois le dimanche après-midi. J'avais un mois pour trouver des musiciens et monter une équipe.

Les « galas », appellation contrôlée de l'époque, étaient en réalité des attractions de bal. Tous les jeunes chanteurs passaient par là. Fréquemment, les organisateurs, ou les orchestres de bals, engageaient un artiste dont on commençait à parler. La prestation se faisait, en général, vers minuit, pause bienvenue pour l'orchestre qui commençait à en avoir ras le bol de faire danser des handicapés du rythme. Le public, lui, avait déjà eu le temps de se soûler à la bière, dans le meilleur des cas, et l'on chantait le plus souvent devant des gens déjà bien mûrs. On s'en foutait un peu. On cachetonnait, un point c'est tout, et l'on ne redoutait que les canettes de bière. Il y avait loin de l'image prestigieuse qu'on se faisait du chanteur interprétant son tour de chant devant une salle subjuguée, à cette immersion brutale dans la France profonde. C'est la raison pour laquelle le mot « gala » s'est mué en « galère ». Quand Michel Sardou chante *Les Bals populaires*, il sait exactement de quoi il parle.

*
**

141

Le hasard faisant bien les choses, la solution à mon problème d'orchestre se trouvait dans l'immeuble même de l'avenue de Suffren. Georges et Jacky me présentèrent à leur voisin du dessus dont ils me vantèrent les qualités de pianiste. Dix-huit ans, grand et sympathique, bien nourri mais pas gros, il avait la lourdeur et la démarche – les pieds en dedans – du type qui n'est pas le roi du sport et qui passe plus de temps assis au piano qu'à faire du jogging au Champ-de-Mars. Une voix timbrée assez grave et une élocution posée donnaient l'impression d'un mec rassurant. Il faisait partie d'un petit groupe de copains musiciens qui avaient déjà fait deux ou trois bricoles et qui étaient, selon lui, tout à fait prêts pour ce boulot. Ce jeune mec, rieur et plein d'humour, portant sur son visage, pour qui savait lire le troisième degré, tous les malheurs des Juifs d'Europe centrale, s'appelait Alain Wisniak. Il entrait dans ma vie pour n'en plus sortir.

Les parents d'Alain étaient très proches de l'idée qu'on peut se faire de juifs ashkénazes polonais, accent compris, dont on se dit qu'ils ont dû en baver pour quelques générations et qui sont arrivés, malgré tout, à se faire une place au soleil. Alain avait deux sœurs. Une ado de quatorze ans, Nicole, et une adorable petite canaille, Isabelle. Cette famille, apparemment bourgeoise, avait un je ne sais quoi de déjanté. L'esprit était partout. Dans les mots, sous les mots, dans les regards, dans les questions des uns et les réponses des autres. Rafraîchissant.

Quand j'ai quitté l'appartement des Wisniak, j'avais un orchestre.

La première répète eut lieu à Neuilly-Plaisance, chez Jacques Certain, le bassiste du groupe. Patrick Lannes était le guitariste et Alain Sireguy, le batteur. Tous les deux,

Patrick, le brun, et Alain, le blond, étaient grands, beaux, et le savaient. Donc ils roulaient un peu, sûrs de n'avoir qu'à claquer des doigts pour que les filles tombent toutes cuites, prêtes à consommer. Et ce n'était pas faux. Pas n'importe lesquelles, certes, mais la groupie de base se montrait souvent peu farouche et toujours prête à rendre service. Dotés d'une libido un tantinet impulsive, mes deux clébards culbutaient ces demoiselles ou ces dames dans les loges ou les arrière-salles, au milieu du matos dans le camion, ou, en été, dans une ruelle en sortant à droite, mais jamais dans un lit. Il y avait dans chaque ville de France des filles dont les musicos se donnaient les coordonnées. En ce temps-là, le sida n'avait pas encore frappé.

Patrick Lannes était un formidable rythmicien. Son truc à lui, c'était le rythm 'n' blues. Il adorait tenir un riff pendant dix minutes. Un peu chiant à la longue, mais toujours en place. Comme dans la chanson de Nino Ferrer, il aurait « voulu être noir ». Il était le prototype du guitar heroe, avec la gestuelle, les plans de frime à deux balles et cette façon un peu méprisante de regarder le commun des mortels qui l'écoutait la bouche ouverte. Il avait le chic pour repérer dans la pénombre le « air guitarist » du coin, le crétin qui imitait les gestes du guitariste sans guitare, et de le chauffer à blanc. L'appellation « tendre voyou » lui irait assez bien, si ce n'était son manque de tendresse affiché, cultivé peut-être, avec les nanas.

Alain Sireguy n'était pas un mauvais batteur, mais je n'ai jamais senti que sa vie dépendait de son instrument. On aurait pu dire qu'il avait « fait musicien pour attraper des filles ». Il savait tenir un tempo, mais sa frappe était un peu lourde, et les reprises se révélaient quelquefois cahoteuses. Il compensait ces imperfections par un sourire désarmant. Il était carrément beau mec. D'ailleurs, lorsqu'il a arrêté la batterie, il a, pendant un temps, fait mannequin. C'est dire.

Jacques était plus effacé. Il était un peu le technicien de l'équipe. Lorsque notre affaire a commencé à bien tourner, il est devenu le chauffeur du camion. On pouvait lui faire confiance. Il était très prudent et prenait la route sans s'endormir. Et il était plus efficace au camion qu'à la basse.

Enfin, Alain était clavier. Farfisa au début et, heureusement, très vite autre chose. Il est depuis toujours un bon musicien, talent auquel il a ajouté, au fil du temps, celui de compositeur de musique de films, de feuilletons ou de génériques, et de réalisateur.

Cette équipe ne se défendait pas mal du tout et, très vite, on est devenu un vrai groupe. On savait tout les uns des autres, on se voyait pratiquement tous les jours, on bouffait, on rigolait et on écumait les boîtes à musiciens du Quartier latin. Nos cachets n'étaient pas mirobolants, mais accumulés, galas après galères, ils finissaient par nous procurer plus d'argent qu'on n'en dépensait. Heureusement ! J'avais dû remplacer ma petite Fiat fatiguée par une ID break d'occasion pour pouvoir transporter les cinq hommes et le matos.

En plus on en avait marre de chanter et jouer sur des sonos locales pourries. Il était temps d'envisager sérieusement d'en avoir une à nous tout seuls. Il fallait également ajouter un membre à notre équipe : l'ingénieur du son. En fait, l'ingénieur fut un photographe.

Au cours de nos soirées de fête s'était joint à nous depuis longtemps un grand pote d'enfance d'Alain Sireguy, Gégé Candy. Longue perche à la sihouette de Gaston Lagaffe, avec une tête de casseur fendue d'un énorme et sempiternel rire sonore qui découvrait ses dents du bonheur, le tout encadré d'une coupe au bol façon Beatles, Gégé n'arrêtait jamais de déconner, sortant des grosses vannes qui les faisaient mourir de rire, Alain et lui. Il était photographe débutant et n'arrêtait pas de shooter... quand il avait de quoi acheter de la pellicule. Curieusement, lorsqu'il a commencé à être responsable de la sono, il a peu à peu délaissé ses appareils, se concentrant sur ce qui est devenu sa véritable passion : le son.

C'est lui qui a négocié la conception et le type de matériel dont le volume nous obligea à acquérir une camionnette. Jacques Certain dégota un Mercedes jaune paille en assez bon état, véhicule utilitaire très en vogue chez les groupes de la fin de ces années soixante. Du coup, on n'était plus que quatre dans l'ID break. On avait de la place, la santé, du temps devant nous et une monstrueuse envie d'en profiter. De temps en temps, une bribe de réflexion traversait subrepticement mon cerveau euphorique : « Dire que je serais en quatrième année de médecine... »

Rien au monde ne me fera oublier ces hommes et les moments que nous avons vécus ensemble. C'est notre période « Spinal Tap » à nous. Définitivement fondatrice.

Tout début 1967, l'accueil du 45 tours dont *Prends ta guitare, chante avec moi* était le titre phare fut à la hauteur de nos espérances. Le son anglais, très différent de ce que qui se faisait en France, je l'ai dit, y était pour l'essentiel. Le titre fut immédiatement programmé dans les émissions de jeunes.

Je continuais de faire des chansons à l'édition, mais quelque chose avait changé dans la manière. Étant de plus en plus chanteur moi-même, je ne cherchais plus pour les autres. Je travaillais pour ma pomme, encouragé, d'ailleurs, par toute mon équipe de potes qui avait un interprète sous la main.

Puis, *Prends ta guitare...* entra dans le hit-parade d'Europe 1. Dès que le titre fut bien placé, tout le monde resta le vendredi soir aux éditions pour écouter l'émission qui commençait à 8 heures. Les places se gagnaient au nombre d'appels téléphoniques en faveur de tel ou un tel. Alors, évidemment... nous téléphonions. Au début, j'avais un doute. Persuadé que c'étaient nos appels qui avaient porté ma chanson à la première place, je ne me voyais pas pavoiser après ce que je considérais comme une tricherie. La semaine suivante, même topo et même résultat. On s'est arrêtés là. Notre mission était accomplie. Producteurs et éditeurs étaient satisfaits. On leur avait fabriqué un tube. Je n'en étais pas plus fier que ça. Le vendredi suivant, aucun de nous n'a écouté l'émission, ni téléphoné. Le lundi matin, *Prends ta guitare*... était toujours numéro 1. Yes !

Je me foutais éperdument d'être premier au hit-parade. Je ne voyais qu'une chose : ce résultat nous innocentait. « C'est peut-être un détail pour vous, mais pour moi ça voulait dire beaucoup. »

L'ambiance, aux Nouvelles Éditions, était toujours excellente. Pour des raisons de compression d'hommes et de lieux, l'équipe de Marine était venue s'installer dans nos murs. On a commencé à voir d'autres auteurs, compositeurs ou artistes. On discutait, on se racontait nos minuscules parcours et, quand on le sentait, on copinait. Maxime Leforestier, qui n'était alors que le Maxime de « Cat et Maxime », Cat étant sa sœur Catherine, est de ceux avec lesquels j'ai un peu traînassé avant qu'il ne parte chercher l'inspiration à *San Francisco*. Dave, le Batave qui, si ma mémoire ne me fait pas défaut, habitait à ce moment de sa vie sur un bateau, nous a fait beaucoup rire, et doit encore me préciser une histoire de fermeture Éclair placée sur l'arrière du pantalon dont je n'ai pas tout compris.

Sans que nous soyons amis, le sentiment de confraternité que j'éprouve à leur égard reste sans faille.

Prends ta guitare... a tellement bien marché que Jacques Marouani m'annonce un matin qu'il est arrivé à me programmer en début de première partie de Nino Ferrer et Eddy Mitchell à l'Olympia. Une mini tournée de rodage est prévue, en revanche je ne chanterai pas avec mes musiciens. Je serai accompagné par ceux de Nino. Ah bon ? Pas terrible. La présence de mes potes me rassurait. Dans ma tête, j'étais un groupe. De plus, j'avais l'impression de les trahir un peu. Bref ! Olympia ou non, je n'ai pas sauté au plafond. Il faut savoir que je ne suis pas très sanctificateur de nature, et on avait beau me dire « Mais tu te rends compte ? L'Olympia ! Le temple du showbiz ! »... Si je ne suis pas dans ce que j'estime être mes bonnes conditions de travail, le lieu, serait-il mythique, ne m'importe pas.

Je n'ai jamais été de ces idolâtres toujours prêts à mettre du sacré un peu partout, qui portent aux nues une star, un journal, un homme politique ou, dans le cas de l'Olympia, un music-hall. Ces idolâtres, d'ailleurs, célèbrent rarement un savant, un chercheur ou n'importe quel génie qui a véritablement fait avancer le schmilblick. Non seulement je n'en suis pas, mais je m'en méfie. Mon penchant naturel se refuse à accepter l'asservissement à une idée, à une mode, à un pouvoir. Nous vivons tous dans une communauté où chacun a la place qui correspond à ses aptitudes. À partir de là, chacun fait de son mieux pour que la harde vive, survive, rêve et espère. Il arrive, heureusement, que certaines de nos pensées, actions ou réalisations confinent au sublime, mais les hommes qui en sont à l'origine sont au service de la communauté qui les a sécrétées et non l'inverse. En gros, chacun fait son boulot... Et c'est bien ce que j'allais faire à l'Olympia.

Les répétitions eurent lieu au studio CBE, rue Marcadet, dont Bernard Estardy était un des associés et en l'occurrence le clavier de Nino Ferrer. Bernard était un géant au caractère de cochon mais toujours prêt à trouver le petit truc technique ou musical qui allait faire tilt. Il y avait du génie chez ce mec, mais il ne fallait pas marcher sur ses grands pieds. Au sax, un Camerounais qui affirmait de temps en temps être normand, sans vraiment arriver à convaincre : Manu Dibango. J'ai tout de suite aimé ce grand Africain à la voix et au rire tonitruants. Devant la tâche à accomplir et ces deux immenses bonshommes, je me sentais tout petit. Ils ont dû s'en apercevoir et m'ont bien aidé. Eddy Mitchell ne faisant pas la petite tournée, j'avais à chanter quatre chansons, pour faire plus long.

On commença dans l'est de la France. Le mois de février était gris et glacial. Ce tour de chauffe a effectivement servi à roder mon mini tour de chant et je suis rentré rassuré à Paris.

À l'Olympia, Nino Ferrer redevenait logiquement vedette américaine et Eddy Mitchell terminait en vedette. Moi, j'étais « lever de torchon » et je ne chantais plus que deux chansons. Toutes ces appellations désormais obsolètes méritent une explication. Le « lever de torchon » était le type qui ouvrait le spectacle, le torchon en question étant le rideau. Il y avait ensuite la vedette anglaise qui interprétait quatre ou cinq chansons et passait avant la vedette américaine, laquelle terminait la première partie avec huit. Enfin arrivait la vedette qui, elle, après l'entracte, faisait la deuxième partie. On a le sens de la hiérarchie dans le showbiz.

De retour à Paris, j'apprends, par Rolande, que Festival m'a obtenu une télé dans une émission phare de l'époque, « Âge tendre et tête de bois », dont l'animateur vedette était Albert Raisner. Mon premier prime time, et très regardé de surcroît ! Petit problème, je serai en scène à

148

l'heure de l'émission qui commence réellement à 8 heures et demie. N'oublions pas qu'il n'y avait pas de pubs sur la seule chaîne de télévision française de l'époque.

Je décide finalement de demander à Bruno Coquatrix, lorsque je le verrai, de reculer mon passage. Les gens de télé, très gentiment, prévoyaient que je chante *Prends ta guitare*... en tout début d'émission pour que je puisse, du Moulin de la Galette, rejoindre l'Olympia le plus rapidement possible. Chopant Bruno dans les coulisses, je lui expliquai mon cas avec, bien sûr, tout le respect que j'avais pour ce grand homme de spectacle. Et Bruno refusa tout net. Ah bon...

La première se déroula le mardi soir, comme d'habitude. Je ne sais pas exactement ce que le public a retenu de ma prestation. Sans doute mon costume de scène : un pantalon en cuir vert, un gros ceinturon et une chemise brodée orange. Je ne savais pas encore que, traditionnellement, on ne porte pas de vert sur une scène. Ça porte malheur. Les dieux du music-hall n'ont pas dû me voir dans cet accoutrement. Je l'ai échappé belle.

Le lendemain, mercredi, jour d'« Âge tendre et tête de bois », je ne suis pas retourné à l'Olympia. J'ai fait tranquillement ma télé et la suite a prouvé que j'ai eu raison.

Mon premier passage dans le temple de la chanson et de la variété réunies aura donc duré un jour. Le manque à gagner n'était pas considérable : mon cachet était de vingt-cinq francs par spectacle. J'allais m'en remettre d'autant plus facilement que la télé m'avait, en quelque sorte, officialisé.

Lorsque, plus tard, j'ai retrouvé Bruno et que nous sommes devenus amis, je lui ai reparlé de ce mauvais coup que je lui avais fait. Il ne s'en souvenait pas, ou a feint de ne pas s'en souvenir, car l'analyse qu'il en a faite m'a paru judicieuse. Dans ces années soixante, les rituels changeaient. Avant, il y avait la scène, le spectacle et ses traditions, et puis il y a eu la télévision et le formidable impact qu'elle pouvait avoir sur le public. En tant que patron d'une grande salle, Bruno savait bien qu'il ne pourrait bientôt plus la remplir si l'artiste vedette n'avait pas fait sa « promo télé ».

*
* *

L'enregistrement du prochain 45 tours était prévu en mai, à Londres, pour une sortie en septembre. Quatre chansons, dont la mélodie trouvée juste avant le repas chez les Sindrès. Sur les conseils de Rolande Bismuth, j'ai appelé Pierre Delanoë. Elle devait penser que j'étais mûr pour affronter de nouveau la bête. C'est un Pierre tout enjoué qui m'a répondu et qui m'a rejoint, dès le lendemain, pour que je lui passe le bébé. Il m'a bien fait sentir qu'il aimait ça et il a immédiatement entonné mon petit air de sa grosse voix de basse. Nous nous sommes séparés et une semaine plus tard, c'est au téléphone qu'il m'a dicté le texte qu'il venait de pondre. Le titre en était *Je n'aurai pas le temps*. À la fin de la dictée, comme j'allais prendre l'habitude de le faire, je lui dis « OK, Pierre ! Je l'essaie sur la musique et je te rappelle ». Mais franchement, j'étais perplexe. Je trouvais ça un peu simpliste, voire simplet. À aucun moment je n'ai pensé que ce texte était juste simple et que, comme dans toute forme d'art, la plus grosse difficulté est de parvenir à la simplicité. Je ne le savais pas encore.

Il m'arrive souvent de prétendre, en exagérant un peu, que je ne comprenais pas ce que Pierre voulait dire dans son texte, alors que, pas plus con que la moyenne, je savais bien de quoi il était question. Mais, en 1967, j'avais exactement la moitié de son âge et, comme tous les mômes de vingt-cinq ans, je me sentais immortel. J'étais jeune.

Jeune et idiot. J'en ai eu la confirmation par le succès de cette chanson dont je connais parfaitement le sens aujourd'hui et qui est devenue un standard dont, je l'avoue sans honte, je suis assez fier.

Le 45 tours fut prêt en juin. La séance d'écoute dans le bureau de Gilbert Marouani fut concluante. On entendit aussi d'autres chansons, notamment celles qui avaient été composées au cours d'un séminaire organisé par Eddie Barclay dans un château au nord de Paris. Tous les auteurs et compositeurs en renom de l'époque avaient été fastueusement invités pendant un week-end. On avait bien mangé, certains avaient beaucoup bu, et Eddie semblait ravi de nourrir et abreuver ce petit monde. Le jeu consistait à rencontrer qui on voulait selon les affinités, à se mettre au travail et à faire des chansons. La contrepartie étant, bien sûr, qu'elles étaient automatiquement éditées chez Barclay.

C'est étrange... Avec le recul, je réalise que, pendant ces années de construction, j'ai fait en sorte de ne pas m'attacher. Il y eut peu de place pour les filles. Du passage, des copines d'avant, pas de nouvelles. J'étais tout à la découverte de ce territoire aux limites floues qu'est la condition d'artiste. On ne sait pas bien où l'on met les pieds et l'on n'est jamais sûr de ne pas construire sur du sable. Pas question, donc, de faire de l'exploration avec une bouche supplémentaire à nourrir. C'est le temps qui, peu à peu, rassure et rassérène, et ce temps n'était pas encore écoulé.

Pour l'heure, je me contentais de rejoindre mes potes musiciens avec la ferme intention de m'amuser.

Les vacances d'été furent familiales. Monsieur Sindrès avait loué une très belle villa à Mouans-Sartoux, derrière Cannes, et il n'était pas question que je ne sois pas du voyage. Pas négociable. Georges et Jacky étaient maintenant des vrais frangins.

Il semble que l'on soit toujours redevable du bonheur. Un peu avant l'été, une ombre fugace était passée sur le tableau. Madame Sindrès s'était affaiblie rapidement, sans nous dire exactement de quoi elle souffrait, par pudeur, discrétion et, sûrement, avec la volonté de ne pas inquiéter les enfants. Elle fut soignée énergiquement et il y eut un mieux qui coïncida avec le séjour sur la Côte. Le cancer l'emporta quand même quelques mois plus tard. La famille alla s'installer à Cannes où Jo, monsieur Sindrès, ne se remit pas du départ de sa femme adorée et alla la rejoindre. Jacky, calme et posé, doux rêveur à la tête pleine de musique, sera terrassé, encore tout jeune, par une crise cardiaque. Georges est seul, désormais. Il a, bien sûr, fondé un foyer, avec Lauren, mais la dernière fois que je l'ai vu, le souvenir et la nostalgie des jours heureux le hantaient, et j'ai bien compris que c'était pour l'éternité.

J'ai eu du mal à quitter cet univers chaud et douillet et les belles âmes qui y vivaient, mais à la rentrée, la raison voulut que je me trouve un appartement et que je me fasse un chez-moi. J'ai rapidement jeté mon dévolu sur le premier étage d'une petite maison dans la cour d'un immeuble, 313, rue de Vaugirard, où je posai mon sac.

On était fin septembre 1967. *Je n'aurai pas le temps* venait d'être mis en radio. L'accueil était excellent. J'avais vingt-cinq ans et pas l'ombre d'un problème existentiel.

8

313, RUE DE VAUGIRARD

À l'époque, trois radios importantes se partageaient le territoire. RTL, vieille institution à la puissance de feu considérable, Europe 1, qui n'avait encore que douze ans d'existence, la plus branchée, surtout écoutée par les jeunes, les beautiful people et ceux qui rêvaient de l'être. RMC, quant à elle, était cantonnée dans le Sud. Étant la radio des plages de la Côte d'Azur, elle avait la réputation d'être celle qui faisait les tubes de l'été. Toutes les régions qui ne captaient pas ces trois radios devaient se contenter de France Inter, la radio d'État qui ne s'était pas encore débarrassée de ses tendances intelli-chiantes.

Les jeunes chanteurs étaient surtout concernés par les émissions pour ados. Elles étaient programmées entre 16 et 18 heures, c'est-à-dire après la sortie des collèges et lycées. La star était « Salut les copains », sur Europe. Être programmé dans « SLC » constituait une sorte de droit d'entrée dans le sérail, car le magazine du même nom prenait le relais et faisait rapidement de vous un « chouchou ». RTL a toujours essayé de piquer de l'audience à Europe sur cette tranche horaire. Ce qui nous a valu une émission de plus, animée par un mec venu de Radio Caroline, radio offshore mythique installée sur un cargo au large des côtes anglaises : le « Président Rosko... qui marchait sur l'eau ». Avec un slogan pareil, on pouvait être rassuré, la culture française n'allait pas faire un grand bond en avant. On était bien content quand même d'être dans sa play-list. Il y avait également, sur Europe, l'émission du soir, « Dans le vent », animée par Hubert, plus cool, plus irrévérencieux et, finalement, plus déjanté, destinée aux étudiants qui potassaient avec la radio en fond sonore. Lorsqu'on était programmé dans ces émissions-là, on était sûr de son coup : on tenait un tube.

Caroline Wilson était l'assistante de Rosko. Pas très grande, cheveux blonds et courts, très « working girl » d'aspect, Caroline affichait une assurance impressionnante pour le jeune artiste que j'étais, invité dans l'émission. L'Audimat n'étant pas encore inventé, le seul critère pour savoir si une émission marchait ou non, hormis le courrier des auditeurs, était le nombre d'attachés-radio des maisons de disques qui venaient faire de la présence pour essayer de caser leurs produits. Dans l'entrée du studio, qui donnait sur la rue Bayard, se pressait une foule jacassante. Rosko, dans son bocal, était aux manettes de sa console. Entre les disques, les jingles et les pubs qu'il lançait lui-même, il faisait de l'auto-promo, passant, sans vergogne, du statut de Président à celui d'Empereur. Il fut le premier véritable disc-jockey de la radio française. Il faudra attendre dix ans, avec les radios pirates, et 1981, avec l'éclosion des radios dites libres, pour que cette pratique se généralise.

Caroline Wilson, au milieu de cet univers aussi agité que superficiel, passait de l'un à l'autre avec la délicatesse et l'onctuosité d'un diplomate.

Caroline ne ressemblait pas au show-business. Elle semblait un peu décalée dans ce milieu où la frime tient souvent lieu de personnalité. Elle n'était pas du genre à user de sa féminité ou de son pouvoir de séduction à tort et à travers. On pouvait l'imaginer solide, distante ou exigeante.

Une femme au caractère affirmé, aux idées plus arrêtées qu'elle ne le montrait, armée de principes qui sous-tendaient ses jugements, sa manière de vivre et de communiquer avec les autres. Sans pour autant être rigide, car tout ce qui aurait pu n'être que des défauts était largement compensé par une intelligence vive et une faculté d'adaptation remarquable dans son travail. Ce qui en fera par la suite une excellente attachée de presse. Ayant à gérer des stars anglaises ou américaines inconstantes et capricieuses, elle saura toujours, au bout du compte, s'en faire des amis. Caroline était une fille de bourgeois du seizième et n'en rougissait pas. J'apprendrai par la suite que « Wilson » était un pseudonyme et qu'elle était très fière de ses origines juives ashkénazes et polonaises de surcroît.

J'ai toujours été frappé, séduit et amusé par ce petit quelque chose, chez elle, de Barbra Streisand, la diva américaine qu'elle écoutait d'ailleurs en boucle. Caroline aimait bien qu'on note la ressemblance avec son idole. Elle pouvait aussi en avoir le pep et l'abattage, à l'image de *Funny Girl*, le personnage titre fétiche de la star. Caroline avait cependant un truc en plus : une paire de seins magnifiques, aussi volumineux que voluptueux. Portés sous des pulls à col roulé en cachemire douillet et rehaussés d'un rang de perles, ils attiraient l'œil et la caresse, pour qui avait l'autorisation de la propriétaire. Caroline n'était pas du genre à subir des privautés sans réagir violemment.

Autant l'avouer, j'ai toujours eu le penchant coupable d'être attiré par des personnalités féminines plutôt rétives ou, en tout cas, pas faciles. J'adorais partir à l'assaut d'une place forte dont il fallait que je trouve le point faible pour pouvoir l'investir, découvrant, la plupart du temps, que ce que je croyais être une citadelle n'était en réalité qu'un petit jardin clos de murs et embroussaillé qui n'attendait qu'une chose : un jardinier.

Avec Caroline, ce fut le contraire d'un coup de foudre.

Basée sur le respect mutuel, notre relation a d'abord été amicale, puis tendre, puis, comme je ne sais pas résister à une poitrine généreuse, nous sommes passés, logiquement, à la vitesse supérieure, liant par là même nos destins pour un bout de chemin ensemble, sans violons ni pathos.

Nous avions chacun son appartement. Nous couchions indifféremment chez l'un ou chez l'autre. Nous avions le sentiment d'être ensemble sans nous appartenir. Caroline était en pleine ascension professionnelle, et, de mon côté, je continuais de me construire.

Très vite, Caroline et Rolande Bismuth sont devenues de grandes amies. J'étais désormais encadré par deux femmes, deux professionnelles, deux boucliers contre les mauvais coups.

Quelques années auparavant, un chiromancien d'occasion avait lu dans les lignes de ma main que mon destin était d'avoir « une foule devant moi » et que « j'arriverais par les femmes ». Strictement imperméable à ce genre de balivernes, je ne voyais pas bien comment le toubib que j'étais censé devenir pouvait attirer quelque foule que ce soit, et je me suis sérieusement demandé si je n'allais pas finir maquereau. La prédiction était juste, pourtant. La foule n'allait pas tarder à arriver et ce sont effectivement des femmes qui m'ont couvé, protégé, inspiré et fait grandir. C'est bien tombé. J'aime les regarder évoluer en se préparant un thé, parler de tout et brusquement de rien qui puisse intéresser les hommes. J'aime leur façon de ne pas dire qu'elles nous aiment et de parler de nous qui sommes juste à côté comme s'il s'agissait d'un enfant ou d'un animal de compagnie. J'aime leur regard et le frisson qui les parcourt quand c'est à nous de monter en scène et de gagner, et ce curieux travers, plus tard, de ne pas nous flatter l'encolure lorsque nous en sortons dégoulinant de sueur. On est victorieux ? Normal. Elles nous ont choisi et elles ne se trompent jamais. À cet instant précis, j'aime leur parfum, le contact de leur peau, de leurs seins, et le petit quelque chose en plus que leur corps laisse passer dans l'étreinte. Je ne cacherai pas plus longtemps cette faiblesse dont, jusqu'à présent, je n'ai eu qu'à me féliciter : j'aime les femmes et, entre autres, travailler avec elles.

Contrairement à ce que la notoriété de cette chanson pourrait laisser croire, *Je n'aurai pas le temps* ne fut pas d'emblée un énorme succès populaire. Elle a bien marché, sans plus. En revanche, le succès d'estime de ce titre m'installait définitivement dans le métier. Cette estime décupla lorsqu'on apprit qu'un chanteur australo-british, John Rowles, en avait fait l'adaptation. En anglais, la chanson s'appelait *If I only had time*. Là, ce fut le carton absolu. En Angleterre d'abord, puis aux États-Unis. À l'occasion des séances d'enregistrement de l'album qui va suivre, je rencontrerai John Rowles, le temps de faire des photos sur lesquelles on affichait, lui et moi, une fausse complicité, en riant de bon cœur pour que ce soit gai. Il faisait le chanteur, je faisais semblant de lui battre la mesure. Bonjour et au revoir, hi and bye, ça nous a pris quinze minutes et chacun est retourné à son boulot.

Pour l'anecdote, c'est quelques mois plus tard que j'ai eu l'impression de gagner mon premier bâton de maréchal (maréchal des logis, sans plus). Dans une scène d'une série américaine que nous regardions, mon père et moi, d'un œil distrait, le pianiste du bar jouait *If I only had time*, machanson-à-moi que j'avais créée avec mes petites mains. Je vous jure que ça fait quelque chose.

Michel Sardou faisait son service militaire. Les liens avec Patrick Villechaize s'étaient un peu distendus. En revanche, Patrice Laffont continuait de se chercher, entre chanson et édition. Il travailla quelque temps au département jeunesse et jouets dont je me suis toujours demandé, en douce, si Robert, son père, ne l'avait pas créé spécialement pour lui. Nous passions de nombreuses et longues soirées au Château de Madrid, ce magnifique gâteau à la chantilly situé en bordure du bois de Boulogne, dans son appartement mitoyen avec celui de Robert. Patrice, grand amateur de jeux de cartes en général et de poker en particulier, organisait sérieusement des parties pas sérieuses qui se terminaient toujours par une de ces crises de nerfs dont il avait le secret et qui déclenchaient immanquablement un fou rire. Que ce soit à la bataille, au mikado, au 421 ou aux cartes, Patrice est le plus mauvais perdant de la Terre et d'une mauvaise foi spectaculaire. Paradoxal, pour un type qui deviendra animateur puis producteur de jeux télévisés. Heureusement qu'il n'y jouait pas lui-même. On aurait inventé le zapping rien que pour lui.

Un jour, Patrice vint nous rejoindre aux éditions, rue de Miromesnil, flanqué d'un grand type volubile, hype dans la mise et fumant cigare. C'est la première fois que je rencontrais Jean-Pierre Coffe. Ils nous parlèrent des Jeux olympiques de 1968 à Grenoble sur lesquels ils étaient « événementistes » et nous affirmèrent qu'un concours était ouvert pour déterminer la chanson officielle. Il était donc normal qu'en tant que Grenoblois, je participe, etc. Cette chanson devait être interprétée par une jeune Grenobloise repérée par le patron de l'office de tourisme de Grenoble, ou un truc dans le genre. OK, d'accord. On a donc commencé à plancher sur ce qui s'appellera *Sous un seul flambeau*, nunucherie « taraboum-tsointsoin » dont on n'avait aucune raison d'être fiers mais dont les aspects ronflants nous ont bien fait marrer. On s'est dit que si on pouvait faire ça, on pouvait tout faire. Inutile de préciser que le choix définitif dépendait de Patrice et Jean-Pierre. Les dés étaient pipés dès le début. Ah ! le showbiz...

On arrivait doucement début 1968. Les Jeux eurent effectivement lieu dans notre bonne ville, capitale des Alpes, et l'on sait le triomphe que remportèrent les skieurs français : Killy, les sœurs Goitschel et les autres. Notre chanteuse, sous-Piaf comme il y en avait en pagaille à cette époque, passa strictement inaperçue et son flambeau également. J'étais programmé dans une soirée dont la vedette était Régine. La Régine ? Oui ! Elle-même.

Après les jeux, mon équipe musicale va changer. Alain Sireguy va choisir d'aller se faire photographier et devenir mannequin. Il sera remplacé par François Auger, excellent batteur. Alain Wisniak, lui, va devoir nous quitter pour raison de service national et aller s'emmerder dix-huit mois sous les drapeaux. Il sera remplacé par Dominique Perrier, Pierrot lunaire à tête de fouine acnéique avec une dentition en vrac, qui, en plus d'être un vrai bon, était complètement barré. Bourré de talent et vanneur imprévisible, il reste encore aujourd'hui un pote que je me régale à retrouver.

J'avais respecté scrupuleusement le contrat de deux ans signé avec Gilbert Marouani, mais il se terminait et je n'avais pas l'intention de poursuivre une collaboration qui ne se révélait pas aussi nécessaire ou profitable qu'il l'avait prétendu. Je considérais, non sans prétention, que j'avais plus donné à l'éditeur que lui ne m'avait donné. En fait, je boudais.

Quand j'ai eu l'occasion de lui dire que je ne me sentais plus lié aux Nouvelles Éditons Barclay, Gilbert m'a dit ne pas comprendre.

– Quoi ? Vous n'êtes pas heureux, ici ? Qu'est-ce que je peux faire pour vous ? Dites-moi...

Et là, il m'a scié.

– Mais Michel, si vous voulez une Ferrari, y a pas de problème, vous avez les clés dans la journée !

Merde, alors ! Il avait fait la gueule quand je lui avais demandé cinq cents balles alors que j'étais raide et là, il m'offrait une Ferrari. Qu'est-ce qu'il voulait que je foute d'une Ferrari ? Et comment j'aurais fait le plein d'un monstre aussi gourmand ?

Je crois qu'il n'a jamais su à quel point je me suis senti offensé. Sa proposition sous-entendait tout simplement que j'étais vénal... Et vulgaire, de surcroît.

Je suis sorti de son bureau encore plus déterminé qu'en y entrant.

Rolande, que je suis allé rejoindre pour lui faire part de ma décision et qui était parfaitement au courant de mes états d'âme, me dit alors :

– Si vous partez, je pars avec vous.

– Ah... Et pourquoi ?

– On met chacun un peu d'argent et on monte une édition.

C'était la journée des surprises.

Voilà comment, quelques mois et quelques démarches administratives plus tard, Rolande Bismuth et moi-même nous pacsions professionnellement et pour un bon moment en montant les éditions Le Minotaure.

Elle installa d'abord son office chez elle, en attendant d'avoir une vraie adresse, puis dans un bureau minuscule, rue de Vaugirard, et finalement trouva l'endroit de ses rêves dans un fond de cour, au 21, rue Jean-Mermoz, entre la rue du Faubourg-Saint-Honoré et le rond-point des

Champs-Élysées. J'avais le sentiment d'être monté en grade.

Le contrat chez Festival touchait également à sa fin et Rolande, car c'était elle, désormais, qui pensait à ma place, se mit en quête d'une maison de disques digne de ce nom. Ce fut CBS qui l'emporta. À ce moment précis, je n'y voyais qu'un avantage : Caroline Wilson, la Caroline de ma vie privée, y était attachée de presse.

En mai 68, j'avais vingt-six ans, un chez-moi, des amis, une fille dans mon lit, une « manageuse-associée-veilleuse au grain », une édition, une bonne major pour les disques à venir...

Que demande le peuple ?

– 9 –

MAI 68

Bizarrement et nonobstant les considérations politiquement correctes qui font de ce mois de mai 68 une page héroïque et fondatrice de l'évolution de l'homo sapiens sapiens et de notre société moderne, je n'en garde pas un souvenir impérissable. Avec un peu de recul, les séquelles m'en paraissent, au contraire, assez douloureuses.

Tout avait commencé à Nanterre un an plus tôt, comme un vaudeville à la française. En mars 1967, les étudiants avaient décidé d'investir les bâtiments des étudiantes. Tout le pays s'en était plutôt amusé, avec les inévitables commentaires salaces. Tout le monde s'était réjoui que les élites du futur fassent la preuve qu'elles n'avaient pas que la tête bien pleine. Les scrogneugneux psychorigides qui tenaient les manettes étaient à ce point déconnectés de l'évolution de notre société qu'ils n'ont rien trouvé de mieux que de lâcher les chiens, c'est-à-dire d'envoyer les flics, répondant, de fait, à une provocation par une provocation puisque la police, depuis le Moyen Âge, n'avait pas le droit d'entrer à l'Université.

J'aime bien l'idée qu'une rébellion parte d'une histoire de cul. Que le cerveau ne soit, finalement, que le factotum de nos sécrétions hormonales me ravit. Homme, mon frère, qui et quel que tu sois, tu dois te faire à l'idée que tu n'es que le jouet de tes hormones. C'est quand tu ne les écoutes

163

plus que tu es en danger de faire les plus grosses conneries. Quoi qu'on en dise, le cerveau n'est pas une glande.

Mai 68... Les affrontements entre noirs et rouges, Occident contre Maos ou LCR, petits cons fachos ou paras désœuvrés contre utopistes ou romantiques d'extrême gauche me paraissaient d'un autre âge. Toute ma jeunesse, dans les manifs, j'avais vu des prolos se faire charger par des flics et je gardais en tête les bastons entre Communards, Croix de Feu ou Action française dont mon père m'avait raconté qu'elles avaient égayé ses dix-sept ans. Des manifs sanglantes, j'en avais pratiqué des dizaines. Des gardes mobiles, des CRS qui cassaient du jeune dans les entrées d'immeubles, je connaissais. Rien de bien neuf, donc. Je n'arrive toujours pas à me débarrasser de l'idée que tous ces enfants de petits bourges dont les parents n'étaient pas descendus dans la rue, restant planqués dans leur confort naissant et anonyme quand il y avait des libertés, des droits essentiels ou tout simplement leur dignité à défendre, se sont amusés, un peu comme des lionceaux jouent pour acquérir les gestes nécessaires à leur survie. J'ai eu sans cesse l'impression qu'une société jouait à se faire peur.

Du 313, rue de Vaugirard où j'habitais, on entendait à heure fixe les explosions des bombes lacrymogènes qui annonçaient le début des affrontements quasi quotidiens. Les parents d'Alain Sireguy, le batteur du groupe, tenaient rue de Buci, quasiment à l'angle du carrefour Mabillon-Saint-Germain-des-Prés, une boutique de bagages. C'est là que se retrouvait notre bande de musicos hors du coup. Le premier étage constituait un poste d'observation idéal. Vue imprenable sur les défilés, les bagarres, les flics en civil qui surjouaient leur rôle de badauds le long des cortèges pour mieux repérer et signaler aux forces de l'ordre les individus les plus dangereux, et les jolis petits lots qui se tenaient sur les épaules de leurs copains en espérant qu'un photographe de *Match* fasse d'elles des icônes de la révolte estudiantine. Au départ des manifs, un esprit mal tourné aurait très bien pu affirmer qu'être là constituait le must des musts, le rendez-vous incontournable de l'après-midi pour les « djeuns » de l'époque.

Vers 18 heures, le ton montait, les flics chargeaient, et les éléments durs, anars, néo-gauchos ou enragés de tout poil rendaient, autant que possible, coup pour coup. Les gentils garçons et filles qui regrettaient, alors, la tournure violente que prenaient les manifs ou qui, plus prosaïquement, ne voulaient pas esquinter leur nouveau blouson ou leur veste Renoma, rentraient sagement à la maison. Puis les barricades étaient érigées, que les CRS = SS tentaient de prendre sous le regard des caméras. Tout ça nous amenait gaillardement au journal télévisé de 20 heures et aux images en direct commentées par des journalistes qui se prenaient pour des correspondants de guerre. Échevelés et s'égosillant pour couvrir les explosions des grenades lacrymogènes en bruit de fond, ces courageux serviteurs de l'info commentaient les échauffourées de barricade en barricade, déploraient les voitures brûlées, sanglotaient sur une tache de sang par-ci, une vitrine brisée par-là, avant d'aller bouffer sur la rive droite et de se faire mousser auprès de leurs confrères de la météo ou des chiens écrasés, ou encore de leurs chefs de rédaction tenus au courant minute par minute à la table d'un homme politique en vue.

Lorsqu'une quinzaine de jours plus tard, les syndicats ouvriers se sont mêlés au bordel ambiant, nombreux furent les étudiants à hurler à la politisation du mouvement et à profiter de cet alibi pour se démobiliser sans passer pour des lâches. C'est effectivement à partir de ce moment-là que la politique a repris ses droits, avec en ligne de mire les accords de Grenelle et la dissolution de l'Assemblée.

Après le psychodrame de la visite de De Gaulle à Massu et la grande marche godillote sur les Champs-Élysées, l'affaire était réglée et naissait dans le même temps une génération d'anciens combattants qui allaient écœurer leurs enfants avec leurs récits très enjolivés de ce mois de mai 68, première contraction de l'accouchement d'une société nouvelle. Alléluia ! Ou plutôt Inch Allah !

Quelques jours après la grande marche gaulliste, dîner dans un resto de Saint-Germain en compagnie de Rolande, son mari et un de leurs amis, prof de philo à la Sorbonne, qui nous expliqua, sans rire, que tout ce bordel, cette pseudo-révolution, n'était, en définitive, qu'un psycho-drame familial. Le pater familias, de Gaulle, haussant le ton, venait de parler et de fustiger cette fameuse « chienlit », et toute la famille avait baissé la tête et s'était remise à filer droit même si certains le firent en boudant.

À la réflexion, ce raisonnement était loin d'être absurde. Les petits-enfants dans la rue, les parents qui les regardent grandir mi-inquiets, mi-fiers de leur progéniture, et l'ancêtre qui vient pousser son coup de gueule à l'ancienne parce que les mômes saccagent ses platebandes. C'était une lecture possible. Quoi qu'il en soit, depuis cette soirée, je n'arrive pas à voir autrement la société que nous consti-tuons les uns et les autres. Les parents étant, bien sûr, ceux qui nous gouvernent et, partant du principe que lesdits parents doivent donner l'exemple à leurs enfants, on se dit que ce n'est pas dans la poche et que la route est encore longue avant que cette famille devienne honorable et que la paix règne au sein de la parentèle.

C'est toujours dans les périodes de crises que se révèlent les grands hommes. Beaucoup de nouveaux noms sont apparus dans les commentaires et les articles de nos gazettes qui faisaient leurs choux gras de ces événements. Les castagnes dans la rue, les débats houleux à l'Odéon, les prises de paroles spontanées et même, comble de l'ubuesque, le merdier option intello-branlo-salonarde du Festival de Cannes nous ont donné l'occasion de voir fleurir des noms de dangereux – quoique éphémères – meneurs dans toutes les couches, classes et branches socio-professionnelles.

En fin de compte, le temps faisant le tri, il ne reste guère que Michel Rocard et Daniel Cohn-Bendit. Deux preuves vivantes que l'intelligence finit toujours par triompher de l'opportunisme et de la tartufferie.

Je ne sais pas à quelle conjoncture astrale a pu correspondre cet embrasement planétaire. Allemagne, États-Unis, Tchécoslovaquie, Mexique, Pologne, autant de pays aux cultures et régimes différents qui ont connu les mêmes phénomènes. Là était la véritable nouveauté. Là était le vrai souffle dramatique. Les émeutes françaises, seules, ne me semblaient être que des épiphénomènes ; en revanche, l'idée d'une sédition universelle de la jeunesse, elle, m'a filé le grand frisson. Elle continue, d'ailleurs, de me faire rêver. En vain, pour l'instant.

Il n'en reste pas moins que 1968 est l'année de la libération de la parole et des mœurs qui s'imposeront au fil des lustres à venir. C'est vrai que les gens se sont mis à se parler et chacun sait que lorsque les gens se parlent l'évolution est en marche. C'est vrai que la perception des choses de la vie s'est allégée, comme si la soupape de sécurité de la cocotte-minute avait libéré la pression. C'est vrai que notre vénérable président avait pris un coup de vieux, même si l'on pouvait avoir l'impression qu'il avait gagné en prestige. On constatera les effets pervers de ces événements lorsque, au référendum qui va suivre, les

Français, se foutant éperdument de la question posée, répondront un « non » franc et massif que de Gaulle, en homme intelligent (et quelque peu susceptible, également) qu'il était, interprétera comme le désir de notre peuple de le voir quitter la barre. C'est vrai, aussi, que le système en sera, pendant un moment, grippé. Le pouvoir et ses complices vont, sinon faire profil bas, au moins faire semblant et agir de façon plus insidieuse et sournoise. Plus tard, la bonhomie va remplacer l'autorité. Une génération va chasser l'autre. Cul mou, gros bide et clope au bec en lieu et place de raideur, grandeur et hauteur de vues, cela s'appellera le « pompidolisme », du nom de l'inénarrable président Pompidou, ex-normalien grand amateur d'art, couperosé mondain qui n'arrivait cependant pas à dissimuler sa rouerie bougnate.

Les législatives qui vont suivre la dissolution de l'Assemblée vont se traduire par un raz-de-marée de droite. Les politiques en place y seront non seulement reconduits mais encore plus forts.

Notre nation est décidément une drôle de nation...

En 2002, à l'occasion de la sortie d'un best of, j'ai ressenti le besoin de resituer mon début de parcours dans le décor de l'époque. Il fallait faire court. J'ai fait de mon mieux, sans prétendre à l'analyse historique. C'est ce que j'en retiens, voilà tout.

« La France, en ces temps immémoriaux [d'avant 68 NDLR], était composée de deux grands blocs qui s'affrontaient régulièrement et à la régulière, c'est-à-dire que la droite au pouvoir, bras armé des grandes familles capitalistes, envoyait périodiquement ses flics, CRS et autres sbires taper copieusement sur l'autre camp composé essentiellement du parti communiste et des syndicats qui ne se laissaient pas faire. C'était clair, facile à comprendre : les riches contre les pauvres, les patrons contre les prolos. Le XIXe siècle, encore.

» Au milieu, rien. On appelait ça la "majorité silencieuse". Sans bruit, effectivement, cette majorité travaillait à la reconstruction du pays, achetait des frigos, des télés, et suivait de près le Salon des arts ménagers, votait légitimiste et économisait sou par sou pour pouvoir payer des études à ses enfants.

» Ce sont ces mêmes enfants qui, en mai 68, fustigèrent la société de consommation, s'adressant plus à leurs parents, d'ailleurs, qu'à la susdite société qui n'en était qu'à ses balbutiements, et firent semblant de faire une révolution alors qu'ils ne faisaient que secouer un peu le cocotier dont il n'est pas tombé grand-chose. Tout ça fut joyeux, bordélique juste ce qu'il fallait et puis, comme dit Nougaro dans *Paris mai*, "Chacun est rentré chez son automobile".

» Pendant cette fête, les murs de Paris n'ont jamais été aussi intelligents. Des slogans magnifiques et inspirés ont fleuri au Quartier latin. Plus tard, les auteurs talentueux de ces bijoux sont tous devenus bobos, publicitaires suppôts de la nouvelle société de consommation que nous connaissons aujourd'hui, allant même jusqu'à inventer un jour "la ménagère de moins de cinquante ans", parangon de l'acheteuse influençable, et, finalement, trahir l'idéal de leur jeunesse. Infréquentables.

» 68 fut le premier vagissement d'une classe qui n'avait jusque-là jamais parlé et qui n'existait pas encore officiellement : la classe moyenne.

» Depuis, l'expression "majorité silencieuse" a disparu.

» Pourtant, de temps en temps, un peu de silence...

» Contrairement aux raccourcis généralement empruntés par des observateurs pressés, je ne suis donc pas un soixante-huitard. J'avais vingt-six ans à l'époque, j'étais déjà trop vieux pour être concerné par les mots d'ordre estudiantins et, de plus, fils d'un toubib gauchiste, libertaire et combatif, je ne me sentais pas de cette majorité dite silencieuse. En revanche, j'ai adoré me balader de barricade en barricade les nuits d'émeutes au Quartier ltin. Ça sentait la sédition et j'aime ça.

» Parallèlement, je continuais de mener ma vie de branleur, déconnant, aimant à tort et à travers, couché et levé tard et apprenant à faire des chansons à raison d'au moins une par jour.

» Paris n'était pas encore un parking. L'air y était respirable. Une sorte de paradis. »

10

LE MINOTAURE

J'en ai un peu honte aujourd'hui. Je mets ça au compte de l'agaçant égocentrisme de la jeunesse. Il fallait bien leur trouver un nom, tout de même, à ces éditions ! Je suis né sous le signe du Taureau. Le Minotaure était l'homme à la tête de taureau. Voilà. Pas plus compliqué que ça. Et puisque Rolande a aimé tout de suite, on n'a pas cherché plus loin.

Elle installa donc les Éditions Le Minotaure rue de Vaugirard, quasiment à l'angle du boulevard du Montparnasse. C'était provisoire car trop petit pour l'ambition de ma belle associée, déterminée comme jamais. Elle trouva très vite une secrétaire, Marianne, petite souris brune au museau pointu et au regard vif, à la fois réservée et suffisamment insolente pour que les rapports soient équilibrés.

Je passais tous les jours mais ne restais pas longtemps car il n'y avait pas de place pour un piano. Je reniflais avec fierté l'atmosphère de « nos bureaux ».

On était dans le provisoire. On creusait les assises. On posait les bases...

Au printemps de l'année précédente, Franck Thomas et Jean-Michel Rivat, des copains auteurs, m'avaient invité à les suivre chez un chanteur qui avait déjà un paquet de tubes à son actif, Joe Dassin. *Bip bip*, *Guantanamera*, *Comme la lune*, *Excuse me lady* avaient bien fonctionné et Thomas et Rivat, après *Les Dalton*, qui cartonnait, étaient en train de lui écrire *Siffler sur la colline*, un tube de plus pour le grand garçon tout simple que je voyais pour la première fois.

Joe était d'emblée un mec très sympathique. Il était resté un étudiant américain, malgré les succès qui s'enchaînaient. Pas de grosse tête ou de comportement d'idole du yéyé, lunettes noires et QI au ras des pâquerettes. Joe tenait à se démarquer de cette faune voyante. Pendant longtemps, il a mis en avant son parcours universitaire, pas pour frimer mais peut-être quand même un peu pour préciser : « Ne mélangez pas les torchons et les serviettes ! » Sans mépris. C'était uniquement, pour lui, une affaire de dignité.

Grand, élancé, visage avenant encadré par une crinière de cheveux bruns qui donnait l'impression d'une tête trop grosse pour son corps, une loucherie discrète et un sourire à l'américaine, c'est-à-dire franc et large mais j'attends de voir qui tu es. Si tu réussis l'examen de passage, c'est parti, on se lâche. Ce fut le cas.

Il habitait à cette époque boulevard Raspail, pas loin du Centre aéricain où il allait encore, de temps en temps, jouer à l'étudiant. Il était marié à Maryse, une jolie femme blonde toute dévouée à son artiste de mari, douce d'apparence mais il était clair, cependant, qu'elle veillait au moindre détail.

On a pris l'apéro, fumé un de ses magnifiques Davidoff nº 2 qui lui donnaient des airs de riche planteur de La Nouvelle-Orléans. Et puis, salut Joe... Salut Michel... On ne devait se revoir que l'année suivante.

Joe continua d'engranger les succès. Logiquement, l'idée d'une tournée d'été s'imposa d'elle-même. Il était un poulain de Charley Marouani. J'étais celui de son neveu, Jacques, dans la même agence. Joe était un artiste CBS, j'avais signé en mai dans la même écurie. Toutes les conditions semblaient réunies pour que je sois sa « vedette anglaise » pendant l'été 1968.

En fait, cette tournée avait deux vedettes. Joe et... Georgette Lemaire, un avatar de plus d'Édith Piaf, une invention de plus d'un public nostalgique, sans imagination et ingrat de surcroît, puisqu'il oublie aussi vite qu'il a aimé fort. Joe Dassin et Georgette Lemaire sur la même affiche c'était un peu, toutes proportions gardées, comme mettre en co-vedette Arthur Rubinstein et Richard Clayderman. Improbable. Attrape-tout. Pour tout dire, vulgaire. En tout cas, c'était l'idée saugrenue des Renzulli père et fils, producteurs de la tournée, des gens au contact agréable et bon enfant, hauts en couleur et accent marseillais aussi corsé qu'une anchoïade.

Je terminais donc la première partie, ce qui me conférait, selon la logique de la hiérarchie, le statut rarissime de « vedette anglo-américaine ».

Il fut convenu que mes musiciens accompagneraient la première partie. La rencontre entre les deux groupes, « la bande à Jojo » et la mienne, a été à la hauteur de ce qu'on pouvait en attendre. Quand des déconneurs rencontrent des déconneurs, qu'est-ce qu'ils s'racontent ? Tony Harvey et Jean Musy, côté Joe, Patrick Lannes, Alain Sireguy et Dominique Perrier, du mien, ça faisait forcément un mélange déconnant. Les afters étaient chauds. Des amitiés fortes se lièrent cet été-là, dont certaines jusqu'à la mort puisque Patrick et Tony ne sont plus là pour tenter le diable et son chariot de délices.

Pour l'anecdote, il y avait dans cette première partie une jeune chanteuse, jolie fille blonde à la voix légère, qui sera quelques années plus tard un des piliers du Big Bazar. Elle avait pour nom de guerre Valentine Saint-Jean, elle allait devenir Vava, le soleil du Big. Mais ça, ni elle ni moi ne le savions encore.

Cette longue virée en France, ma première, a dans mon souvenir des airs de grandes vacances. Du soleil, du plaisir, juste ce qu'il fallait de trac pour pimenter les entrées en scène, et quelquefois, même, des bonnes bouffes dans des restaurants étoilés que nous offrait Joe, le seul à pouvoir payer la note.

Un soir, à Saint-Raphaël, après le spectacle, dans un resto qui nous était réservé, Joe, qui ne lâchait que très rarement sa guitare – une Martin « student model » toute simple mais qui sonnait magnifiquement –, nous offrit un concert privé essentiellement composé de folk songs. C'était la musique qu'il aimait et c'est vrai qu'elle lui allait comme un gant. L'étudiant américain refaisait surface. Bien évidemment les guitaristes des deux groupes se joignirent à lui. Ce fut bon et classieux. Pas un de ces bœufs où chacun essaie de prendre le chorus et de faire le beau. Non. On voulait juste accompagner le blues d'un Joe un peu éméché dont tout le monde avait envie de respecter le voyage dans sa tête. Moment d'éternité.

C'est dans ce genre d'occasion que Joe nous a montré le défaut de sa cuirasse. Il vivait son succès comme un malentendu. Il se rêvait folk singer et il était chanteur populaire. Il éprouvait souvent le besoin de se disculper, de dire qu'il ne se reconnaissait pas dans ce succès qui n'arrêtait pas de grandir sans qu'il ait jamais rien fait pour ça. Il s'est, évidemment, résolu à accepter son destin, mais je ne suis pas sûr que le mal-être existentiel résultant de cette dichotomie ne soit pas pour quelque chose dans la dérive qui l'amena jusqu'à l'issue fatale.

Pour l'heure cependant, tout baignait. D'autant mieux que Joe savait s'entourer de bons auteurs. Ce furent Rivat et Thomas d'abord, puis Pierre Delanoë, et Claude Lemesle qui vint nous rejoindre pour un ou deux jours. C'est là que nous avons découvert que le nouvel auteur de Joe était le mec de Valentine Saint-Jean. Surprise générale, déception pour certains. Tous les charognards qui commençaient à avoir des visées plus ou moins libidineuses sur la jolie petite blonde qui ne détestait pas être l'objet des convoitises des loups de Tex Avery se calmèrent d'un coup, réenroulèrent leurs langues et remirent leurs yeux dans leur orbites. Le proprio était dans la place et, en plus, il faisait partie du staff.

Claude Lemesle avait encore un peu de cheveux à l'époque, sans compter celui qu'il a sur la langue depuis qu'il a ânonné son alphabet et qui fait encore son charme. Après khâgne et le service militaire, il avait choisi de tenter sa chance dans le dangereux métier d'auteur-compositeur. Il en vivait mal mais son appartenance au petit conservatoire de Mireille, dont il parle toujours avec un profond respect, l'enracinera, comme beaucoup d'autres, dans le monde de la chanson.

Ce jour-là, on se parla peu mais quelques années plus tard, on se rattrapera. Joe et moi le marierons à Valentine et il deviendra un de mes auteurs et amis.

Je crois bien avoir évoqué plus haut l'importance de l'ego dans notre métier et les comportements ridicules que son hypertrophie peut engendrer. La preuve en fut faite un soir, en Bretagne. Georgette Lemaire qui, d'habitude, faisait son tour avant Joe, demanda qu'on inverse l'ordre de passage. Joe n'y vit aucun inconvénient et, de bon cœur, fit la première partie. Il aligna sa série de tubes, obtint le succès qu'on lui connaissait depuis le début de la tournée, et les techniciens procédèrent au changement de set, c'est-à-dire remplacèrent les instruments de l'un par les instruments de l'autre. Pendant cette coupure, ce qui devait arriver arriva. Le public dans sa majorité se leva et quitta les lieux. Georgette Lemaire entra devant une salle aux trois quarts vide et fut, au bout du compte, bien malheureuse.

Égocentrisme aveugle ? Mauvaise analyse ? Mauvais conseil ? Principe de Peters ?

J'ai appris, en douceur, beaucoup de choses tout au long de cette tournée. Ce soir-là, la leçon fut un peu plus cruelle. La douleur d'un artiste ne fait plaisir qu'aux foncièrement mauvais, finalement assez rares, ou aux imbéciles, qui, eux, sont malheureusement légion. Sur le moment, je n'ai fait que regarder, épier les réactions, les regards, éponger les émotions. Après réflexion, la conclusion s'imposa d'elle-même : il faut savoir qui l'on est, sans se mentir, sans rêver, et se méfier des flatteurs... qui vivent comme on sait aux dépens de celui qui les écoute.

Le lendemain, l'ordre de passage initial fut rétabli.

À la mi-août, tout le monde est rentré chez soi.

L'année suivante, Joe va continuer son « irrésistible ascension » et devenir peu à peu le boss du showbiz des années soixante-dix. Il abandonnera son costume de scène, chemise rouge - pantalon noir - gros ceinturon, pour la même chose mais en blanc et deviendra l'icône que tout le monde garde en mémoire.

Salut Joe... Je t'aimais bien.

À la rentrée, Rolande cherche toujours une adresse confortable pour Le Minotaure. Claude, ma petite sœur qui vient de terminer brillamment ses années de médecine, me rejoint à Paris pour faire sa spécialisation en ORL. Nous habiterons à trois rue de Vaugirard puisque Caroline partage de plus en plus souvent ma couche. Moi, je travaille à de nouvelles chansons pour un premier album chez CBS. Un bémol de taille : un matin, je trouve la vitre arrière de l'ID break cassée et la guitare de ma mémé de La Rochette, que j'avais laissée à l'intérieur, envolée. Un enfoiré m'a piqué ma gratte ! C'est pas le prix de la guitare, c'est la valeur sentimentale, connard ! Je hais les voleurs. Ils ne volent pas que des objets. Ils volent les pans de vie qui leur sont attachés. Plus que dépouillé de mon amie intime, qui seule savait le piètre musicien que j'étais, je me suis senti violé. J'ai quand même fini par m'en remettre. Je me suis racheté une nouvelle guitare et comme j'avais un peu de sous à la banque, j'ai pu me payer cash une DS pour remplacer l'ID. Avec un camion Mercedes pour le matos et la sono toute neuve, les galas continuaient de se succéder à un bon rythme. Je pouvais donc chercher un nouvel appartement plus grand car l'exiguïté commençait à tendre un peu les rapports entre les filles, à la maison. On trouva un beau cinquième étage très lumineux en bord de Seine, 51, rue du Bois-de-Boulogne, à Neuilly, qui marquera nos souvenirs, au point d'en avoir encore parfois la nostalgie.

Bref, tous les signes extérieurs de l'abondance semblaient réunis et pourtant...

Ma nouvelle maison de disques m'a confié à un jeune directeur artistique, Jean Eckian. Pour faire patienter et histoire d'apprendre à se connaître, on enregistre un 45 tours. Comme toujours, les nouveaux venus veulent tout changer. Jean Bouchéty est mis sur le banc de touche. Je passe de main en main, ce qui, au moins, me permet de connaître un grand nombre de professionnels de la profession, dont certains ont du talent. Mais bon...

Jacques Marouani, entre-temps, a rempli l'agenda pour les mois à venir. Pas mal de travail en vue et, en prime, un Olympia en anglaise de Salvatore Adamo. En février 1969.

Lors d'un gala, rencontre avec un ami de Jean-Pierre Brun, producteur de spectacles. Pas très grand, visage rieur, un peu rouleur, une démarche caricaturale, donnant l'impression d'être chez lui partout, le tout sublimé par un accent dont, un jour, je ne pourrai plus me passer long-temps : l'accent corse. Mesdames et messieurs, per-mettez-moi de vous présenter Fortuné Lebras. Ce petit bonhomme pittoresque va devenir un ami et changer ma vie.

– Tu connais la Corse ?

– Non.

– Alors, l'année prochaine, il faut que tu viennes.

Fortuné était marchand de meubles à L'Île-Rousse, en Haute-Corse. Il m'a, en quelques jours, présenté à tous les Corses de Paris, m'a emmené dans les bars ou restaurants où siégeaient, dans les arrière-salles, de vénérables gangs-ters à chapeaux mous, maquereaux et croupiers de clubs de jeux comme je n'en avais vu que dans les films de Melville.

La pré-tournée de l'Olympia prévue en février ne fut pas longue. J'étais, cette fois, l'anglaise d'un spectacle dont Nicoletta était l'américaine et Salvatore Adamo, la vedette.

Notre équipe, bien sûr, copina avec l'équipe belge de Salvatore. Quant au reste, pas de problèmes sinon pour mes musiciens qui devaient de temps en temps jouer les équi-libristes afin de rattraper les mesures que Nicole avait ten-dance à bouffer. Pas facile à faire, mais ça apprend le métier.

Installés à l'Olympia pour quinze jours, on a profité du public de Salvatore. Un vrai public populaire, respectueux et généreux, qui finalement ressemblait en tous points à la vedette du spectacle. Salvatore est sans doute un des artistes les plus réservés que j'aie connus dans ce métier. Du talent à l'écriture, de la profondeur dans ses textes où il n'a jamais hésité à aborder des sujets difficiles, il a su trouver les mélodies efficaces pour les mettre en valeur. Ce fut un plaisir de travailler à ses côtés et ce plaisir reste entier lorsque je le croise encore aujourd'hui.

Dans la série « mauvais souvenirs », il y a un incident dont je me serais bien passé. J'avais au programme une chanson que je chantais en m'accompagnant à l'orgue Hammond tout neuf que mes musicos m'avaient convaincu d'acheter. La chanson s'appelait *À qui crois-tu donc que je pense ?*. Le soir de la première, alors que j'entame l'intro, l'orgue s'éteint brusquement. Un Hammond qui s'éteint fait un bruit de lamento dégoulinant, désespérant. Bien sûr, à ce moment-là, j'étais hyperconcentré, bien dedans. Je sursaute. Quoi ? Quoi ? Qu'est-ce, mais qu'est-ce ? Que se passe-t-il ? Grand moment de solitude devant un public aussi surpris que moi. Mais le public, c'est miraculeux, a toujours l'impression que tout ce qui arrive sur une scène est prévu. Donc il attend. Et j'attends aussi. Quelques secondes. Une éternité, pour moi. Le temps que derrière le rideau un technicien réalise que la prise qu'il avait débranchée servait à quelque chose... L'orgue Hammond fait, en s'allumant, le même bruit qu'en s'éteignant, mais bof ! Je n'en étais plus à un bruit près. De toute façon, c'était foutu, perdu. Abattu, je n'avais plus qu'à changer de métier... La mort dans l'âme, j'ai quand même recommencé. C'était sans doute l'état d'esprit qu'il fallait pour interpréter ma chanson. Tabac. À ma sortie de scène, le technicien s'est liquéfié en excuses et Bruno Coquatrix, très sérieusement, m'a certifié d'un ton docte et expert :

– Toi, mon petit, ton truc, c'est l'orgue.

Je ne le lui ai jamais rappelé, mais je me suis empressé de ne pas suivre son conseil et n'ai jamais remis les fesses derrière un orgue sur une scène.

*
**

J'ai bien regardé. Rien ne m'a échappé. Joe et Salvatore étaient incontestablement des artistes convaincants et faisaient très bien leur boulot. Je les ai vus entrer en scène, sortir sous les applaudissements, quitter les théâtres après leur tour de chant et j'ai aimé qu'ils soient vrais et respectueux de leur public. Leurs spectacles respectifs, bien que très différents, étaient bien foutus, professionnels et bourrés de tubes imparables ou de chansons moins connues mais fortes. Et pourtant je sentais que j'étais à la recherche d'autre chose. Le « récital » n'était pas ce que j'imaginais pour moi. À cette époque, tous nos spectacles étaient calqués sur le modèle que l'on tenait de nos anciens, mais mon intuition me taraudait. Il y avait sûrement une autre voie... que je devais trouver.

Après l'Olympia, notre barque file sur son erre pendant encore quelques mois. Entre-temps, j'ai demandé à Jacques Marouani de se calmer et de ne plus prendre de dates. J'en ai marre. Tel que je le pratique, ce métier ne me fait plus rire. Je sens que je dois m'arrêter un instant, cesser de secouer le shaker, pour essayer d'analyser le cocktail et comprendre de quoi il est composé. Souffler un peu pour y voir plus clair.

En cette année 1969, refaisant le parcours dans ma tête et revisitant mes souvenirs, je constate en effet que la poésie des choses et des gens disparaît au fil des étapes et du temps. Depuis que le hobby du jeune homme que j'étais est devenu le métier que j'ai choisi de faire, j'ai le sentiment d'être passé de l'interprétable au précis, de l'imaginaire au réel, de l'impalpable au concret. Autant les images d'enfance et de jeunesse sont nimbées d'un flou vaporeux, autant celles des cinq dernières années sont nettes et sans magie. Est-ce que c'est ça, devenir un professionnel ? Est-ce que c'est ça, devenir adulte ?

Pour la première fois depuis trois ans, je commence à me dire que je n'ai pas quitté le cinéma, noble septième art, pour ces galères que sont les « galas », et constituent l'essentiel de notre activité. Pas marrant. Pas valorisant. Mon besoin de rêver est de jour en jour plus fort. Aller vers autre chose. Avoir un projet. Lui laisser le temps de germer, l'attendre sans urgence. Oublier le métier. Emprunter un chemin de traverse...

En 1969, je décide de prendre une année sabbatique.

L'expression, qui commence à être à la mode, pose son homme. Et l'homme se repose.

Premier arrêt. Fin de la première étape.

11

51, RUE DU BOIS-DE-BOULOGNE

En fin de compte, le 313, rue de Vaugirard n'avait servi qu'à dormir. Je n'y avais pas fait une note de musique. Endroit stérile sans vibration, sans ondes et sans soleil. On le quitta, d'ailleurs, sans états d'âme.

L'appartement du 51, rue du Bois-de-Boulogne à Neuilly était exactement son contraire. Au cinquième étage, spacieux, lumineux ; la suite allait démontrer que les ondes y étaient profuses et plus que bonnes.

Des arbres derrière, la Seine devant et ses péniches à nos pieds. Nous avons tout de suite aimé l'endroit, Claude et moi. Caroline n'était pas du voyage. On avait dû un peu s'engueuler et elle était retournée dans son studio. En revanche, Gégé Candy, mon grand pote le photographe-sonorisateur de l'équipe qui, entre-temps, avait courageusement fait du gringue à ma frangine avant de la suborner, devenant ainsi mon néo-beauf', a repéré au premier coup d'œil ce qu'il allait transformer, repeindre, moquetter, pour faire de cet espace un agréable lieu de vie. Il faut dire que Gégé, de son vrai prénom Roger, a toujours été un manuel. Les revêtements de mur n'avaient pas de secret pour lui. Il connaissait les vis, les clous, les écrous par leurs numéros intimes. Il savait reconnaître la taille d'un boulon en le regardant. Fascinant ! J'avoue que je ne suis pas bricolo. Je dessine volontiers les plans, à plat, en perspective, mais bon... Je suis nul en bricolage. Gégé, mon pote Gégé, le grand gentil à gueule de méchant était, lui, un authentique professionnel.

Claude et Gégé nous ont concocté très rapidement un super appartement, cuisine, deux chambres, un double living ensoleillé qui allait devenir un vrai lieu de fête.

Nous étions comme trois gamins fiers de la cabane qu'ils se seraient fabriquée dans un arbre. Un refuge à leur image, juste au-dessus du monde. La Seine, en bas, s'écoulait lentement, se foutant éperdument des animalcules qui allaient et venaient le long de ses rives. Les péniches roupillaient à deux mètres de la berge avec, à tout moment, la possibilité de lever la passerelle en rêvant de croisière, et, en face, la Défense, qui n'en était qu'à ses débuts, grossissait à vue d'œil, jetant vers le ciel ses geysers de béton, témoins priapiques de l'orgueil de la civilisation urbaine naissante.

Alors que, fatigué et déçu par mon métier, j'étais à ce moment-là à deux doigts de prendre une année sabbatique, j'avais dans le même temps la sensation que les affaires reprenaient. J'ai immédiatement senti qu'ici, il allait se passer quelque chose.

Le double living était composé d'une grande pièce à larges baies vitrées et de ce qui aurait pu être un bureau, très clair, également. Il y avait là juste la place d'un piano à queue. Le temps de le formuler et j'étais chez Hanlet, importateur des Steinway. Acheter ? trop cher. Louer pour l'instant.

Il n'y en avait qu'un. Il m'attendait. Pas de toute première fraîcheur mais un très beau son. Nous nous plûmes à la première seconde. Il était fait pour moi. Le prix de location aussi. Dérisoire. Prix d'ami. Merci encore, messieurs.

Je ne sais pas comment font les déménageurs de piano

pour monter une bête pareille au cinquième étage, quoi qu'il en soit une semaine plus tard, il était là, ce piano. Mon piano. Mon ami intime qui allait me suivre pendant presque vingt ans, avec qui j'allais faire des dizaines de chansons et musiques en tout genre. N'allez pas croire qu'un piano n'est qu'un assemblage de bouts de bois, de cordes et de marteaux. Un piano est l'exact reflet de celui qui est devant le clavier. Il sait tout de lui. Lui savait tout de moi. Il aurait pu dire mes doutes, mes joies, mes élucubrations, mes renoncements, car « y a des jours, oui, y a des jours, non ». Il aurait pu parler de mes amours, de mes amis et, comme le chante Aznavour, de mes emmerdes, aussi. Un ami. Un vrai.

Notre père, franchement heureux que sa progéniture niche ensemble dans la capitale qui, vue de Grenoble et à six cents kilomètres, lui paraissait sans doute plus inhospitalière et possiblement dangereuse qu'elle ne l'était réellement à cette époque, nous envoya une grande table campagnarde que Cestonaro lui avait menuisée avec amour. Cette table servira de support à de copieuses agapes, à d'interminables séances de refonte du monde et de ses environs, et à des jeux de cartes où le silence n'était surtout pas de mise. Poker, barbu, ascenseur, rami fermé et ouvert... L'année sabbatique avait tout d'une récré.

Hormis la table et les bancs, restait un grand vide. Un vide à la taille de l'expression corse que Fortuné Lebras, mon nouvel ami, proféra, stupéfait, en entrant dans l'appartement et qui ressemble, à peu de chose près, à « Oumbah ! ». Rien de plus hérétique, en effet, pour un marchand de meubles, qu'une pièce déserte ou presque. Une fois la stupeur passée il m'emmena chez Steiner, acheter un ensemble de salon en cuir beige magnifique, au prix coûtant, très avantageux.

Il fallut attendre le Noël suivant pour parachever l'ameublement de ce living. Je reçus en cadeau, preuve que mon entourage était parfaitement conscient de mon niveau de maturité, un immense Circuit 24 que j'installai immédiatement et qu'on était obligé d'enjamber pour rejoindre le canapé et les fauteuils. C'est vrai qu'il tenait de la place et qu'il n'était pas très pratique mon circuit, mais un piano à queue et un Circuit 24, dans ma cabane haut perchée au-dessus de la Seine et les péniches sous les grandes fenêtres face au soleil couchant... L'enfant de vingt-sept ans que j'étais se sentait comblé.

Claude, au milieu du joyeux bordel qui régnait dans notre appartement, continuait d'être concentrée sur son travail et sa spécialisation. Elle se préparait à être ORL et, plus précisément, phoniatre – spécialiste des troubles de la voix, comme par hasard ! –, et rien ne semblait pouvoir la perturber. Elle partait tôt le matin et passait ses journées à l'hôpital en bossant d'arrache-pied, ce qui ne l'empêchait pas de rentrer le soir avec la ferme intention de se détendre, de rigoler et de faire la fête. Elle n'en sortira pas moins, deux ans plus tard et à ma grande fierté, major de sa promotion. Elle est très forte, ma petite sœur.

Gégé, qui n'en était pas à un talent près, se révéla excellent cuisinier, nonobstant sa propension à faire revenir des andouillettes à l'heure du petit déjeuner.

Quant à moi, je tapais sur mon Steinway toute la journée, avec la bénédiction des voisines d'à côté, deux jeunes étudiantes sympathiques et en coloc, très contentes d'avoir un peu d'animation dans ce quartier ultra bourge. Cerise sur le gâteau, la concierge, étant fan de *Je n'aurai pas le temps*, était carrément aux petits soins pour « son artiste du cinquième ».

Tous les copains grenoblois venus terminer leurs études à Paris feront de notre chez-nous leur chez-eux, plus les amis des amis, les frères, sœurs et les cousins des amis, plus les Corses...

Il y avait une grosse circulation des individus et des idées au 51, rue du Bois-de-Boulogne, Neuilly-sur-Seine, dans le neuf-deux. Au gré des rencontres, des « Qu'est-ce que tu fais ce soir ? », le salon se remplissait, on se poussait à table pour faire de la place. De Chelon à Christian Vander, le batteur fou, créateur de Magma, voilà à peu près la largeur de l'éventail de la musique française qui est passée à la maison. Chacun avait un truc à dire et sa propre façon de rêver la vie.

Et nos nuits étaient largement aussi belles que nos jours.

À l'heure où les gens normaux se couchent pour prendre, selon la formule, un repos bien gagné, Gégé et moi nous préparions à rejoindre Patrick et les deux Alain à Saint-Germain-des-Prés. Claude, consciencieuse, nous laissait partir entre mecs, car elle commençait tôt le matin.

Le but avoué était d'aller écouter de la musique. De la bonne, bien sûr. C'était, entre autres, à cette époque, Blood, Sweat and Tears, Chicago (Transit Authority), et toute la production Motown, rythm 'n' blues et soul. Les boîtes où l'on pouvait entendre ce type de musique étaient le Rock 'n' roll Circus, rue de Seine, l'Arlequin, rue Dauphine, et plus tard la Bulle rue de la Montagne-Sainte-Geneviève. Le Rock 'n' roll Circus était le lieu archi must où les musicos paradaient devant les petites-bourgeoises qui tenaient à être vues avec tel ou tel guitar heroe de tel ou tel groupe à la mode et qui passaient volontiers à la casserole avant de rejoindre leurs beaux quartiers. À l'Arlequin, en général, on faisait la fermeture, vers 8 heures du matin. On rentrait à Neuilly ivres de musique et d'alcool, on prenait le petit déj' et on se couchait. Claude était à l'hôpital depuis longtemps.

Chonchon a tenu le vestiaire du Rock ’n’ roll Circus, puis ceux de l’Arlequin, de la Bulle et bien d’autres encore. À croire qu’elle suivait les créations de toutes les boîtes qui se montaient dans le Quartier latin. Oiseau de nuit donnant l’impression de connaître tous les zoneurs, les solitaires, les junkies qui circulaient dans Paris à partir de minuit et qui venaient se finir dans le clignotement des spots, elle régnait avec une autorité sans partage sur son domaine. Elle faisait partie des coulisses, de l’intendance, de la logistique de Saint-Germain. De ces nyctalopes qui ont une vision souvent désenchantée sinon méprisante de l’humanité qu’ils ne voient, en fait, que lorsqu’elle est en errance et mal éclairée. Chonchon, on l’a toujours bien aimée. On a rigolé ensemble, on l’a charriée, mi-taquins, mi-dragueurs. Elle avait du répondant, du caractère et des yeux gris-vert... Et au petit matin, un jour, elle est rentrée avec moi à la maison. J’étais, pour l’heure, célibataire. Elle est restée.

Quitte à passer pour un goujat et un cœur d’artichaut, je préfère l’avouer : c’est plus fort que moi, je n’ai jamais su rester longtemps sans une femme dans ma vie. J’aime dormir nu auprès d’un corps de femme nue, me réveiller, toucher la peau, caresser les fesses et recevoir comme un cadeau le premier sourire de celle qui est à mes côtés. J’aime la voir sortir du lit, impudique, enfiler sa robe de chambre, ouvrir le frigo, boire un verre d’eau fraîche, préparer son thé, avec des gestes précis, gracieux, féminins. J’aime la voir feuilleter pour la dixième fois un hebdo people qu’elle connaît par cœur. J’aime la regarder s’étirer, l’entendre ronronner, puis, lorsqu’elle n’est pas pressée par le temps, la voir venir avec ses gros sabots et ses caresses de soudard pour obtenir un « quicky du matin », réputé bon pour la santé.

Donc... Une blonde chassait l'autre. Chonchon après Caroline. Deux continents aux antipodes l'un de l'autre.

Magnifiquement gaulée, élancée, longues et jolies jambes, fréquemment moulée d'une petite robe façon Cacharel, Chonchon était, le jour, le contraire de ce qu'elle était la nuit. Comme si elle préservait son énergie pour son entrée en scène.

Du genre monomaniaque, je passais mon temps plongé dans ma musique. Discrète, Chonchon n'imposait jamais sa présence et, lorsque j'émergeais, je la voyais traverser furtivement le décor d'un pas léger, ou, plus souvent, à demi nue sur le canapé Steiner, jambes repliées sous les fesses, en train de se faire les ongles, sans que je puisse dire si elle était habitée par un vide sidéral ou pénétrée d'une quiétude zenissime. Un chat. Avec Chonchon, c'est un chat qui venait de s'installer dans la maison. Une chatte, en l'occurrence, car elle était très fille comme fille et, je le répète, j'adore le côté fille des filles. J'éprouvais donc un plaisir amusé à la regarder, du coin de l'œil, évoluer en petite culotte et débardeur. Sensuelle et indolente, elle peaufinait, étape par étape, en se foutant éperdument du monde et de ses misères afférentes, l'image qu'elle allait offrir le soir à des noctambules ingrats, ignorant tout des heures de travail qu'impliquait cette quasi-perfection. En fin de journée, tête faite, parfumée, blondeur bouclée pré-hippie impeccable, tenant du bout des doigts une Peter Stuyvesant dont elle tétait le bout du filtre pour ne pas gâcher le dessin de ses lèvres rosées et soulignées d'un trait plus sombre, Chonchon était prête.

– À tout à l'heure... Bye !

Et elle filait, légère et court vêtue, vers son fief germanopratin.

Avec mon piano, j'en étais encore aux préliminaires. J'assurais donc avec ma guitare, depuis longtemps rompue à mes manières de charretier. Il y avait quand même de l'évolution dans l'air. Les harmonies se compliquaient, les rythmes se diversifiaient. Je progressais doucement. *Balade en Bugatti* et *Je rends mon tablier*, parolées par Pierre Delanoë, seront les deux premiers fruits de cette nouvelle branche de mon arbre. L'amour et la liberté sont de fins jardiniers.

*
**

L'été s'en vint. On partit quelques jours en juillet chez notre pap'.

Mon père a toujours adoré nous voir débarquer bruyamment dans son havre de paix. Il sait que Martine va réaliser des prouesses culinaires et qu'on va refaire, autour de la table, le monde politique en buvant le bon vin qu'il va remonter de sa cave. Il va nous parler avec passion des travaux qu'il mène dans sa maison, nous écouter raconter nos vies parisiennes, supputer nos chances de réussite dans telle ou telle entreprise hasardeuse. Les bouffes vont s'éterniser. Il sortira sa gnole avec « la poire dans la bouteille ». Puis, il ira se coucher, heureux d'avoir des enfants aussi « impecs ». Cette fois, le bonheur familial se corsa d'un événement assez fabuleux pour nos générations : Armstrong posa le pied sur la Lune, le 20 juillet... déclenchant les considérations métaphysiques que l'on peut imaginer dans une famille d'incurables tchatcheurs.

En août, chose promise, chose due à Fortuné Lebras, destination la Corse que je ne connaissais pas. Mon pote, qui n'était pas encore mon ami, nous avait retenu une maison pour un mois, dans un petit village magnifique, disait-il, au sommet de la Balagne. Voyage en avion. Claude, Gégé, Mammine, Chonchon et moi-même avons débarqué à l'aéroport de Calvi-Sainte-Catherine.

Ce qui est frappant, à l'arrivée, c'est le parfum. Ce pays

sent le maquis. Un maquis fait de cistes, de myrte, de genévriers, d'arbousiers, de plantes et d'arbrisseaux plus odoriférants les uns que les autres. Le parfum est si fort qu'il couvre l'écœurante odeur de kérosène sur le tarmac.

Fortuné nous attendait, fier d'avoir à nous présenter son pays et nous monter à San Antonino.

Le village, culminant sur un des sommets de cette région de montagnettes, se voit de partout. La route pour y accéder était, en 1969, étroite et défoncée. Tortueuse également. Bien qu'en meilleur état, elle l'est toujours.

La maison nous était louée par Ariane, Ariane Zografos, que tout le monde appelle ici « la baronne », titre acquis d'un mariage énigmatique avec un La Rochefoucauld. Je n'ai jamais cherché à en savoir plus car l'amitié et la tendresse que j'éprouve encore pour cette femme hors du commun n'a rien à voir avec un quelconque titre nobiliaire. Elle nous louait donc, pour une somme plus que raisonnable, le haut de sa maison, deux étages au sommet du village, donnant d'un côté sur la mer et le soleil couchant et de l'autre sur la place où les hommes jouaient aux boules à la fraîche. En prime, dans le grand living, un piano à queue, hors d'âge et à peine désaccordé, sur lequel j'allais pendant quelques années composer une flopée de chansons.

J'ai adoré, d'emblée, ce pays et j'ai fait miens les gens qui le peuplent. Je me suis senti chez moi sans pouvoir, à ce moment-là, en expliquer la raison. Avec le temps, je me suis convaincu qu'étant né dans les Alpes, d'un père savoyard et d'une mère méditerranéenne, j'avais trouvé la région qui correspondait à mon capital génétique. La Corse est une montagne qui plonge dans la mer Méditerranée que je considère depuis toujours comme mon liquide amniotique. Je ne pouvais qu'être heureux dans ce coin du monde.

Je l'ai été et le suis encore.

Bien que Calvi soit le centre touristique de la Balagne, c'est L'Île-Rousse, à vingt kilomètres au nord, qui en est le cœur économique et sentimental. Tous nos amis étaient Île-roussiens, des Isulani.

Un peu d'histoire pour connaître mieux ce village côtier qui était, depuis la plus haute Antiquité, une escale pour les bateaux avec lesquels pêcheurs et paysans faisaient commerce de leurs produits ou qui s'abritaient des tempêtes derrière les îles de granit rouge, d'où le nom de la ville. Pascal Paoli, « le Père de la Patrie » (U Babbu di a Patria), pendant le conflit qui l'opposa, lui et ses alliés anglais, à la république de Gênes, acheta ce bord de mer à la commune de Santa Reparata pour en faire une sorte de QG, empêcher les liaisons maritimes entre Gênes et Calvi, et « pour pendre des Calvais », rajoute la légende populaire. Cette légende ne dit pas s'il a vraiment payé la commune et s'il a autant pendu de Calvais que ça, mais désormais, et en mémoire de cette période fondatrice, L'Île-Rousse est appelée la « Cité Paoline ».

En 1969, la Balagne n'était pas encore une destination touristique. On y était entre gens de bonne compagnie et les plages étaient désertes. Il est vrai que venir dans cette région bénie des Dieux, délimitée par de hautes montagnes d'un côté et la mer de l'autre, tenait de l'aventure. Une route sinueuse, mal foutue et dangereuse, dissuadait l'estivant moyen de pousser jusque-là. Mais pour ceux qui y venaient par avion, c'était le paradis.

Au cours de ces vacances, Fortuné Lebras est devenu un ami, un frère, et, petit à petit, la plupart de ses amis également. Grégoire, Jean-Pierre, Benoît, Philippe et bien d'autres par la suite. En Corse, les joies se partagent simplement. Les Corses constituent le peuple le plus réellement hospitalier que j'ai rencontré dans ma vie. Il suffit de respecter certaines règles et, surtout, leur culture assez dif-

192

férente de la nôtre. J'aime rappeler que leurs ancêtres n'étaient pas les Gaulois.

Il a bien fallu rentrer, quand même. Mes valises étaient pleines de chansons. Le piano d'Ariane en était responsable, certes, mais le soleil aussi. Le soleil couchant, surtout, en fin de journée, à l'heure à laquelle on laisse aller son âme. Sainement fatigué par les baignades, les jeux dans les vagues et les heures de marche pour remonter à pied, quelquefois, de la mer au village, après la douche apaisante, le regard se perd dans le ciel rosissant et suit le soleil qui s'en va éclairer une autre partie du monde, là-bas, derrière l'horizon. C'est l'heure à laquelle l'homme rapetisse au fur et à mesure que son ombre grandit. Le soleil en se couchant fait de nous des géants, sans doute pour nous donner la force d'affronter nos cauchemars de la nuit ou pour que nos rêves soient à la taille illusoire de cette ombre portée.

C'est à cette heure précise que le piano attire comme les sirènes attiraient les marins, que les mains se posent sur le clavier, plaquent d'elles-mêmes les bons accords, que la voix de l'âme se met à chantonner, d'abord, puis à ciseler, peu à peu, la mélodie qui se faufile au travers des harmonies. Finalement, c'est assez simple de faire une chanson. Il n'y a qu'à se laisser porter.

Voilà pourquoi je revenais de Corse en cette fin d'été avec de la musique plein la tête. Sacré soleil...

Et c'est de soleil qu'il sera effectivement question puisque ce sera la chanson phare de l'album éponyme suivant. Faite à la maison, un soir de fiesta, sur un délire guitaristique du frangin de Dominique Perrier. Il jouait, j'improvisais. À la fin de la nuit, la chanson existait. Rien que de très banal. Il ne restait plus qu'à mettre en forme.

La surprise vint quelques mois plus tard lorsque j'appris que *Soleil* était sortie en single aux États-Unis. Je me demande encore ce qui a bien pu motiver ce choix de je ne sais qui. Peut-être les Américains, friands de ce qui n'est pas leur culture, ont-ils pris ce titre pour de la world music ou une africanerie quelconque ? Ce ne fut pas un carton pour autant. Le deuxième extrait de cet album, en revanche, le fut : *On laisse tous un jour*, titre parolé par Hugues Aufray et sa grande complice de l'époque Vline Buggy, que je chante encore, et qu'en général, le public reprend en chœur. Alléluia !

Compte tenu du travail accompli pendant cette année que je voulais sabbatique, je réalise qu'elle ne s'est soldée, en définitive, que par l'arrêt des « galas » qui étaient ma principale source de revenus. Je bouffais donc consciencieusement mon petit capital. Flamber pour flamber, autant que ce soit dans la joie et sans arrière-pensée.

Claude, qui veillait à l'intendance, faisait dans l'économie. Gégé accommodait les restes. Mais toujours autant de morfals autour de la table. Chonchon, elle, ronronnait toujours sur le canapé et moi je continuais, quand je ne faisais pas de musique, de jouer sur mon Circuit 24 avec le premier venu qui avait du temps à perdre.

C'était souvent Alain Wisniak, revenu du service militaire et sans emploi, que j'avais depuis quelques mois pompeusement adoubé en tant que « secrétaire », ce qui ne voulait rien dire puisque tout ce qui était de l'ordre du secrétariat se faisait chez Le Minotaure. En fait Alain, lorsqu'on avait encore des spectacles à donner, conduisait la DS, ce qui me permettait de dormir paisiblement. Dominique Perrier l'ayant remplacé pendant qu'il était sous les drapeaux, il souffrait de ne plus faire partie du groupe musical. En revanche, la complicité que nous avons l'un avec l'autre date de cette période. Nous étions constamment ensemble et j'étais autant attaché à sa famille qu'à lui-même. J'ai toujours eu une tendresse particulière pour ses sœurs, Isabelle, petite poupée toute en espièglerie, et Nicole, Nicole Wisniak que tous les intello-branchés de Paris connaissent maintenant en tant qu'égérie, grande prêtresse, arbitre des élégances littéraires et photographiques du magazine culte et snobissime *Égoïste*. Un humour aussi corrosif qu'original, une vision kaléidoscopique de la Terre et des Terriens du haut de son refuge de luxe aux milliards de livres et de photos d'art où n'ont droit de cité que les beautiful people, Nicole porte sa juivitude comme la statue de la Liberté son flambeau. Dans la clarté obscure de son antre, la crinière léonine rousse qui la parait déjà à quinze ans en fait une sorte de Sphinx au regard inquisiteur, la seule sanction étant le mot d'esprit qu'elle peut décocher au moindre signe de faiblesse. Vae victis.

Nicole, comme toutes les filles ados, avait une meilleure amie. Une longue liane brune à la démarche lascive, Béa, Béatrice Szabo. Un réel plaisir des yeux. Trois ans plus tard, j'avais vingt-huit ans, elle dix-huit et elle n'avait fait qu'embellir. Sa silhouette s'était affirmée et Béa était tout simplement canon. Un des regrets de ma vie restera d'avoir manqué de courage, cet après-midi où, seuls à l'appartement, nous aurions dû faire ce que nos yeux disaient. J'ai eu peur. Peur de sa jeunesse, peur de passer pour un salaud, peur de gâcher quelque chose à quoi je tenais. Curieusement, c'est pourtant le même type de femme que je rencontrerai quelques années plus tard et que j'épouserai. Là, je n'étais pas encore prêt. Claude-Michel Schönberg, lui, fera *Le premier pas* que je n'ai pas su faire.

Chaque fois que je semble ne rien foutre, jouer, faire des mots croisés, des réussites, glander, en quelque sorte, un observateur averti pourrait prédire que du nouveau se prépare, peut-être même, dans le meilleur des cas, du lourd et du profond. Ceux qui me connaissent bien savent que je ne force jamais ma gamberge. Je laisse faire. L'arsenal d'instincts dont nous disposons est bien plus efficace que toute espèce de décision mûrement réfléchie. La jugeote est plus maligne que le jugement.

Je ne sais donc pas pourquoi, mais, Mammine n'étant pas là pour me le reprocher, je décidai un jour de ne plus me raser. Ce fut ma façon à moi de me retirer de la circulation.

L'avenir était bien en marche : je garderai la barbe pendant près de dix ans.

Depuis quelque temps, je tournais autour d'harmonies que je ne connaissais pas. Mon Steinway ronflait comme un orchestre symphonique. Au moins dans ma tête. Il n'empêche que, petit à petit, l'idée d'une... comédie musicale... peut-être...

Et j'ai plongé. Une, deux, puis trois mélodies m'ont renforcé dans cette envie de sortir du seul schéma que j'avais pratiqué jusque-là, à savoir la chanson, et d'avoir tout un album pour traiter un sujet, raconter une histoire avec des personnages, des situations et un décor. J'irai jusqu'au bout de ce rêve-là. Il s'appellera *Un enfant dans la ville*.

12

UN ENFANT DANS LA VILLE

Qui était l'enfant ? De quelle ville s'agissait-il ?

Il est vrai qu'avec le Circuit 24 au milieu du salon, bien qu'ayant vingt-huit ans, le casting était bouclé. J'étais l'Enfant. La ville ? N'importe laquelle pourvu qu'elle ressemble à Paris. Mais le monde entier sait qu'aucune ville ne ressemble à Paris. C'était Paris, donc. Que fait cet enfant de vingt-huit ans dans cette ville ? C'est quoi, son problème ?

En réalité, ce minuscule opus me donna l'occasion de faire un premier bilan, après cinq ans de vie parisienne.

Sans doute avais-je encore en tête les images du *Feu follet* que Louis Malle avait adapté de Drieu La Rochelle. L'histoire d'un alcoolo mondain qui sort assez désespéré d'une cure de désintoxication, fait le tour de ses amis et des lieux de plaisirs qu'il a pratiqués, avant de se suicider. Sinistre. Moins que le bouquin, mais quand même. Je n'avais gardé de ce street movie que l'idée de la balade de l'un à l'autre. Tu pèses le pour, le contre, tu fais l'addition et... Dans son cas, effectivement, il valait mieux qu'il en finisse. De toute évidence, ce type était incapable de changer de cap. Requiescat in pace. Autant lui que Drieu, d'ailleurs.

Le pitch que je proposai à Pierre Delanoë, dont j'attendais qu'il mette les mots sur ma musique, fut donc la balade d'un jeune mec, cabotant entre amis et idées, pour déboucher, au contraire du Feu follet, sur l'espoir et l'envie.

Pierre s'est jeté là-dessus comme un mort de faim. Il aménagea dans son emploi du temps plusieurs week-ends de travail. Chez lui, à Deauville, ou dans des relais-châteaux en pays de Loire. La condition sine qua non était qu'il devait y avoir un golf à proximité. Pierre aimait la belle vie, qui, tout au long de son existence, lui en fut reconnaissante. Entre deux drives et au fil de l'écriture, il ajouta le mot « vérité », qui devint une sorte de fil rouge. L'enfant cherchait la « Vérité ».

La vérité c'est la vérité, mais laquelle ?
Celle d'un nouveau monde ou celle des anciens ?

Au bout de la nuit, et de l'album, dans la boîte où le jeune mec, insatisfait, se morfondait dans sa perplexité, le barman lui révélait en essuyant son comptoir :

Ne cherche pas, ne t'inquiète pas,
La vérité dort au fond de toi...

Alors là, oui ! Haut les cœurs, lâcher de final. Pas compliqué. Sans risque. Grand ouvert sur le soleil levant. Tatatin...

Cette petite histoire métaphorique n'avait pas d'autre but que d'être le fil conducteur d'un album. Chaque chanson était une proposition différente pour ce jeune homme qui hésitait entre le départ vers d'autres horizons, la drogue, l'engagement politique et plus si affinités, avec dans son cœur et sa vie une fille bien dans son époque qui avait parfaitement intégré les mots d'ordre du MLF.

Je crois que c'est en écrivant ces chansons que nous sommes devenus, Pierre et moi, père et fils. C'est à partir

198

de ce moment que je suis devenu son « galopin ». J'en remercie encore l'*Enfant*.

La réalisation fut confiée à Jean Bouchéty, mon complice retrouvé depuis déjà un moment. Jean est allé plus loin que je ne l'espérais et la couleur musicale de cet album est encore maintenant une de celles dont je suis le plus fier. L'enregistrement de la bande orchestre eut lieu, comme d'habitude, à Londres, au Lansdown Studio, avec l'incontournable Adrian Kerridge aux manettes, et les prises de voix se firent en France. Les différents rôles impliquaient la participation de plusieurs chanteurs. Il y avait là une vraie nouveauté. C'était, en 1970, du jamais vu ni entendu.

Nicole Croisille fut la voix de la junkie séduisante, les frères Costa, Georges et Michel, deux fidèles copains, intervinrent dans plusieurs titres, Michel faisant même la voix chantée de Zazie Gélin, mon pote dans la vie qui était pour l'occasion mon pote dans l'histoire. Tous ceux qui passaient à portée de studio sont venus s'ajouter aux chœurs et faire de la masse. Esther Galil, une voix immense venue d'Israël, a déliré sur le final. C'est pendant la réalisation de cet album que j'ai commencé à trouver que travailler en bande était non seulement un plaisir excitant mais d'autant plus créatif que chaque intervenant ajoutant son supplément d'âme, le résultat finissait par dépasser le rêve initial. Le tout dans une joie extrême, avec un éclat de rire toutes les trente secondes car chacun sait que, par cabotinage ou tout simplement parce que les artistes sont par essence des gens légers, c'est toujours à qui sortira la plus drôle.

Il fallait une interprète féminine pour le rôle de... Caroline. Ce fut une Allemande, Mary Roos.

Mary était une vedette CBS en Germanie et aurait bien

aimé faire une percée sur le marché français. Elle parlait notre langue avec un accent amusant mais ne se déplaçait jamais sans son homme, un Français qui, comme tous les mecs qui suivent les artistes femelles, pouvait aussi bien passer pour un larbin que pour un maquereau. Mary était plutôt plaisante, brune, longue en jambes et nez en trompette, un peu « girl next door » mais charmante, et si son jules n'avait pas toujours été dans ses pattes, j'aurais volontiers essayé de lui enseigner les subtilités de la langue de Voltaire et tenté un rapprochement franco-allemand dans une Europe qui n'en était qu'à ses balbutiements. Mitterrand le fera plus tard. Avec Helmut Kohl. Image émouvante mais nettement moins glamour.

L'album fut dans les bacs à la fin de 1970. Le premier extrait, *Les Rues de la grande ville*, nous donna une fois de plus l'occasion de voyager un peu.

Le staff de CBS, en effet, s'était mis en tête de me faire participer à de grands festivals de chansons. Je n'y voyais personnellement aucun inconvénient et l'idée de voir du pays me plaisait bien. Fin 1968, mon premier voyage m'avait emmené en Pologne, à Sopot. Mauvaise pioche. Sopot est une station balnéaire assez quelconque sur la mer Baltique, mer froide et grise sous un ciel plombé qui, au bout de deux jours, donne envie de s'y jeter avec une enclume dans chaque poche. Pour arriver à Sopot, en avion, il fallait faire escale à Berlin-Est. Là, j'ai compris que jamais je ne pourrais vivre dans ce type de régime. Des flics en capotes de cuir noir pour qui tous les voyageurs étaient des espions potentiels déambulaient dans cet aéroport d'un autre âge comme des gardiens de goulag. Le nazisme n'était pas loin et j'eus quelques pensées émues pour mon père. Comment qu'on les aurait fait chier ces sales cons ! Hein, pap' ? D'accord... On ne serait peut-être pas restés vivants très longtemps... Du coup, je remerciai mes parents de m'avoir fabriqué dans un pays fréquentable, où l'on sent, malgré tout, que nos flics ont été, un jour, des enfants. J'ai détesté cette Pologne où la moindre discussion avec des jeunes attirait immédiatement des chiens de garde en civil qui tendaient l'oreille et qui nous suivaient sans même prendre la peine de se cacher. Inutile de dire que je me foutais éperdument du festival, et que je n'avais qu'une envie : rentrer. Rappelons-nous quand même, si nous venions à l'oublier, de ne jamais donner le pouvoir aux imbéciles.

En 1969, ce fut le Mexique. À l'occasion du festival de chansons de Mexico, en effet, Rolande et moi sommes allés faire un tour chez les mariachis. Je ne sais même plus ce que j'y ai chanté. Seule la balade nous intéressait. Je me souviens d'avoir été accompagné par un mauvais orchestre dirigé par Caravelli, qui, comme Franck Pourcell ou Paul Mauriat, était connu dans le monde entier pour « son grand orchestre » de cordes. Petit bonhomme rigolo et sympathique, besogneux de la musique, musicien à l'ancienne, il venait là dans le but non avoué de remettre une couche de vernis sur son nom et de booster ses ventes et sa « popularité internationale ». Christophe Izard était également du voyage. Je n'ai pas cherché à savoir si c'était en tant qu'homme de télévision ou en tant que journaliste. Toujours est-il que la petite délégation française que nous formions était plus souvent sur les routes qu'au sein du festival qui n'intéressait personne. On a visité tout ce qui méritait d'être vu à deux cents kilomètres à la ronde : Mexico, étonnante ville de furieux où l'on risque sa vie à chaque carrefour, Taxco, Puebla et, bien sûr, la magnifique cité aztèque de Teotihuacan. En tant que Français, nous avons eu l'honneur extrême de passer une soirée dans la boîte de nuit de Gloria Lasso, momie chanteuse de légende over liftée, maquillée comme un 4 × 4 de luxe à Dubaï, qui nous a décrit par le menu, et pendant la moitié de la nuit, ses parties de fesses avec des gigolos qui auraient pu être ses petits-enfants. Après ça nous n'avions plus qu'à rentrer à la maison. On avait fait le plein.

Au printemps 1970, festival de Rio de Janeiro. Cette fois Jean Bouchéty part avec nous. Un séjour à Rio ça ne se rate pas. Bien reçus, bon hôtel, café extraordinaire, le Corcovado, les favelas, Copacabana et les plus beaux culs de la Terre, peuple d'une beauté suffocante avec, à chaque coin de rue, de la musique, de la bonne, de la brésilienne. Le moindre môme qui gratte sa guitare sur un bord de trottoir fait des renversements assassins. C'est toujours beau. Ça sonne, ça chante, ça vit. On sent bien quelque chose de gênant, de dérangeant, qui plane. Ils répètent tellement, à qui veut les entendre, qu'ici tous les hommes sont égaux, qu'on voudrait bien les croire. N'empêche... S'ils se servent tous de la même pioche, ce sont quand même des Blancs qui tiennent le manche.

Le festival lui-même ? Il a disparu assez vite. C'est dire que cette manifestation n'était pas très probante. Les bons musiciens brésiliens de l'époque étaient avant tout intuitifs. Jean a ramé comme un galérien pour tirer le meilleur de ce que pouvait donner l'orchestre misérable et de toute manière on n'était pas vraiment là pour ça.

En revanche, la ville de Rio et le festival ont organisé plusieurs soirées inimaginables pour les Européens que nous étions. L'une d'elles allait changer ma vie.

Un soir au Maracanazinho, immense stade couvert bourré de quarante mille personnes, au cours d'un spectacle de chansons et de danses brésiliennes, c'est-à-dire à demi nues et des plumes colorées sur la tête, deux types s'installent avec leurs guitares, disent trois mots, foule en délire, jouent l'intro... Et ils furent quarante mille à chanter avec eux ! Inouï. Poils raides sur les bras, larmes aux yeux, émotion forte. J'étais béat et bouche bée. Jean était dans le même état que moi. Quarante mille personnes qui chantent juste et en place ! Le paradis sur Terre. La chanson s'appelait *Voce abuso* et les deux mecs, Carlos et Jocafi. Ces deux-là ne savaient pas plus que moi à cet instant précis qu'ils allaient, deux ans plus tard, entrer dans ma vie.

Le lendemain matin, j'ai acheté le single de la chanson et je l'ai rangé dans mes bagages. Comme souvenir.

On nous emmena un soir dans une école de samba. C'était un vendredi. Les rues étaient bordées de bougies et ces milliers de lumières vacillantes ajoutaient une ambiance vaudou inquiétante au mystère du quartier populaire où nous nous rendions. L'école de samba était une sorte de grande salle des fêtes, moche et sale, pleine à craquer de femmes qui laissaient parler leur corps et d'hommes déjà abrutis par le rhum et le bruit. Sur la scène qui tenait toute la largeur, une quarantaine de ritmistas constituaient la batucada de l'école. Dans une batucada, chaque mec, selon sa percussion, joue toujours la même figure. C'est le mélange des différentes figures qui fait du tout un ensemble rythmique irrésistible. Difficile de ne pas bouger. Ça tourne d'enfer. Plus les minutes passaient et plus les ritmistas paraissaient ivres. Le rhum ou peut-être un dérivé de je ne sais quel pétrole y était sans doute pour beaucoup, mais le rythme incessant et les mêmes gestes mille fois répétés avaient largement de quoi soûler le plus sobre des individus. Nos accompagnateurs nous ont donc assez vite recommandé de quitter les lieux avant que la tension ne monte.

Le dernier soir du festival, le comité organisateur nous avait concocté un match amical au Maracanã, le plus grand stade du monde, entre les deux grandes équipes de Rio. N'étant pas fan de foot, je n'en ai pas retenu les noms. Beau match, où les artistes – il n'y a pas d'autres mots pour désigner des footballeurs brésiliens qui s'amusent avec un ballon – nous ont offert un superbe spectacle. À la fin de la rencontre, toutes les lumières du stade se sont éteintes et les cent quarante mille spectateurs ont entonné une samba lente belle à mourir, presque en demi-teinte, en brûlant leurs billets. Juste et en place. Après ça, on n'a pu que se taire.

Le lendemain, dans l'avion du retour, je me suis demandé : « C'était quoi, hier, ce chant, ces flammes ? Ça disait quoi ? » Bonheur ? Misère ? Joie ? Gémissement ? En 1970, le peuple brésilien vivait de foot et de samba. Ça arrangeait beaucoup de monde, là-bas. Je n'y suis jamais retourné. J'espère que ça a changé.

Back in Paris. On replonge.

Chonchon, avec laquelle il y avait un peu de tirage depuis quelque temps, avait réintégré son studio rue Mazarine. Elle voulait me voir et me rejoignit à la maison pour m'annoncer tout de go qu'elle n'était plus réglée, donc enceinte. Ah !... Et la pilule ? Non. Chonchon ne prenait pas la pilule. Ah !... J'étais fils et frère de médecin, on n'avait donc aucune difficulté pour « le faire passer » et régler le problème. Un voyage à Grenoble et c'était réglé. Non. Chonchon voulait « le garder ». Ah !... Chonchon, il faut être deux pour vouloir un enfant. Non. Je peux l'avoir toute seule. Ah !... Je ne l'avais jamais vue aussi déterminée. Chonchon, l'odalisque voluptueuse que les turpitudes de l'humanité ne semblaient pas atteindre, s'était muée en farouche femelle que le désir de procréer rendait imperméable à tout raisonnement.

C'était dans l'air du temps. Conséquence imprévue de la libération de la femme, certaines filles se mettaient à vouloir « faire un enfant toute seule », comme le chantera Goldman, sans même chercher à prendre en otage le père génétique, réduit au simple rôle de reproducteur. J'ai eu beau insister sur la légèreté de la décision qu'elle avait prise, tenter de la convaincre que la mise au monde d'un enfant devait être le fruit d'une mûre réflexion, qu'être maman n'avait rien à voir avec jouer à la poupée, rien n'y fit. Chonchon voulait cet enfant.

Elle changea ses habitudes, se fit remplacer dans son travail, puis un jour, comme les chattes qui cherchent l'endroit où elles vont mettre au monde leurs chatons, elle retourna se lover dans la chaleur de sa cellule familiale. Elle ne donnera plus signe de vie. Pendant quatorze ans.

Entre-temps, j'avais revu Caroline et nous avions repris frénétiquement nos activités poétiques puisque son studio était situé rue Desbordes-Valmore, Marceline de son prénom, chantre féminin des amours compliquées.

Pierre Delanoë, toujours aussi monomaniaque et sur le coup, me proposa de me présenter un ami à lui, réalisateur, entre autres, de la série télévisée *Les Saintes Chéries*, Pierre Sisser. Il me vanta ses qualités humaines et profession-nelles et m'allécha avec l'idée de voir l'*Enfant* porté au petit écran. Il lui en avait déjà parlé, Sisser était partant, il ne manquait que mon assentiment. Comme je n'avais pas la télévision et donc ne la regardais pas, la proposition me parut un peu abstraite.

– Ah... ouais... Bon... pourquoi pas... répondis-je.

Pierre amena l'autre Pierre un jour à la maison et j'ai

bien aimé ce mec d'une petite quarantaine d'années au visage intelligent portant lunettes classieuses, à l'humour discret, mais possiblement ravageur quand il évoquait le monde de la télé. De toute évidence, il était d'origine petite-bourgeoise. Assez grand, bien mis, cultivé, rapide à réagir, faisant preuve, cependant, d'un enthousiasme quasi juvénile, Pierre Sisser était un type bien qui allait avoir ses habitudes 51, rue du Bois-de-Boulogne. J'aurai les miennes chez lui, dans sa maison de Suresnes.

Il présenta le projet à la « deuxième chaîne », qui l'accepta. Il ne restait qu'à écrire réellement l'histoire, définir plus précisément les personnages, adapter pour l'image ce qui n'était, à l'origine, qu'un album. Tournage en mai pour une diffusion à la rentrée.

Pour l'aider à mettre en forme le projet, écrire les dialogues, chercher des gags et jouer un des personnages, Pierre fit appel à Didier Kaminka. Didier jouait à ce moment-là avec ses complices Georges Beller et Philippe Ogouz dans un théâtre de Montparnasse, où nous sommes allés le rencontrer.

Didier, pas très grand, gueule de voyou, voix grave à l'élocution paresseuse, la vanne toujours prête à bondir sur sa proie, était marié à son contraire, Nicole Jamet, adorable et excellente comédienne, aussi blonde qu'il était brun, dont le seul défaut de fabrication était d'être miraude comme une taupe. Ils sont rapidement devenus mes amis et rien, sinon les aléas de nos métiers respectifs, n'empêchera qu'ils le restent. Dans notre histoire, Didier s'octroya le rôle d'un anar qui ne voyait pas d'autre solution que de tout faire péter.

Zazie, mon pote Xavier Gélin, joua, sans que ça lui coûte un gros effort de composition, mon inséparable copain Patrick.

Apparaissaient également Jacques Jouanneau en flic, Sacha Briquet en directeur artistique, Vanina Michel en hippie dans son paradis artificiel, Catherine Allégret en hôtesse d'accueil, Daniel Gélin en vieux barman revenu de tout mais avisé, et au milieu d'une bande de déjantés, Tonie Marshall.

J'ai vécu le tournage de ce téléfilm comme des vacances au mois de mai, sous un soleil permanent, par un de ces printemps qui font de Paris, sans contestation possible, la plus belle ville du monde. Je garde au fond de moi une tendresse infinie pour *Un enfant dans la ville*, non pas l'œuvre, mais les images inoubliables de cette équipée de jeunes gens, dont certains auront de beaux destins, et des ambiances quelquefois sérieuses mais le plus souvent dissipées où les fous rires ont, de loin, dépassé en nombre les prises de tête.

Ce ne fut pas un carton mais un succès d'estime. Je m'en contentai d'autant plus facilement que je n'étais pas un squatter de hit-parades et l'estime des musiciens m'a, de tout temps, été plus précieuse que celle des marchands. Ce qui est certain, c'est que *Un enfant dans la ville* est tout simplement le début de la suite. Une page était tournée sans que je sache encore ce qui allait s'écrire sur la suivante.

Nous étions au printemps 1971.

Il y avait du changement dans l'air.

Claude, sortie major de sa promotion, allait devoir s'installer et commencer d'exercer son métier de phoniatre. À la rentrée, elle déménagera à Paris, près de la place Victor-Hugo, et Gégé, son homme, la suivra. Caroline, repartie pour un tour sur notre grand huit sentimental, n'envisageait pas de venir vivre 51, rue du Bois-de-Boulogne et la perspective de m'y retrouver seul ne me réjouissait pas vraiment.

Les vacances qui suivirent, on joua « six bobos sont sur un bateau », Patrice Laffont, son adorable Catherine, un couple de leurs amis, Caroline et moi. On fit le tour de la Corse. Magnifique. Ambiance à bord ? L'enfer. Les femmes sont capables de se crêper le chignon pour une conception différente des courses à faire. Sidérant.

Au retour des vacances d'été, Claude, très soucieuse que son grand frère soit bien installé, dégota, par annonce, une petite maison rue Cramail, à Rueil-Malmaison. Caroline la visita avec moi, montrant ainsi qu'elle avait son mot à dire et en profita pour marquer son territoire.

Notre nouveau domaine comprenait un bout de terrain en angle entre deux rues, quelques arbres, et une bâtisse sur deux niveaux dont un rez-de-jardin destiné à être le salon, avec cheminée. C'est là que le piano trouva sa place. Avec quelques travaux, ce pavillon a fini par avoir une bonne gueule. La grande table allait, dans un avenir proche, être encore témoin de bien belles soirées.

J'avais vingt-neuf ans, un peu de sous devant moi, l'envie de me faire plaisir, et, je l'avoue, d'être un peu con. Une voiture de sport ? De luxe peut-être ? J'ai toujours aimé les bagnoles. J'ai toujours aimé conduire. En ces temps reculés, il n'y avait pas encore de radars. Ce fut une Porsche bordeaux. D'occasion, évidemment.

Jocelyn Hattab, commercial de la boîte où je fis l'acquisition de mon véhicule plus sportif que luxueux, en profita pour devenir mon pote, puis assez vite, mon inséparable. Juif tune, grand tchatcheur devant l'Éternel, Jocelyn était l'illustration vivante du dicton populaire : « Si tu la fais rire, tu la baises. » Animal de compagnie éminemment sympathique, Jocelyn sut se faire apprécier de Rolande qui en fit une sorte de régisseur, plus que de Caroline qui, en tant qu'ashkénaze, prisait très moyennement sa verve séfarade. Gégé était occupé à mettre Claude dans ses murs. Jocelyn prit, provisoirement, sa place de meilleur ami.

Après la diffusion télévisée d'*Un Enfant dans la ville*, je fus invité par Mary Roos à figurer dans son show télé perso qui était très populaire en Allemagne. On devait y chanter les deux duos de la comédie musicale, *Dépêche-toi* et *On s'envole*. L'émission était enregistrée à Hambourg, qui a sûrement été une jolie ville avant d'être rasée pendant la guerre. De ce charme-là il ne reste pas grand-chose. Je retrouve avec plaisir Mary qui papillonne. Elle est chez elle, dans son élément et, cette fois, c'est moi qui suis ridicule. Je ne parle pas un mot d'allemand. Mary est toute fiérote de montrer à ses concitoyens qu'elle a travaillé en France avec un vrai chanteur français. N'ayant rien de particulier à faire, j'assiste aux répétitions des différents artistes qui composent le programme. Soudain, je vois arriver devant les caméras un groupe de douze ou treize chanteurs et chanteuses dont on m'a dit, plus tard, qu'ils étaient pour la plupart des transfuges de la version allemande de *Hair* : les Humphreis Singers. Une claque. J'ai pris une claque. Ces mecs et ces filles dégageaient une énergie communicative, contagieuse. Ce n'était pas la chanson ni le rythme qui me renversait, c'était l'onde ultra positive qui émanait du groupe. Je ne suis pas sûr de l'avoir dit mais je l'ai forcément pensé fort : « Putain, mais c'est ça que je veux faire ! »

Le rêve venait de commencer.

Dans l'avion qui me ramenait le soir à Paris, un peu comme dans la fable de Perrette et son pot au lait, ma troupe grossissait, j'essayais d'imaginer des mises en

209

scène, des décors, le travail de groupe, la création à plusieurs...

Le lendemain, je me suis rendu au Minotaure, 21 rue Jean-Mermoz. Rolande avait finalement trouvé les bureaux qui lui convenaient, au rez-de-chaussée donnant sur la cour intérieure d'un immeuble cossu, à deux pas des Champs-Élysées.

– Rolande... Je veux faire une troupe.

– Ah ? Et... Comment on fait ça ?

13

LA TROUPE

Étonnante Rolande. Même pas surprise.

Pourtant saine d'esprit, intelligente, ma belle associée est prête à me suivre sur le projet le plus dément que j'aie jamais formulé. Confiance ? Inconscience ? Intuition ?

On se met aussitôt à gamberger.

Il y a loin du rêve à la réalisation de ce genre d'entreprise. Je livre les fruits encore verts de mon enthousiasme de la veille, quelques élucubrations étayées de fumeux « y aurait qu'à » et de « faudrait que ».

Cette troupe idéale, je la voyais composée de jeunes gens... que le métier n'aurait pas déjà formatés, donc, déformés... sorte d'agglomérat de talents isolables, particuliers, de personnalités hors du commun... sans qu'ils soient forcément des génies... Il allait falloir chercher, travailler, trouver la voie, tirer la quintessence de chacun et du tout...

– D'accord, mais on les trouve où, ces jeunes ?

– Ben... Il faudrait... organiser des auditions.

L'appel au peuple, dans notre métier, passe souvent par les annonces posées dans les studios de danse ou de musique. Rolande y ajouta les journaux de jeunes. Elle en faisait son affaire.

La semaine suivante, effectivement, *Salut les copains* annonçait, sous forme d'un bref écho, que Michel Fugain organisait des auditions en vue de réunir une troupe pour monter un spectacle.

Nous étions début décembre 1971.

Rolande trouva un lieu pour les auditions. Ce fut Bobino, un music-hall situé rue de la Gaîté, qui nous fut prêté pour recevoir les quelques jeunes qu'on espérait voir se présenter. Il ne s'était pas passé un mois depuis mon retour d'Allemagne et l'on en était déjà aux sélections. Ça allait très vite.

Le grand jour arriva. Je pensais trouver une quinzaine de mômes à la porte du théâtre, ils étaient au moins deux cents. Jocelyn fit le service d'ordre. Moi, je n'en menais pas large. Je réalisais tout à coup que je ne savais pas du tout ce qu'était une audition. Comment on fait ? Qu'est-ce qu'on dit ? Qu'est-ce que je cherche vraiment ? Plus flou tu meurs.

Je m'installai, avec Rolande, comme je l'avais vu faire dans les films américains, face à la scène.

La scène est un lieu magique dont les individus qui ne sont pas faits pour y monter ne se méfient pas assez. Leur ego est sans doute flatté, mais ils n'imaginent pas à quel point ils deviennent transparents. Persuadés d'être protégés par leur habit de lumière, ils sont en réalité à poil. Monter sur scène, c'est se mettre à poil. Il vaut mieux être beau à l'intérieur et avoir des dessous propres. Sinon, ça se voit.

On a donc passé l'après-midi à voir défiler un gros échantillon d'humanité. Virtuellement à poil, ou presque.

Ma tendance naturelle à être ému par celui ou celle qui se donne totalement, comme s'il se jetait à l'eau, sans réfléchir, et fait ce que je n'oserais jamais faire, a dû, ce jour-là, m'ôter toute crédibilité. Ceux qui se considéraient eux-mêmes comme des nases ont dû se sentir meilleurs que moi. Il faut dire que je ne sais pas arrêter en plein vol un type qui de toute évidence est mauvais comme un cochon. J'aurais plutôt envie de savoir quel est le raisonnement foireux qui l'amène à croire qu'il peut ou qu'il sait, de lui expliquer le pourquoi du comment, de le faire avancer, en quelque sorte. Quitte à le décourager. Il m'a fallu un peu de temps pour comprendre qu'en définitive, il s'en fout. Seul l'intéresse le fait d'être pris ou non.

Rolande et Jocelyn levaient les yeux au ciel. Ils n'avaient pas tort. Et pourtant, chez chacun d'entre eux, je trouvais un petit quelque chose d'intéressant. Cela dit, celui qui était passé en troisième se détachait du lot, dans ma mémoire. Comment il s'appelait, déjà ? Kaplan. Gérard Kaplan.

À la fin de la journée, une grosse cinquantaine était retenue. Je voyais bien dans les yeux de certains qu'ils ne comprenaient pas par quel miracle ils avaient pu être choisis, conscients qu'ils étaient de leur manque total de talent. On a remercié tout le monde et filé rendez-vous le plus tôt possible. On avait les coordonnées de chacun.

– On vous tient au courant. Salut à tous !

Garder le mystère et donner l'impression qu'on sait où l'on va...

Tout début janvier 1972, je me retrouvais dans une salle particulièrement poussiéreuse et sombre, dans les étages de ce qui n'était pas encore Le Palace, devant mes cinquante-deux gugusses aussi sceptiques que s'ils m'avaient vu me préparer à plonger dans une piscine vide. J'ai rêvé à haute voix. J'ai tenté de faire partager ce rêve, d'être un peu contagieux. J'ai bien senti que je manquais d'efficacité. Partagé entre l'envie de les traiter de tous les noms et celle de laisser tomber, j'ai fait court.

– On ne se reverra que lorsqu'on aura un lieu de répète digne de ce nom. Merci d'être venus. À bientôt.

Ouf ! Mais le problème restait entier.

C'est Jocelyn le malin, fureteur en chef, qui a sauvé le coup. Il amena à la maison de Rueil le Zorro de ma situation. Un petit Philippin à tête philippine, yeux bridés, teint olivâtre, chauve à longs cheveux noirs jusqu'au milieu du dos et moustache hérissée, véritable défense contre le baiser. Amadéo était son prénom. Il me répéta au moins dix fois qu'il avait été membre d'une énième troupe de *West Side Story* et qu'il était un « professional », à prononcer « pwofechonol » avec une pointe d'accent espagnol. Après m'avoir écouté, il accepta de prendre en main la sélection définitive de la troupe pourvu que ce soit son « own way... À l'américaine ».

Restait à trouver le lieu où pouvaient se dérouler ces auditions façon Amadéo.

Un soir de première à l'Olympia, passant saluer et féliciter chaleureusement je ne sais plus quel confrère ou consœur, je rencontre Doudou, régisseur légendaire de ce temple du music-hall et, inévitablement, j'évoque le problème.

— Pourquoi t'en parles pas à Bruno ? Il y a le quatrième étage, là-haut, qui fout rien.

— Ah ?

J'ai attendu le lendemain pour retourner à l'Olympia et rencontrer le « patron ». Bruno Coquatrix était impressionnant pour le jeune artiste que j'étais. J'avais, de plus, à lui demander un service : nous faire un prix d'ami pour le studio. Les studios se payaient à l'heure, à la demi-journée ou à la journée. Même avec un forfait, c'était pour nous, à l'année longue, la peau des fesses. Je m'apprêtais à faire ce que je n'ai jamais su faire : marchander.

Ce ne fut pas la peine. Bruno a immédiatement accepté... Pour rien. Il m'a prévenu que le plancher était suffisamment esquinté pour que les danseurs n'acceptent pas d'y travailler de peur de se tordre une cheville, mais que c'était chauffé.

214

– Combien de temps ?

– Aussi longtemps que tu veux, mon p'tit.

Merci, mille fois, Bruno. Grand monsieur.

Et nous voilà, Jocelyn et moi, montant quatre à quatre ces escaliers que nous allons grimper pendant des années. Au sommet, très lumineux, le studio vide. Seul un piano à queue dans un coin de cette grande salle semblait attendre que quelqu'un veuille bien y remettre les mains. Pas de miracle : faux il était, faux il resta et restera. Effectivement, une partie du plancher était un peu abîmée, mais tellement près d'un des murs qu'il nous a suffi de déplacer le piano par-dessus et ce fut réglé. Des murs qu'on aurait pu croire blanchis à la chaux il y a longtemps, un grand miroir sur presque toute la longueur de celui qui faisait face à la porte d'entrée, et une barre de danse qui longeait le pourtour de la salle. En annexe, dans le mur situé à droite du miroir, une porte donnant sur un vestiaire. Cette pièce assez moche sera aussi importante que le studio lui-même.

J'étais ému comme un môme. Seuls me comprendront, peut-être, les saltimbanques qui ont tellement de difficultés pour trouver un lieu de travail. L'endroit avec lequel s'établit une telle complicité qu'on a l'impression d'y passer plus de temps que dans sa propre maison. C'est faux, bien sûr, mais les heures qu'on vit là sont d'une telle intensité qu'elles comptent double.

En redescendant les marches, en traversant les coulisses bordéliques, quelque chose, en nous, avait changé. On faisait désormais partie de cette grande maison. On était « de l'Olympia ». Petit à petit, on en connaîtra le moindre recoin.

Tout fiers, heureux et soulagés, Jocelyn et moi avons pris le temps de regarder la porte de l'entrée des artistes, rue Caumartin, et le bar-tabac qui la jouxtait, qui deviendra notre QG.

On n'avait plus qu'à battre le rappel et commencer à bosser.

Le 8 janvier, à 20 heures, Amadéo est arrivé escorté par deux algues chaloupantes qui semblaient regarder de haut le triste monde hétéro et profane ignorant des arcanes de l'homosexualité. J'ai tout de suite vu dans l'œil du tigre philippin que ça allait barder. Il a détesté d'emblée le côté mollasson des mes cinquante-deux zozos, assis ou avachis en rond autour de la pièce. Il s'est présenté, avec la tendresse du commandant japonais du *Pont de la rivière Kwaï*, a prononcé une bonne trentaine de fois le mot « pwofechonol », et donné le signal de départ du sacrifice. Ou du massacre, selon l'interprétation qu'on en fait. Il a commencé par les échauffer. Barre au sol rapide et sans pitié pour les ringards. Je précise au passage que le mot ringard est, à l'origine, un terme utilisé par les danseurs pour désigner un type manquant de souplesse, raide comme un ringard, c'est-à-dire comme un pique-feu. Et il y en avait un paquet dans cette assemblée de jeunes gens qui rêvaient d'un métier pour lequel ils n'étaient pas faits ! Après la barre, une courte variation, histoire de voir la grâce naturelle et la docilité des postulants. Le désastre s'accentuait. Plus personne ne rigolait. Et pourtant, même ceux dont il était évident qu'ils ne faisaient pas l'affaire s'accrochaient désespérément. Il y avait de la tragédie dans l'air. J'avais décidé de laisser Amadéo tenir les rênes, il les tenait solidement, le bougre. Je précise encore que le mot bougre, à l'origine « boulgre », est une déformation du mot « bulgare » qui désignait avec mépris les hérétiques dont les papistes aimaient à dire qu'ils étaient sodomites. Moi, j'affichais l'attitude hypocrite du gars qui dit « eh oui, c'est ça le métier, les enfants » alors que je n'aurais jamais pu faire le dixième de ce qu'Amadéo exigeait.

Assistaient à cette séance de torture ceux qu'on appellera le staff, à savoir Rolande, Jacques Marouani, Caroline et Jocelyn. Nos échanges de regards en disaient long sur notre effarement et, dans le même temps, on a tous ressenti qu'Amadéo, avec une cruauté dont nous n'aurions jamais été capables, était en train de rendre solide notre rêve de troupe.

Mens sana in corpore sano. Après le corps, la tête. Par groupes de cinq, il leur demanda de se présenter, pour entendre leur voix, pour sentir leur détermination, et, enfin, poser une question qui pouvait paraître saugrenue à chacun, du genre : poulet ou lapin ? pomme ou poire ? serpent ou scorpion ? etc. Après quoi, il virait ou gardait. Inutile de dire qu'il vira beaucoup. Quant à ceux qui échappaient à la sanction fatale, ils avaient un sursis d'une semaine. Amadéo décréta, en effet, que tous les vendredis seraient jours de sélection. Le reste de la semaine, de 20 heures à 24 heures, travail, progrès, sérieux... Pwofechonol !

C'était parti.

J'avoue que la méthode Amadéo avait un côté facho qui ne m'enthousiasmait pas, mais je reconnais volontiers qu'elle a été très efficace. On a admis que c'était « à l'américaine » et j'ai fait taire mon tempérament anarcho-franchouillard allergique à toute discipline.

Paris est une ville étrange et notre métier aussi. Les nouvelles vont vite. Un buzz y circule à la vitesse d'une épidémie. En quelques heures, les rendez-vous du vendredi d'Amadéo devinrent quasiment un must. Pour quoi faire exactement ? Nul ne le savait, mais le bruit courait qu'à l'Olympia il y avait un ânier qui tapait sur les bourriques et on s'y précipitait pour prendre un coup de trique. Si c'était dur, c'est que c'était sérieux.

Le bar-tabac de l'Olympia, le point d'eau le plus proche en sortant à gauche, devint le lieu de ralliement de la troupe. On y mangeait en vitesse avant de monter les quatre étages lorsque Amadéo faisait son arrivée de star.

La première semaine il se contenta, en geignant, de ce qu'il avait conservé de la première audition. En ce qui me concerne, au fil des jours et des heures d'atelier, j'établissais le contact avec ceux qui me semblaient avoir une personnalité originale. C'était le cas de Gérard Kaplan qui se révélait de jour en jour plus drôle, plus décalé.

Le vendredi suivant, un essaim de danseuses se présenta aux auditions. Elles furent toutes prises bien sûr, même si je me demandais ce que j'allais bien pouvoir faire de ces canons, certes, mais dont il valait mieux qu'elles se taisent.

Amadéo tailla dans le vif, élimina ceux qu'il avait vus travailler et dont il était, en connaissance de cause, persuadé qu'il devait s'en débarrasser, prit quelques nouveaux dans le troupeau qui venait de se présenter, mais eut le tact, car le mot intelligence serait trop fort, de ne pas virer ceux qui m'intéressaient. Gérard Kaplan, qui avait la grâce et la souplesse d'une tringle à rideau, échappa donc à la charrette.

Quatre heures de danse par jour, à l'œil, avec un prof qui avait excellente presse dans le Landerneau chorégraphique, ça attire du monde et les auditions étaient de plus en plus chargées.

Le vendredi suivant, le staff, comme tous les vendredis, était installé autour d'Amadéo pour le grand sacrifice hebdomadaire. Cette audition-là apporta son inévitable lot de danseurs et danseuses et quelques figures qui m'ont bien accroché. Parmi elles, Christiane Mouron, dix-sept ans, petit bout de bonne femme toute en rondeur, un regard mi-rigolard, mi-éperdu, à mille lieues des choses de la danse, avait une voix exceptionnelle dans le genre « chanteuse réaliste ». Amadéo la garda. Tant mieux.

J'ai d'abord vu le cocker, en laisse, filer droit devant lui. Un cocker dans un studio, ce n'est pas fréquent. Au bout de la laisse, une silhouette de rêve mais de dos. Des fesses hautes, superbes, serrées dans leur jean, de longues jambes bottées jusqu'au genou, un dos gracieux et des cheveux bruns très courts, oreilles dégagées. J'ai suivi des yeux cette apparition fière et déterminée jusqu'à ce qu'elle se retourne.

C'est fou ce qu'un visage peut émouvoir. Souvent on nous demande : Que regardes-tu en premier chez une femme ? On peut, bien sûr, répondre les jambes, les fesses, les seins ou dans ce cas précis son cocker, mais des jambes, des fesses ou des seins ne provoquent pas d'émotion. Du désir, à la rigueur. Moi, c'est le visage. Le regard, sans doute, la moindre étincelle qu'on y voit, la force qu'on y devine. Les yeux était grands, les pupilles marron, le nez petit. Pas de sourire, pour l'instant. Au contraire, du défi dans ce regard-là. Il m'a fallu un peu de temps pour me remettre, et l'impatience de la voir bouger, danser, d'entendre le son de sa voix remplaça la stupeur. Cette fille était magnifique. Tout ce que j'aimais sans le savoir. Jusque-là, j'étais plutôt attiré par les blondes, mais une brune comme ça... Je ne sais pas si Caroline ou qui que ce soit dans le staff s'est rendu compte de ce qui venait de se passer en moi. Je l'ai vécu comme une déflagration. Lorsqu'elle se présentera, j'apprendrai son prénom : Stéphanie.

Amadéo procéda au rituel : barre, variation, présentations, sélection. Je ne quittais pas des yeux ma divine inconnue. Incontestablement, elle était danseuse. J'attendais avec impatience et appréhension qu'elle se présente. Son tour vint. Amadéo lui posa ses fameuses questions à la con. Je ne sais plus ce qu'elle répondit. Le fait est qu'il la vira. Quoi ! Je l'ai à peine vue et il me la vire ! Il est pas bien, ce mec ! Stéphanie se dirigea d'un pas ferme vers ses affaires, prit son chien et partit sans se retourner. Immédiatement, je dis à Jacques Marouani de ne pas la laisser filer, de vite aller la rechercher dans les escaliers. Ce qu'il fit. Stéphanie revint, ne comprenant pas très bien ce qui venait de se passer. Tout simplement « le fait du prince ». C'était moi le patron, merde ! Amadéo n'a pas fait de remarque, se refusant à comprendre les réactions irrationnelles d'un hétéro de base, j'imagine. C'est ainsi que Stéphanie Coquinos, vingt-cinq ans, quoique danseuse, fit partie de mon clan. Car, d'une façon de plus en plus nette, deux clans se faisaient jour. Les danseurs et danseuses autour d'Amadéo, et les branquignols autour de mon idée. Les premiers avaient un côté « ballet de télé » très prononcé, les deuxièmes, un côté rien du tout mais en prise directe avec le rêve que j'avais fait. Les uns rentraient très vite à la maison après l'atelier, les autres glandaient au bistrot, rue Caumartin. L'air de rien, les liens se tissaient.

Depuis 1968 régnait sur nos terres occidentales une sorte de calme après la tempête. Les événements planétaires de ce mois de mai avaient, déjà, presque quatre ans. Les peuples occidentaux en restaient un peu sonnés... Après Woodstock, à l'été 1969, les anciens usages avaient pris un petit coup de vieux supplémentaire. Les images de la guerre du Viêt Nam, que les Américains étaient en train de perdre, étaient la preuve quotidienne que des vieux cons orgueilleux et des marchands d'armes cyniques envoyaient à la boucherie, sous prétexte d'un équilibre géopolitique périmé, des générations de jeunes hommes qui auraient pu, peut-être, faire avancer les choses, au lieu d'aller mourir dans une jungle où chaque arbre était un implacable résistant. Les glorieux vainqueurs de la dernière guerre se révélaient, à My Lai, aussi inhumains que les pires exemples nazis. Pas de quoi pavoiser.

Chez nous, papy de Gaulle, vexé par le « non » franc et massif au référendum qui aurait dû, normalement, le conforter, avait rendu les clés, laissant la boutique à Pompidou, président plus moderne qu'il n'en avait l'air, et à une clique de maquignons, plus réacs qu'ils ne se pensaient. Rien de bien neuf, en vérité.

En 1964, Dylan avait prophétisé que *The times they are a-changing*. Comme quoi, il ne faut pas loin de dix ans pour qu'une idée circule, pour que la rue change. Et elle changeait, la rue ! Elle prenait des couleurs, elle se déguisait, elle chantait, elle fumait, elle s'envapait. La rue s'habillait n'importe comment, de n'importe quelle fripe, marchait en sabots, et, suprême provocation, tirait la langue des Stones sur ses tee-shirts. En hiver, les manteaux afghans en peau de bouc empuantissaient les bistrots. C'était dur mais c'était la mode. Les pantalons étaient larges du bas, les coupes de cheveux afro, les filles enturbannées, et les seins libérés sous des tuniques indiennes. En ces « early seventies », c'était dans la rue que la folie dansait. Certains ne s'en remettront pas. Une illusion peut se révéler assassine.

Dans notre quatrième étage, on se sentait à l'abri. On y arrivait chaque jour comme dans un havre de paix. Obnubilé par mon rêve grandissant et fortifié par l'ambiance qui régnait au sein de mon groupe, je commençais à m'extraire du métier.

Je ne suis pas sûr qu'Amadéo ait jamais compris le sens de ma démarche. Que je garde une bande de charlots incapables de faire des entrechats le consternait, et il ne donnait pas cher de la peau d'un projet si mal embarqué. Je ne peux pas vraiment lui en vouloir. Il fallait avoir une sacrée confiance en la vie pour croire dans les chances de réussite de cette entreprise hasardeuse. Pendant les trois premiers mois de 1972, chaque fois que se présentait une personnalité un peu particulière, j'étais intéressé, pas lui. C'est ainsi qu'aux vacances de Pâques, Gérard Kaplan, Christiane Mouron, Stéphanie Coquinos, ma danseuse, Carine Reggiani qui avait courageusement affronté les auditions amadéesques et quelques autres qui ne seront pas de l'aventure définitive, dont Maurice Latino, drôlissime complice de Kaplan, Martine Chevalier, une jeune comédienne toujours partante pour le grand frisson, constituaient le noyau dur de « la troupe », ceux dont je pensais, parce qu'ils avaient une âme, qu'ils pouvaient faire l'affaire.

Côté cœur, ça m'a pris du temps.

Pendant les heures d'atelier, mes regards en ont dit plus long que ma bouche et la fine mouche qu'était Stéphanie devait lire en moi comme dans un livre ouvert. Elle sentait bien que mon intérêt n'était pas uniquement professionnel. J'avais pourtant en tête le vieux dicton mille fois vérifié « No zob in ze job », mais le cœur a ses raisons que la raison... Car c'est de cœur qu'il était question. J'étais franchement amoureux. D'un amour silencieux qui aurait pu le rester si, par malheur, Stéphanie n'avait pas pris l'initiative. J'avais déjà été amoureux, bien sûr. J'avais déjà aimé. Cru aimer ? L'amour que j'avais éprouvé pour Maïotte était fort, viscéral, enivrant, mais, pour la première fois, je sentais que quelque chose que je ne connaissais pas était dissimulé derrière cette attirance. Quelque chose de plus sérieux qui engageait l'avenir. Autant dire que j'avais un peu les jetons. De plus, je redoutais qu'une histoire d'amour avec un membre de la troupe ne pourrisse l'atmosphère générale.

Stéphanie ne me fit pas la danse des sept voiles. Trop futée. Elle s'amusa comme une chatte avec le pauvre mulot que j'étais devant mon cas de conscience. Je ne savais rien d'elle, elle semblait tout savoir de moi. Un soir, à la maison de Rueil, à l'occasion d'une bouffe qui réunissait, comme souvent, le noyau dur, Stéphanie s'attarda après le départ des autres. Caroline était une couche-tôt. Elle nous avait lâchés en cours de soirée. Stéphanie en profita pour me porter l'estocade et je tombai raide dans ses bras, sans l'ombre d'un combat. Nos amours restèrent secrètes jusqu'à Pâques, et platoniques pendant un laps de temps qui m'étonne encore. Mais cette femme n'était pas comme les autres, et mon corps savait que cet amour était fait pour durer. Peut-être avais-je besoin de vivre de fictives fiançailles avant de m'unir corps et âme à celle qui allait devenir, sans que je le sache encore, ma femme...

En revanche, une fois notre union physique accomplie, nous n'avons pensé qu'à rattraper le temps perdu. C'est l'appartement de Claude qui abrita nos ébats quotidiens.

Problème : Caroline était toujours, officiellement, ma compagne. Ne voulant pas faire de mal, je ne savais pas comment lui annoncer que j'aimais ailleurs. Je laissai donc au temps le soin d'arrondir cet angle-là.

Time is on my side. Il le prouvera, une fois de plus. Merci mon pote.

Avant de fermer le studio pendant les vacances de printemps, Amadéo me dit qu'il avait un petit problème d'argent. Il me demanda si je pouvais lui prêter dix mille balles. Ça ne m'arrangeait pas, mais je lui fis un chèque de la somme dont il avait besoin. On s'embrassa en se donnant rendez-vous après les congés de Pâques. Je ne les ai jamais revus. Ni lui, ni mes sous.

Ce furent mes premières vacances avec Stéphanie. Comme un gamin, j'avais envie de la présenter à mes parents, et nous nous sommes retrouvés, Claude, Gégé, Jocelyn, Stéphanie et moi, chez mon pap' tout heureux d'avoir dans sa maison sa progéniture en pleine forme, pleine de projets exaltants, et qui affichait tous les signes extérieurs du bonheur. Une pub Hollywood chewing-gum n'aurait pas fait mieux.

14

BIG BAZAR 1

Ça commençait mal. Les retrouvailles de la bande furent, certes, chaleureuses, mais Amadéo manquait à l'appel. J'ai vite compris qu'il ne reviendrait pas. Le portable n'existait pas, et, comme souvent les mecs un peu louches, Amadéo n'avait pas le téléphone. Mes branquignols me regardaient pester, du coin de l'œil, jaugeant, sans doute, ma capacité à rebondir. Il fallait que je trouve une solution.

Pendant les mois précédents, sous la férule du Philippin, j'avais bien remarqué que le meilleur ciment de la troupe était l'effort qu'ils avaient fourni et les souffrances qu'ils avaient endurées, ensemble. Subir les mêmes sévices abolit les limites de la pudeur. L'image idéale de soi qu'on avait mise au point avec le temps en prend un sérieux coup. Quand on s'est montré aux autres les pattes en l'air, le cul lourd et le geste non maîtrisé, il n'est plus possible de se faire passer pour ce qu'on n'est pas.

Je devais donc trouver, en urgence, un autre tortionnaire.

Après avoir tourné en rond, en espérant que jaillisse la solution, je pris une décision immédiatement populaire : « On descend boire un pot. »

Je suis toujours fasciné par les événements, apparemment anodins, qui, s'ils ne s'étaient pas produits, auraient empêché l'avenir d'être ce qu'il devait être. Je m'explique : Destin ? Hasard ? Je ne sais pas, mais au pied des escaliers, là, devant moi, cherchant je ne sais qui ou quoi dans les coulisses de l'Olympia, je tombe sur Nicole Croisille. Nicole ! Ma très chère Nicole, artiste complète, chanteuse à la voix incroyable, danseuse et comédienne. De mime chez Marceau à danseuse chez Arthur Plasschaert, comédienne au théâtre ou chez Lelouch, Nicole fut Tuesday Jackson, le temps d'un tube, *I'll never leave you*, avant d'aligner une série de grandes chansons inoubliables. Elle a tout fait, elle sait tout faire. Une artiste, une vraie. Pas de pipeau. Cette femme paie comptant. Un formidable exemple pour des jeunes qui ne savent pas encore ce qu'est notre métier. Nicole, qui dit volontiers n'être qu'une musicienne, est, sans contestation possible, digne d'être une star internationale. Une diva. Et elle était là, devant moi. Je la serre dans mes bras, à la mesure de la tendresse que j'éprouve pour elle, et finis par lui raconter mes malheurs.

Connaissant le milieu et ce qu'il était, Nicole ne croyait pas une seconde à la réussite de mon entreprise, mais, en l'occurrence, c'était la bonne adresse. Elle me dit :

– Y a un mec... Un danseur, un type bien, qui pourrait embarquer dans un truc comme ça... Mais il faut faire vite parce qu'il est en train de se tirer pour faire du mouton dans les Pyrénées.

Elle me donna le numéro, on s'embrassa et je rejoignis mes copains au tabac de l'Olympia.

Le soir même, j'ai appelé mon sauveur potentiel. Au bout du fil, je l'ai senti un peu méfiant. Je me suis présenté. Il avait une voix douce, assez chantante et, de toute évidence, il n'était pas du genre à faire un effort pour paraître civil. J'avais l'impression de le tirer d'une rêverie dans laquelle il serait bien resté. Jouant franc jeu, je lui ai tout raconté. Du début jusqu'à Nicole Croisille.

– Ouais... Bon... Ben... Faudrait qu'on se voie.

– Demain ? Au tabac de l'Olympia ?
– D'accord.
Le rendez-vous du lendemain me parut de bon augure.

Je n'imagine jamais les gens avant de les connaître. Ça m'évite les mauvaises surprises. Mais là, je dois dire qu'il était beau, le gars.

Pierre Fuger, celui qui va très vite devenir mon alter ego, habillé comme seuls les danseurs savent le faire, c'est-à-dire de bric et de broc mais tout sauf n'importe quoi, descendit de son buggy doré-pailleté tel un « lonesome cow boy » qui mettait pied à terre. Ce mec, faire du mouton ? Quel gâchis ! C'est ce que devaient penser les filles qui le virent débarquer au tabac.

Coiffé à la diable, le visage assez carré, un regard franc avec un je-ne-sais-quoi d'innocence, ce type transpirait la puissance physique. Un Pierrot lunaire dans un corps d'athlète. De temps en temps, un mot, une idée le faisait décrocher, partir en plongée dans son imaginaire, puis il se ressaisissait, et, avec un léger froncement de sourcil, redonnait toute son attention. Il allait et venait au fil de ce que je lui racontais. Paradoxalement, ça me rassurait. Il voyait mon rêve et, peu à peu, le faisait sien.

Le contact fut immédiat. On était sur la même longueur d'onde. Mais il me restait beaucoup de choses à découvrir et du temps pour le faire.

Pierre Fuger, mon ami Pierrot, était un artiste authentique. Cet archange sortait de l'Opéra de Paris où il avait fait craquer aussi bien les filles que les femmes et les vieux balletomanes. Je ne suis pas sûr que la discipline de fer qui règne au sein de cette noble institution l'ait véritablement emballé, mais un problème supplémentaire est apparu, quasiment rédhibitoire. Chaque fois qu'il devait entrer en scène sur *Giselle*, le fameux ballet d'Adolphe

Adam et Théophile Gautier, au moment où les violons attaquaient, Pierrot était pris d'une irrépressible envie de pisser. Un jour, il n'en put plus. C'était *Giselle* ou lui. Évidemment, ce fut *Giselle*. Pierrot quitta donc l'Opéra et n'eut pas de peine à retrouver du boulot. Mais ce qui le passionnait par-dessus tout, c'était la peinture, la sculpture, le dessin. J'ai vu chez lui des petites merveilles. D'un bout de bois il faisait un objet d'art. Des nuages, des arcs-en-ciel et des drapés somptueux sortaient de son aérographe. Pierre était un esthète. Il aimait le beau. Il aimait aussi le calme de son univers, son refuge, sans être un sauvage pour autant.

Quelque trente ans plus tard, il a choisi de s'installer à côté de Centuri, au bout du cap Corse, où le vent et la tempête peuvent être ravageurs. Là, vivant paisiblement au milieu de ses amis pêcheurs, il va régulièrement sur la plage cueillir quelques branches que la mer a rejetées, et fabrique en silence des meubles en bois flotté.

La présentation officielle de Pierre à mes orphelins se fit dans la foulée.

La troupe, qui n'en était pas encore une, tomba sous le charme de Pierrot qui, de son côté, se montra bon client des vannes de Gérard Kaplan et de Maurice Latino. Le courant passait. La douceur apparente du nouveau coach pouvait laisser espérer que la torture allait être plus supportable, et Pierrot comprit, au premier coup d'œil, qu'à part les filles, il allait devoir faire bouger une bande de bras cassés. Rien de tel qu'une barre au sol pour faire plus ample connaissance. Ses craintes se confirmèrent. Y avait du taf !

À partir de là, Pierre devint le patron exemplaire de cette troupe qui allait rapidement grossir d'un certain nombre de bons éléments, pendant que je m'attelais aux chansons qu'on allait devoir enregistrer très vite.

J'avais dans mes cartons une jolie mélodie et un truc plus rythmique, « pour les télés », les gens de télévision ayant souvent peur que les ballades ennuient. J'ai donc passé le bébé up tempo à Pierre Delanoë. Il en fit *Allez, bouge-toi*. La philosophie générale du texte était dans le titre. Rien à ajouter... La deuxième chanson me tenait plus à cœur. Cette mélodie, aux harmonies vaguement califor-niennes, m'évoquait les road movies un peu hippies de l'époque et les images à couper le souffle, au long foyer, de la Route 66 sous le soleil, l'air vibrant au-dessus du bitume brûlant. D'un côté, une fille, de l'autre, un garçon, au milieu, le trafic. J'ai tenté d'expliquer ma vision ciné-matographique à Pierre qui, autant que je sache, n'était pas un cinéphile fervent, et je suis parti rejoindre mes potes à l'Olympia.

La porte du quatrième étant ouverte, n'importe qui pou-vait entrer.

On eut donc la surprise de voir se joindre à nous, de temps en temps, France Gall, bonne copine de Pierrot, qui vint se faire mal à la barre avec nous. Bernard Giraudeau, qui n'avait pas encore eu le rôle qui allait lui permettre de devenir ce qu'il est devenu. Daniel Russo, pour qui j'ai une tendresse particulière, entraîné par son pote Benjamin qui participait aux activités en dilettante, vint passer quelque temps avec nous. Lui aussi se cherchait, entre chanson et théâtre, et joua le jeu, sérieusement. J'avoue avoir bien aimé l'idée que ceux qui avaient envie de tra-vailler avec nous montent les quatre étages. On n'avait pas de secret de fabrication à cacher. Autant profiter, puisqu'il y avait de la place, des ateliers de danse de Pierre Fuger.

Il y eut aussi des visites utiles. Un jour ce fut celle de

Valentine Saint-Jean. Je ne l'avais pas revue depuis la tournée Joe Dassin en 1968. Toujours aussi blonde, le rire cristallin, le caractère affirmé et le cuir certainement durci au contact des réalités du métier, Vava, car ce sobriquet lui restera, était accompagnée d'un mec assez viril, brun ténébreux aux sourcils bien marqués, pas très grand mais solide, Jérôme Nobécourt. Ils se sont mis au boulot tout de suite et à la fin de la journée ils faisaient partie intégrante de la troupe.

Deux danseurs nous rejoignirent rapidement. Roland Gibelli, garçon sympathique rassuré par la présence de Pierre, et Johnny Montheillet, qui était également chanteur. J'apprendrai au fil du temps que, malgré son jeune âge, il avait déjà de l'expérience. Il avait à son actif un nombre impressionnant de galères en tout genre, et n'était pas mécontent de poser son sac. Jusque-là, il n'était question que de travail, pas de rémunération. La démarche de tous ces jeunes gens n'en était que plus louable. J'aimais bien que la formation de la troupe devienne l'affaire de tous.

Jour après jour, l'esprit du groupe devenait plus sensible. La petite pièce annexe, le vestiaire, faisait son office. Quand on a transpiré ensemble pendant quatre heures, les affinités se solidifient. Je suis formel : c'est dans les vestiaires que se fait une troupe. Après quoi tout le monde descendait se désaltérer au seul troquet ouvert à cette heure tardive.

Les horaires de travail à l'Olympia me laissaient toute la journée pour bosser à la maison, où je filais le parfait amour avec Stéphanie qui se révélait la reine de la déco, des rideaux et de la machine à coudre.

Pierre Delanoë revint bientôt avec un début de texte sur ma petite chanson californienne.

C'est un beau roman, c'est une belle histoire,
C'est une romance d'aujourd'hui.
Il rentrait chez lui, là-haut vers le brouillard,
Elle descendait dans le Midi.

J'avoue que *Le Beau Roman* et la *Romance* ne m'ont pas vraiment enthousiasmé. Je trouvais ce vocabulaire d'un autre temps. J'imaginais ma chanson plus rock 'n' roll que ça. En prenant des gants, j'ai tenté de faire comprendre mon point de vue à Pierre qui me rétorqua, de sa grosse voix de basse et avec l'absence de doute qui le caractérisait :

– Mais non ! C'est très bien, ça !

Il est vrai qu'il avait adapté avec intelligence mon image du gars et de la fille de chaque côté de la route, désormais élevée au rang d'autoroute des vacances, et qu'il avait planté un décor plus franchouillard et agricole que les vastes étendues désertiques de l'Ouest américain, mais franchement, le beau roman et la romance d'aujourd'hui, ça passait mal.

Bon ! Le texte n'étant pas terminé, je me promis d'attaquer mon Delanoë, plus tard, par la face nord.

En réalité, je ne suis jamais arrivé à le faire changer d'avis. L'avenir, d'ailleurs, prouvera que j'avais tort. Ces quatre premiers vers resteront dans toutes les têtes et il semble que tout le monde se soit projeté sur la fameuse autoroute des vacances. Les Français connaissaient mieux l'A6 que la Route 66.

Chez CBS, on attendait un single avec impatience. Il fallait impérativement pouvoir le mettre en radio avant que les programmateurs ne partent en congé, et avoir la possibilité de faire un peu de promo. Il y avait urgence. Cette fois, il n'était pas question de me laisser imposer qui que ce soit d'autre que Jean Bouchéty. Les dernières séances en France m'avaient déçu et le son anglais me manquait.

Back to London, avec Rolande et Jean Bouchéty pour l'enregistrement de la bande orchestre. Jean, qui suivait de loin la formation de la troupe, savait que Rolande et moi voulions que celle-ci apparaisse dans le futur single. La première réaction d'un musicien comme Bouchéty, quand il s'agit d'enregistrer des groupes de chanteurs qu'il ne connaît pas, est d'abord de faire la gueule. Il préfère, de loin, les choristes professionnels qui assurent et livrent vite, car il sait, par expérience, le nombre d'heures pénibles que prend la mise en boîte de gens qui ne maîtrisent pas la technique du chant. Il a, quand même, décidé de me faire confiance.

C'est sur ce premier single que Jean a déterminé le son de tout ce qui va suivre. Une rythmique à l'anglaise, des cuivres qui chantent et des cordes sensibles. Même les Anglais étaient surpris. Adrian Kerridge, notre ingénieur du son archi british, est resté scotché. Ça sonnait vraiment nouveau. Je ne dirai jamais assez combien le travail de Jean Bouchéty a été capital dans cette aventure musicale.

Les séances de chœurs devaient se faire dans la foulée dès mon retour à Paris et je n'avais toujours pas la fin du texte de *La Belle Histoire*. Au secours, Pierre, c'est pour demain ! Pierre Delanoë était à ce moment-là directeur intérimaire à Europe 1. Il avait pris provisoirement le poste laissé vacant par le suicide du super bonhomme qu'était Lucien Morisse, et c'est dans son bureau qu'il me donna rendez-vous à l'heure du déjeuner. Il avait tout prévu : le saucisson et le bordeaux. Il restait deux couplets à faire. Avec sa technique et son habileté légendaires, ça ne devait pas poser de problème. Passant du stylo au putter de salon et inversement, il torcha la chanson en une heure, et, une fois de plus, j'eus la confirmation que le talent rend tout beaucoup plus facile. Le soir même, on mettait la chanson en boîte.

Il restait une inconnue de taille : le son des chœurs. Individuellement ça chantait, certes, mais qu'allait donner le mélange ? On avait répété, trouvé des deuxièmes ou des troisièmes voix, mais le son direct n'a strictement rien à voir avec le son enregistré. Vava, Christiane Mouron, Gérard Kaplan, Maurice Latino, Johnny Montheillet étaient les fers de lance. Les danseurs étaient un peu plus limite. Il valait mieux qu'ils ne s'approchent pas trop du micro, mais dans la masse, ça pouvait aller. Gégé Candy, dont je savais qu'il chantait bien, vint en appui des garçons. C'était l'heure de vérité.

Après quelques tâtonnements, ça ne se passa pas si mal que ça. Les bons devant, les moins bons derrière, le son de cette troupe se fit jour, peu à peu. Jusqu'à devenir évident. Ce n'était pas une foule, ni des choristes. C'était particulier. Il y avait une vraie identité. Perfectible, certes, mais originale.

Ce fut la bonne nouvelle de la soirée.

Pierre Delanoë, venu nous rejoindre après un dîner en ville, écouta attentivement et dit en conclusion :

– Hmm... Ça sent bon, ça !

Et il s'y connaissait en chansons qui sentaient bon, le monsieur.

Une autre urgence se présentait. Il fallait trouver un nom à cette bande que j'aimais de plus en plus chaque jour. Ils ne rechignaient jamais, ne comptaient pas leur temps et, en plus, ils assuraient. Nous étions tous d'accord : « La troupe », ce n'était pas possible. Alors cherchons... Le lendemain, on s'est tous mis à gamberger. Michel Fugain et... ? Dans ce genre de recherche, il ne faut pas se louper. Si le nom n'est pas bon, l'accroche ne se fait pas.

Kaplan, avec son cursus de mec qui se destinait à la pub, se mit à plancher. Il tournait autour de l'idée du cirque, du bastringue. Le mot « circus » était tentant mais très en vogue – Les Martin Circus, le Grand Magic Circus –, donc à éviter. Gérard en arriva à « la Grosse Caisse »... Mmmouais... « Michel Fugain et la Grosse Caisse » ? Allez, encore une nuit d'effort. Demain il nous faut le nom.

Ce qui me frappait dans la troupe, c'était cette réunion de gens tellement dissemblables, dans le fond et la forme. C'était même la vraie différence, face aux troupes de télé où l'uniforme était de rigueur. Une réunion hétéroclite de personnalités, de qualités et de défauts, de tempéraments divers. Un vrai bazar. Bazar ? Vous avez dit « Bazar » ? Bazar... pas mal ! Un bazar humain. J'aimais bien. « Michel Fugain et le Bazar »... Hmmm... La rythmique des mots n'était pas bonne. Comment est-il ce bazar ? Petit ? « Michel Fugain et le Petit Bazar » ? Ah ! C'était tentant. Grand ? Oui, mais attention ! Déjà pris : Le Grand Bazar de l'Hôtel de Ville... Et... un truc un peu anglais ? Je trouvais assez jolie la graphie « Bazaar » dans « Harper's Bazaar ». Et le mot « Big » à la place de Harper's ? « Michel Fugain et le Big Bazaar ». Du coup, les deux *a* ne le faisaient plus. « Big » est anglais, OK, mais « bazar » sera français. « Michel Fugain et le Big Bazar » ! Là, j'ai eu le flash. Stéphanie aussi. Bon ! J'avais un nom à proposer le lendemain.

« Big Bazar » fut adopté à l'unanimité. Tout le monde s'y reconnaissait. Il était temps. Il fallait que la pochette parte en fabrication.

Rendez-vous avec Rolande chez CBS pour leur annoncer que l'artiste qu'ils avaient signé quatre ans plus tôt voulait changer de nom. Je leur ai, bien évidemment, raconté la genèse de l'aventure et comment je voyais l'avenir. Jacques Souplet, en grand seigneur du disque français de cette époque, m'a donné le feu vert sans hésiter. À partir de maintenant, je serais « Michel Fugain et le Big Bazar ».

Nous n'avions pas d'existence officielle, donc pas de photos. On se contenta de photographier le tee-shirt étoilé et les bretelles arc-en-ciel de Gérard Kaplan. C'était conventionnel et ça en disait long sur sa façon de s'habiller.

Robert Toutan, l'attaché de presse de CBS, n'avait plus qu'à faire son boulot, à savoir arriver à nous programmer dans le peu d'émissions de télé qui restaient avant la trêve de l'été. Ce petit bonhomme au teint olivâtre et aux yeux en amande dus vraisemblablement à un métissage dans son arbre généalogique, la trentaine dépassée et un caractère de cochon, était, sans contestation possible, un attaché de presse télé hors pair. Il savait faire le siège des programmateurs et leur donner l'impression que c'étaient eux qui avaient eu l'idée de prendre dans leur émission les artistes qu'il leur proposait. Au fil du temps, fatigué d'avoir à répéter l'opération, il avait préféré se faire des amies de toutes les femmes qui avaient le vrai pouvoir à la télévision française. C'était beaucoup plus simple. Robert, qu'entre nous nous appelions Toutoune, savait qu'il avait un bon produit à défendre. Il obtint tout ce qu'il voulait, dont une variété de Guy Lux, notre première télé.

J'avais prévenu la troupe : sur un plateau, veillez surtout à ne pas rester en paquet, à l'écart. Dispersez-vous, intéressez-vous à ce qui se passe, posez des questions. N'oubliez pas que vous êtes quinze et que chaque individu que vous allez croiser sur ce plateau est seul. Dans ces émissions, tous les attachés de presse de Paris sont là. Toutes les maisons de disques ont un chanteur ou une chanteuse dans la programmation. Une réputation, bonne ou mauvaise, se fait en deux heures. Le buzz circule à toute vitesse.

Ils ont été parfaits. Pas un technicien ne leur a échappé. Script, assistant, maquilleuse, cableman, régisseur ou producteur, ils ont tous eu droit à leur question. À la fin de l'émission, toute l'équipe de télé connaissait chaque membre du Big Bazar. Même Jean-Pierre Spiro, l'inénarrable et légendaire réalisateur, était sous le charme des facéties de la troupe. Examen de passage réussi.

Robert Toutan, qui commençait à connaître chacun par son prénom, était aux anges. Rolande, toujours flanquée de Jocelyn, officiellement devenu son relais auprès de la troupe, était assez fière de l'organisation de l'affaire. On n'avait plus qu'à attendre.

On avait désormais un nom, un premier disque, on avait été « vus à la télé », autant de paramètres qui faisaient que la troupe, surexcitée, n'avait pas trop envie de se séparer. On s'est quand même dit que les vacances allaient nous faire du bien.

Annie Ravier, ma copine et amie de longue date, me proposa de faire du bateau. Annie, fille de Paulette Ravier, qui tenait une boutique de fringues, haut lieu de la mode au Lavandou, travaillait dans des galeries de peinture. Cet être exceptionnel, volubile, passionné, généreux, postillonnant comme un tourniquet de parc floral, Annie, ma sœur choisie, avait avec son mec Roland un voilier et l'envie de faire le tour de la Corse. On pouvait partir à huit. Je proposai donc à Pierrot de se joindre à nous.

Depuis quelque temps, Pierre Fuger était le jules de ma sœur Claude, qui n'avait pas résisté au charme de mon partenaire. Je n'ai jamais su comment c'était arrivé, mais j'ai toujours pensé, connaissant l'une et l'autre, que le suborneur n'était pas celui que l'on croyait.

Gérard Kaplan voulut être de la croisière. Il en fut... Et de huit.

Départ du Lavandou, l'esprit serein, le cœur léger et l'âme marine, pour la Corse qui commençait à me manquer sérieusement. Rien ne laissait présager le coup de tabac qui mit la mer en vrac en quelques minutes. Roland décida de se mettre à l'abri dans une petite crique de Port-Cros et d'y passer la nuit. Gérard et sa copine du moment étaient verts depuis la sortie du port, et vidés de tout ce qu'ils avaient pu ingurgiter depuis la veille. Inutile de compter sur eux pour les manœuvres, ils étaient morts ou, plutôt, auraient préféré l'être. Dans la nuit, l'ancre a ripé, et le voilier fut à deux doigts de se déchirer sur les rochers. Branle-bas général. Bref, un début de vacances en fanfare. La Méditerranée nous donnait le bonjour. On a passé la journée à Port-Cros et, le soir, mis le cap sur L'Île-Rousse. La houle était « résiduelle », comme disent les marins, c'est-à-dire grosse et terrible pour les vacanciers non amarinés. Dans ces cas-là, le meilleur remède est de rester couché à plat ventre et de dormir. On a mis un peu de temps à trouver le sommeil, car Gérard et sa compagne nous suppliaient de les jeter par-dessus bord. Sur l'instant, il n'était, bien sûr, pas question d'accéder à leur demande... quitte à le regretter au bout de deux heures.

À l'aube du deuxième jour, le phénomène que Goscinny et Uderzo ont si bien décrit, en un dessin, dans « Astérix chez les corses », s'est produit : le parfum de « l'île de

Beauté » nous a cueillis à trois ou quatre milles de la côte. L'odeur du maquis me fit monter les larmes aux yeux. Approcher de la Corse, au soleil levant, est un privilège rare qui se mérite. L'île chère à mon cœur ne se laisse prendre par le marin que s'il la désire fortement. La Balagne, jardin de la Corse et pays du vent, montre souvent ses dents, blanches de l'écume des vagues qui viennent se fracasser sur leurs pointes, avant d'en faire un sourire accueillant.

L'accostage à L'Île-Rousse se fit en douceur. Après quarante-huit heures sur l'eau, il était normal que l'on garde, à terre, l'impression de tanguer encore. Le temps de faire le plein de lonzu et de figatellu, de prendre un petit déjeuner sous les platanes de la place Pascal-Paoli, de saluer quelques amis dont l'accent me manquait, et on reprenait la mer. On a caboté d'anses en baies, en veillant à se mettre à l'abri du libecciu, le vent d'ouest, équivalent du mistral. On a jeté l'ancre dans des décors somptueux, que je ne connaissais pas, auxquels on ne peut accéder que par la mer. J'ai découvert la presqu'île de Scandola où nous avons traînassé sans aucune envie d'en repartir jamais. Se réveiller sur le pont du voilier, au milieu de ces rochers rouges qui tombent de quarante mètres dans une mer bleu marine, belle à mourir, c'est renaître dans un paradis terrestre. Plonger, encore embrumé de sommeil, dans une eau transparente, cristalline, est un pur bain de jouvence. Des centaines d'oblades aux grands yeux, curieuses et méfiantes à la fois, ont déjà repéré, sur le pont, le pain du petit déj, dont elles savent que les miettes leur en seront jetées. Pourquoi partir d'ici ? Pour aller où ? C'est quoi, la vie ailleurs ? C'est mieux ?

On avait dit « on fait le tour ». Il a bien fallu continuer. Les calanques de Piana, Cargèse, les Sanguinaires... Tout est magnifique. Belle comme un bijou antique enchâssé dans un écrin d'azur, cette île est bénie des dieux.

Après quinze jours sans mettre pied à terre, nous avons dû faire de l'eau et des provisions. Nous fîmes escale à Ajaccio.

Ça n'a pas traîné. Parmi les gars du port qui nous ont aidés à accoster, l'un d'eux, me reconnaissant, nous dit :

– Ça marche, hein ? Elle est bien cette chanson...

La chanson ? Quelle chanson ? Deux semaines sans voir la civilisation, sans radio ni journaux, on était carrément déconnectés, et, pour tout dire, je m'en foutais un peu. J'avais ma guitare à bord et, pendant cette escapade en bateau, j'ai pratiquement composé tous les titres de l'album qui allait suivre. Mais, surtout, on avait encore une quinzaine de levers et de couchers de soleil à passer en mer, et le sort de la *Belle Histoire* me tourmentait infiniment moins que la météo. À l'heure de l'apéro, on mouillait avec insouciance dans une crique où seuls les crabes et les poissons pouvaient nous donner des nouvelles. Et chacun sait qu'ils ne sont pas bavards.

L'ambiance à bord était des plus zen. Pierrot vivait avec Claude un amour-amitié sans problème apparent. Gérard et sa copine avaient, depuis que la mer était plate, retrouvé des couleurs. Stéphanie était belle et bronzée. Annie jouait à la skippeuse du bateau, et Roland, à la barre, vivait le nez dans les cartes marines, redoutant ce que tous les marins doivent craindre en Corse : les secs – I secci –, ces cailloux meurtriers à fleur d'eau qu'on ne voit pas et qui pullulent sur les côtes.

Et puis, ce fut Bonifacio.

Qui n'a pas longé ces immenses falaises blanches rongées par la mer et le vent, qui n'a pas vu ce village posé en équilibre, bravant les attaques de tous les éléments, qui n'a pas pénétré en suivant le chenal qui mène au havre de paix qu'est le port encocooné dans les terres, ne peut se faire une idée des miracles qu'Éole, Neptune et Zeus réunis ont été capables de créer sur notre planète bleue. J'exagère à peine.

Là, dans la quiétude propre à tous les petits ports en fin de journée d'été, au soleil couchant, Gérard et moi nous sommes amusés à faire une « petite chanson de rien ». On l'appela *L'Oiseau*. On ne pouvait pas encore savoir qu'elle allait être l'emblème des futurs spectacles du Big Bazar.

Après quoi, les Corses nous sont tombés dessus. Ce fut pastis, puis pastis, et des dizaines de pastis. La nuit fut très longue. Je n'ai aucun souvenir de la fin. Le peuple corse est définitivement le plus fêtard que j'ai rencontré dans mes voyages.

Arriva la fin du mois d'août. Nous avions fait le tour, vidé nos têtes, rempli nos yeux à ras bord, et c'est de Saint-Florent que nous avons pris la route vers le continent. Il y avait un peu de mer. Gérard et sa compagne se retournèrent, une fois de plus, comme des chaussettes, mais avec le sourire, cette fois. La Corse méritait bien ce sacrifice supplémentaire.

C'est à Paris que l'on réalisa à quel point *Une belle histoire* était un carton incroyable. Le disque se vendait comme des petits pains et le titre était programmé sur toutes les radios à longueur de journée.

Rolande, rentrée de vacances, bronzée, superbe et détendue, me rappela qu'il ne fallait pas traîner et se mettre au boulot pour l'album à sortir fin novembre. Un peu moins de trois mois. Elle me suggéra de prendre plusieurs auteurs pour varier les couleurs et les plaisirs. Je n'étais pas contre. C'est elle qui me parla de Maurice Vidalin. Je connaissais de lui les chefs-d'œuvre qu'il avait écrits pour Bécaud. *Le Mur*, *La Grosse Noce*, *Quand Jules est au violon*, *Rosy and John*, *Les Petites Mad'maselles*, *La Vente aux enchères* et même *Julie*, dont la version de Brigitte Bardot avait émoustillé mon adolescence. Incontestablement, le monsieur savait écrire mais j'étais incapable de mettre un visage sur ce talent-là.

Maurice était de taille très moyenne, visage assez rond à l'image du reste. Dégarni sans être chauve, il avait le teint et les poches sous les yeux des couche-tard chroniques. J'ai eu très vite l'impression de le connaître depuis toujours. On n'avait pas à se dire les choses, on était culturellement en phase. Il avait, certes, des années en plus et des fêlures que la vie m'avait encore épargnées, mais je n'ai jamais senti les dix-huit ans qui nous séparaient. Maurice était un écorché, aussi rugueux en dehors que doux en dedans. D'une méfiance maladive à l'égard de la connerie humaine, il cultivait son image d'anar et son attitude bougonne, pour qu'avant tout, on lui foute la paix. Possédant une culture classique tenant de l'érudition, il avait toujours un petit quelque chose en plus, qu'on ne savait pas, et qu'il offrait sans pédanterie. Roi du sarcasme tranquille, il pouvait exploser d'un rire grasseyant et sifflant qui se terminait, généralement, par une quinte de toux catarrheuse cultivée à la Boyard papier maïs et à la bière, au Canon des Gobelins. Maurice était un authentique seigneur, de la race des plus grands poètes, ceux qui passent plus de temps au cœur de l'humanité telle qu'elle est que devant les miroirs des boudoirs chics, où seule se reflète l'image de son nombril.

Un jour, bien plus tard, peut-être un peu fatigué par la pression incessante ou l'habitude de dire les choses sans précautions oratoires, il m'est arrivé de dépasser les limites de l'acceptable, même par un ami. Maurice a pris ses affaires et a quitté la maison sans se retourner. J'ai très mal vécu pendant quarante-huit heures. Alors que je m'apprêtais à faire amende honorable, j'ai reçu un télégramme. Il était de Maurice : « J'ai le choix des armes. Je choisis l'amitié. »

La première chanson que je lui ai donnée à paroler était une petite mélodie très enracinée dans notre culture parigo-française. Il y avait là-dedans de *La Complainte de la butte* et de la chanson communarde. Il en fit *Les Cerises de monsieur Clément*.

Un certain Clément Jean-Baptiste
Qui habitait rue Saint-Vincent
Voulant écrire un compliment,
Trempa sa plume dans le sang.
Qu'elles étaient rouges les cerises
Que nous chantait Monsieur Clément...

Quand un auteur vous offre un texte aussi beau en cadeau de bienvenue dans sa vie, c'est qu'il vous aime.

Pierre Delanoë, de son côté, avait de quoi s'occuper. J'avais ramené du bateau une chanson dont il a fait *Attention mesdames et messieurs !*. En toute humilité, on peut affirmer que, ce jour-là, il n'a pas travaillé pour rien.

Le temps, qui se trompe rarement, avait fait le tri dans ma production corse. Résultat, il me manquait une chanson. Pourquoi me suis-je souvenu de la chanson brésilienne que j'avais rapportée de Rio ? Fatum ! Le destin, encore... Après plusieurs écoutes, une adaptation me parut digne d'être tentée.

L'air de rien, j'étais en train de résoudre un problème qui restait en suspens depuis quelque temps. On ne chante pas à quinze de la même manière qu'en solo. Quel type de musique est la plus crédible lorsqu'une troupe chante ? Le rock ne se chante pas en masse. C'est un truc de soliste, ou de groupe tout au plus. Les chansons intimistes, à quinze ? Ça manque un peu d'intimité. Alors quoi ? C'est là que j'ai repensé au Maracanzinho de Rio de Janeiro. Ils étaient quarante mille là-dedans ! Et tout le monde chantait juste et en place. La musique brésilienne, sambas et sambas lentes, et les musiques sud-américaines qui se chantent à pleine voix m'apparurent soudain comme la solution évidente. Et l'adaptation par les Européens que nous étions, plus carrés, plus binaires, me semblait fort alléchante.

Pierre a bien écouté la chanson qui s'appelait *Voce abuso.*

– Ça raconte quoi ?

Ne parlant pas le portugais, j'étais bien incapable de répondre, sinon que l'on m'avait vaguement dit que c'était une histoire d'amour d'été d'un type qui reprochait à sa nana d'avoir un peu abusé, de l'avoir trompé, en gros, de l'avoir pris pour un con. Pas très convaincu, Pierre est reparti avec mon disque, qu'il ne m'a, d'ailleurs, jamais rendu.

Trois ou quatre jours plus tard, il me chantait *Fais comme l'oiseau.* Un texte malin, intelligent, techniquement irréprochable. Une future chanson d'anthologie. Nous ne savions, bien sûr, ni l'un ni l'autre, qu'elle se retrouverait un jour dans les manuels de classe et chantée de génération en génération.

Au cours d'une fête à la maison de Rueil, à l'heure où les grands fauves ont bu et se retrouvent autour du piano pour jouer à celui qui chantera la plus grosse connerie le plus fort possible, sur une pompe tout' bête, une petite pompe, une pompette – c'était largement le cas pour la plupart d'entre nous –, toute l'équipe reprit joyeusement le cri du cœur *Vive les cons !* qui traduisait le sentiment unanime à l'égard d'une engeance assez répandue.

Vive les cons ! waouh ! waouh !
Vive les cons ! waouh ! waouh !
Vive les cons ! waouh ! waouh !
Vive les cons ! waouh ! waouh !
Etc.

Pas compliqué. Clair et, finalement, assez précis pour un propos nocturne et imbibé.

Au réveil, toujours à la recherche d'une chanson de plus pour boucler l'album, je me suis dit : « Et pourquoi pas ? »

C'est à Vline Buggy que je me suis adressé pour écrire les couplets. Vline m'avait, dans le passé, écrit *On laisse tous un jour*. Qui peut une fois, peut deux fois. Je lui ai demandé de travailler en pensant que chaque membre du Big allait dire une phrase. Un truc très comédie musicale, en fait.

C'était assez surréaliste de voir la grande bourgeoise qu'était Vline, pomponnée, très classe, carré Hermès sur l'épaule, chercher les idées et les mots de cette chanson-manifeste, et très amusant, voire excitant, de l'entendre chanter « Vive les cons ! waouh ! waouh ! ». Elle eut la bonne idée de reprendre, à la fin de chaque couplet, la phrase d'Alphonse Allais : « Les cimetières sont pleins de gens irremplaçables. »

C'est Maurice Vidalin qui la proféra, dans la version définitive.

Adrian Kerridge sembla heureux de nous voir revenir dans son studio de Landsdown road. Jean Bouchéty avait fait fort. Certains arrangements étaient du grand art. *Attention mesdames et messieurs !*, par exemple, laissa bouche bée tous ceux qui étaient là, ingénieurs du son, musiciens et producteurs confondus. Ça a bardé pendant huit jours au Lansdown Studio.

En vérité, je le redis, Jean Bouchéty est le principal responsable de la couleur musicale si particulière du Big Bazar.

Les voix furent enregistrées à Paris, au Studio des Dames, sans aucune difficulté. Chacun savait ce qu'il avait à faire. L'appréhension du studio avait disparue. C'est dans la détente et la rigolade que se fit la mise en boîte. Maintenant qu'il était dans sa forme quasi définitive, le Big Bazar se révélait, jour après jour, un super outil de travail.

Le premier album de « Michel Fugain et le Big Bazar », le bleu, dont la pochette était une superposition de plusieurs photos de la troupe et de ballons de baudruche, fut dans les bacs à la date prévue. La programmation en radio démarra sur les chapeaux de roues. Avec les fêtes de Noël qui approchaient, les résultats dépassèrent toutes nos espérances.

Rolande, dans son coin et le silence de son bureau de la rue Jean-Mermoz, avait bien travaillé aussi. Le succès de la *Belle Histoire* l'avait incitée à prendre contact avec des tourneurs pour mettre la troupe sur la route, sans hypothéquer les chances d'une rentrée parisienne qui n'était d'ailleurs pas à l'ordre du jour à ce moment-là. Elle était parvenue à un accord avec la compagnie des « Tréteaux du Midi », spécialisée dans le théâtre mais n'hésitant pas à se salir les mains avec des spectacles de variétés, quand l'opportunité se présentait. Grande nouvelle, une tournée fut prévue pour mars-avril. À part l'enregistrement de l'album, qui se faisait simultanément, nous n'avons bossé que pour inventer, alimenter et mettre sur pied notre première création. Fin décembre la pression était au maximum, car la promo nous prenait beaucoup de temps.

Des rires et une larme

On ne s'octroya que quelques jours de détente pour la trêve des confiseurs qui nous permit de faire, Stéphanie, Claude et moi-même, un rapide aller-retour à Grenoble, pour fêter Noël en famille. L'année 1972 est morte. Vive 1973 !

15

BIG BAZAR 2

Entre *Fais comme l'oiseau* et *Attention mesdames et messieurs !*, ça n'arrêtait pas. Sur toutes les antennes et du matin au soir. Robert Toutan se défonçait. C'était son combat. On était de toutes les émissions de télé.

L'humeur générale du Big s'en trouvait euphorique, mais sans que personne se la pète. On avait un spectacle sur le feu, c'était l'objet de toutes nos préoccupations. Notre rythme de travail n'avait pas changé depuis le début. Quatre heures tous les jours au quatrième étage de l'Olympia.

Personnellement, le succès a tendance à me foutre les jetons. Je préfère le temps de la création à celui de la réalisation. Je fais volontiers la promo, qui revient, en somme, à montrer le fruit de plusieurs mois de recherche, en essayant, souvent, de masquer les défauts qui sont apparus pendant les étapes successives du chantier. Il y a tellement d'interfaces qui interviennent entre le rêve et le produit fini que des glissements sont inévitables. Quand je réécoute, après, lorsqu'on ne peut plus rien changer, je n'entends que ce qui me défrise. Et que mille personnes me disent tout le bien qu'elles en pensent ne change rien à mes tourments perfectionnistes. Replonger dans le boulot est encore la meilleure des thérapies, avec l'idée et l'espoir que, la prochaine fois, ce sera parfait.

Avec la tournée qui se profilait, il fallut, malheureuse-ment, demander à certains membres, qui n'avaient pas encore franchi le pas, de choisir. Certains continuaient de faire des études, d'autres travaillaient dans la journée, d'autres encore préféraient assurer leur pitance et opter pour un sort moins aléatoire que celui d'artiste. Ce fut un vrai déchirement car des amitiés s'étaient tissées au fil du temps. On ne pouvait plus être une troupe composée de bonnes volontés enthousiastes. Pour des raisons de logis-tique et de salaires, il était impératif de devenir des « pwo-fechonols », comme le rabâchait Amadéo.

Entre autres, Maurice Latino nous quitta, nous privant ainsi de ses vannes à longueur de temps. Martine Chevalier fit le choix également de ne pas continuer, ce qui lui permit de devenir sociétaire de la Comédie-Française.

En revanche, de nouveaux membres vinrent se joindre à nous.

Les sœurs Mucret, Dominique et Véronique, deux petites blackettes antillaises très vivantes, bonnes danseuses, chan-teuses aux voix acidulées qui se firent très vite une place bien à elles dans le groupe des filles. Dominique, que j'ai très vite surnommée Mino, était plus délurée que Véro, mais elles avaient, toutes les deux, un indéniable petit côté Joséphine Baker.

Christian Dorfer était, lui aussi, antillais. Grand et beau garçon longiligne, coiffure afro qui encadrait un visage aux traits fins, il m'a dit, dans un moment de confidence, souf-frir en silence d'être considéré comme un « chabain » par ses frères de race, c'est-à-dire, de n'être ni noir ni blanc. C'était sans doute lourd à porter mais, en tout cas, ça ne l'a jamais empêché de sortir avec des filles belles comme des nuits d'ivresse. À croire que ce type avait découvert un essaim dont il gardait jalousement l'adresse. Surtout danseur, mais chantant juste, Christian était une bonne recrue.

Michel Prezman se préparait à une carrière de pianiste de concert. Il était venu voir Rolande au Minotaure pour tenter de la convaincre d'enregistrer ses œuvres. Il n'y parvint pas mais s'attacha aux éditions et surtout à Marianne, la secrétaire. C'est là que je l'ai connu. Pas très grand, grosse chevelure mi-longue et bouclée, une épaisse moustache qui masquait à moitié une bouche lippue, Michel était très attiré par l'expérience Big Bazar. Il avait d'ailleurs déjà joué de l'harmonium derrière *Les Cerises de monsieur Clément*. C'est lui qui me proposa de se joindre à nous et de jouer un morceau classique dans le futur spectacle. C'était inattendu, jamais je n'y aurais pensé, mais... pourquoi pas ?

Gégé Candy se bombarda patron de la technique. Il allait décider de l'équipement son du futur spectacle, qui se révélait être une véritable usine à gaz. Sonoriser quinze chanteurs-danseurs plus les musiciens n'était pas une mince affaire en 1973. Les consoles n'avaient rien à voir avec les « rolls » numériques actuelles, où tout ce qui entre est mémorisé. Gégé devait tout faire à la main... C'était le Moyen Âge.

Il nous présenta le chef lumière qu'il pressentait, Gérard Pernet. Gérard était un regardeur au fond des yeux. Il marchait « au cœur », et avait dû, comme tous les affectifs, se faire niquer tellement de fois qu'il cherchait, d'abord, à déceler la ruse cachée dans le regard de ses interlocuteurs. Cela dit, il ne devait pas faire bon le truander, car on le sentait tout à fait capable d'y mettre vigoureusement les mains pour redresser les torts qu'un indélicat lui aurait causés.

En ce qui concernait les musiciens, j'étais à poil. Mes potes, que je n'avais pas vus depuis quatre ans, avaient fait leurs vies et n'étaient plus libres. Une fois de plus, Nicole

Croisille me dépatouilla l'affaire, grâce à un de ses amis batteur. Celui-ci constitua, pour l'occasion, une équipe de onze musiciens, une rythmique, des claviers et des cuivres. Jean-Pierre Mas, Christian Escudé, qui étaient encore de jeunes musiciens affamés, étaient de ce premier orchestre.

Petit à petit, tout se mettait en place.

Restait la question épineuse des salaires. Compte tenu du cachet global, il n'y avait pas de miracle à attendre. On ne pouvait pas faire mieux que 250 francs par personne et par spectacle. Pas facile à annoncer. Le cachet moyen des musiciens de l'époque était, au moins, deux fois supérieur et un chef lumière comme Gérard Pernet devait émarger au quadruple, sinon plus. C'est Rolande, lors d'une réunion des chefs, qui s'est chargée de mettre les cartes sur table. Il n'était même pas question que je le fasse. Je n'ai jamais parlé d'argent avec mes collaborateurs et n'ai aucune intention de changer ça. Je ne sais pas faire. Curieusement, il n'y eut pas de fin de non-recevoir. Tous comprenaient et tous acceptèrent. Gérard Pernet me chopa quand même dans un coin et me demanda :

– Combien tu gagnes, toi ?

– Ben... Comme tout le monde, 250 balles.

Il me regarda longuement au fond des yeux, n'y trouva pas ce qu'il cherchait, et me dit avec un sourire et un hochement de tête :

– OK !... ça marche.

À l'issue de cette réunion, je nous sentais tous liés pour le meilleur et pour le pire.

En février, toujours dans le cadre de la promo qui s'éternisait et nous bouffait des jours de répète, nous sommes allés faire une télé en Belgique. Le moyen de locomotion le plus pratique était le bus. Très tôt le matin, nous nous sommes retrouvés dans un car-couchettes que Rolande, toujours prévenante, avait loué en pensant qu'on allait y dormir à l'aller et au retour, car nous revenions le soir même, pour ne pas avoir de frais d'hôtel. La majorité de la troupe a continué sa nuit dans le bus, et Stéphanie et moi ne nous sommes réveillés qu'à Bruxelles, devant la RTBF. Après l'émission, on a pris le chemin du retour vers Paris. Est-ce les cahots ? L'excitation, l'adrénaline après la journée de télé ? On tout simplement le désir que j'éprouvais pour Stéphanie, dont j'avais l'impression qu'il grandissait de jour en jour ? Le fait est que, dans ce bus qui roulait dans la nuit, dans une couchette dont nous avions tiré les rideaux, nous avons fait l'amour, en silence. Car amour il y avait, dans chacun de nos gestes, chacun de nos baisers.

Un peu moins d'un mois plus tard, Stéphanie m'apprenait, à mon réveil, qu'elle était enceinte.

– Quoi ?

– Tu vas être papa.

Heureux comme un gamin. Comme si c'était moi qui allais porter le bébé ou s'il était déjà là. Ayant des difficultés à avoir un enfant, Stéphanie était en traitement depuis pas mal de temps, et ça avait marché. Papa ! J'allais être papa. Au début de notre liaison, Stéphanie avait décrété que nous étions à l'essai pendant un an. Elle avait mordu la ligne ! C'était plus tôt que prévu. Donc... elle m'aime autant que je l'aime ! Heureux. Tout bêtement. La vie était belle.

En revanche, il y avait un bémol à la clé. Steph était obligée de s'arrêter. Les toubibs lui avaient imposé le repos. Sa grossesse était trop miraculeuse pour qu'on prenne le risque de la mettre en danger. Danser, sauter, faire des kilomètres en bus était impensable. Interdit.

– ... OK, mon amour. Tu ne bouges pas. Tu restes au calme. On va trouver la solution. Toi, tu t'occupes de toi et du bébé. Plus bouger.

Le hasard faisant bien les choses, Pierrot était maintenant amoureux de Cordélia. Cordélia Piccoli, fille de Michel, l'immense acteur. Superbe, racée, caractère bien trempé, elle vint nous rejoindre en catastrophe. Il nous restait en gros une dizaine de jours. Cordélia allait devoir mettre les bouchées doubles et manger du poisson pané pour connaître tout le spectacle et se souvenir de tout, en si peu de temps.

La première soirée de la tournée eut lieu à Lyon, au Palais d'hiver, une salle mythique aujourd'hui disparue. Les techniciens avaient déjà tout installé lorsque la troupe de scène et les musiciens sont arrivés. La tension était palpable. On jouait gros.

Nous étions venus de Paris en bus. Cordélia Piccoli nous avait fait la surprise d'amener son père qui fit le voyage avec nous. Très réservé, calme, ailleurs peut-être, il donnait surtout l'impression de faire le plaisir à sa fille d'aller la voir au spectacle de fin d'année de son école.

Europe 1 avait décidé d'enregistrer le spectacle pour « Musicorama », émission vedette de la station. Rolande était ravie de ce coup médiatique. Ça enfonçait un peu plus le clou.

Nous avions tout l'après-midi pour les derniers réglages. Je crois bien que, pour nous rassurer, nous avons joué le spectacle entier pour prendre nos repères sur la scène. Gégé autant que Gérard Pernet avaient besoin de voir au moins une fois tous les tableaux. La « balance », le réglage quotidien du son et de la lumière, est plus faite pour la technique que pour les artistes. Si l'artiste n'est pas prêt, ce n'est pas à la balance qu'il pourra rectifier le tir. Quand il fallut rendre le plateau, car le public allait entrer, nous sommes montés dans les loges pour passer nos habits de lumière.

De la couleur, il y en avait ! Les costumes avaient été dessinés et réalisés par Mine Barral-Vergez, costumière parisienne renommée. Elle avait imaginé l'allure générale de la troupe, en tenant compte des personnalités de chacun. C'était, effectivement, assez cohérent. On sentait tout de même les volontés personnelles des filles qui sont toujours plus exigeantes que les garçons. Curieusement, le costume de Cordélia lui allait comme un gant alors qu'il avait été fait pour Stéphanie, qui me manquait beaucoup à cet instant précis. Je n'étais pas encore habitué à l'idée de ne plus l'avoir à mes côtés. Pierrot Fuger et moi avions le même costume. Ensemble de satin, bottes jusqu'au genou, cape et haut-de-forme. Lui en blanc, moi en jaune soleil. On n'avait peur de rien.

Annie Ravier, ma copine qui, décidément, était aussi barge que moi et partante pour tous les risques, avait délaissé les galeries de peinture et la mode pour devenir l'habilleuse officielle du Big Bazar. Plus tard, elle en sera même la costumière. Elle imaginera et réalisera les tenues du Big, avec peu de chances de se tromper, connaissant tout son petit monde par cœur. À Lyon elle allait de l'une à l'autre, rectifiant par-ci, resserrant par-là, car un costume de scène de danseuse est rarement au point tout de suite.

Lorsque nous nous sommes vus, costumés, maquillés, nous, les quatorze membres du Big Bazar prêts à entrer en scène, il y eut une sorte d'arrêt sur image. De l'émotion, sûrement, et, preuve de bonne santé morale, un immense éclat de rire.

On avait déjà fait pas mal de chemin et, si tout se passait bien, il en restait à faire.

Le spectacle s'appelait *Le Petit Homme*. On y racontait, en chansons et en courtes transitions, l'histoire d'un homme de sa naissance à l'âge adulte en essayant de lui ouvrir les yeux sur la vie, l'amour et les emmerdes. Tout cela n'était qu'un prétexte à s'amuser et à mettre en scène des chansons, sans avoir à faire un récital. Il est vrai qu'avec un seul album, le répertoire du Big n'était pas suffisant. On a donc puisé dans le mien. De *Je n'aurai pas le temps* aux *Rues de la grande ville* en passant par *On laisse tous un jour* dont Pierrot fit, habilement, la *Cène* de Vinci, il y avait de quoi tenir deux heures. On démarra, bien évidemment, avec *Attention mesdames et messieurs !* et j'ai béni Pierre Delanoë de m'avoir fait cadeau de la chanson idéale pour commencer un spectacle. Un tel coup de booster entraîne la suite comme une motrice les wagons. Après ça, tout a été facile.

Qu'est ce qui a bien pu les mettre dans cet état-là ? Le public du Palais d'hiver était sens dessus dessous. Je ne comprenais rien à ce délire. Un tabac monstre ! Il ne voulait plus nous laisser partir. On a dû rechanter *Fais comme l'oiseau*. On a salué, resalué. Ils restaient là, à taper sur les tables comme des malades. Trois quarts d'heure ! Les archives d'Europe 1 doivent avoir conservé ces trois quarts d'heure d'ovations et d'applaudissements enregistrés pour ce « Musicorama ». Le patron du Palais me hurla, dans le bordel ambiant, qu'on avait battu le record de Brel. J'ai eu honte, soudain. Après avoir quitté la scène et s'être changés, on a été obligés d'y retourner. Ils étaient toujours là à taper comme des brutes, faire du bruit, chanter, siffler. Un délire collectif. À Lyon !

Avec le temps, on apprend que ce qui se passe le premier soir se passera tous les soirs. Ce fut partout pareil. De Genève à Bruxelles, des salles aux théâtres antiques dans lesquels on a joué. Partout, pendant un mois.

Qu'est-ce qu'ils trouvaient dans notre petit spectacle qu'ils ne trouvaient pas ailleurs ?

Cette question m'a hanté longtemps. Ne sachant pas le pourquoi du succès, j'ai fini par craindre de perdre quelque chose d'essentiel, sans savoir quoi.

Inutile de préciser que le repas qui suivit fut un repas de fête. L'euphorie était à son comble. On a ri, déconné, chanté... On venait de faire un vrai carton, on pouvait tout se permettre. Seul Michel Piccoli, dans son coin, restait imperturbable, et se murgeait au picon-bière.

On est rentrés de tournée la tête encore résonnante des applaudissements qui nous avaient salués pendant trente jours de fête. On s'est foutu la paix pendant quelque temps, puis on a repris la routine. Quatrième étage de l'Olympia, tous les jours. Le seul changement venait de ce que nous étions maintenant des professionnels et qu'on travaillait de jour.

À part quelques télés, de ci, de là, on n'avait pas de programme précis. Je passais beaucoup de temps auprès de ma brune dont le ventre s'arrondissait.

Mauvaise nouvelle de ce printemps : Mon pépé de La Rochette, le Zé, a lâché la rampe un matin en se rasant. Son angine de poitrine a finalement eu raison de lui. Nous l'avons accompagné à « pré carré », c'est ainsi qu'il appelait le cimetière de La Rochette, et nous n'étions pas les seuls à le pleurer. Il comptait beaucoup d'amis.

Il avait dit à mon père :

– Mais... Dis donc, Michel, il est en train de faire connaître le nom des Fugain dans la France entière...

Oui, mon pépé. Et je veillerai à ce que ton nom soit respecté. C'est celui d'un brave homme.

*
**

Bruno Coquatrix, qui savait très bien que notre tournée avait été un succès, me proposa de faire l'Olympia à la rentrée de septembre. Comment dire non au patron du plus grand music-hall français qui vous offre lui-même de passer dans son théâtre, lorsque, en plus, ce monsieur a eu la générosité de vous héberger, à l'œil, pendant des mois ? Pas facile.

– Bruno... je suis très sensible à la proposition... mais... mais non, Bruno. Laissez-nous le temps de faire un album de plus, d'avoir des nouvelles chansons. Septembre c'est trop tôt.

Il n'a pas insisté. Il n'a même pas fait la gueule. Il s'est remis en chasse pour trouver quelqu'un d'autre à programmer en septembre.

Les vacances arrivèrent. Le bébé semblait maintenant bien accroché dans le ventre de sa maman. On pouvait même voyager. Pour changer un peu, essayer de se surprendre, peut-être, on délaissa la Corse pour les Baléares.

Ibiza est une île méditerranéenne, donc possiblement paradisiaque ; espagnole, donc vouée au tourisme cheap, et par voie de conséquence, très chère. En 1973, heureusement, la musique électronique n'avait pas encore ravagé son environnement et les soirées pouvaient y être agréables.

Nous avions loué pour le mois d'août, à grand prix, une petite maison sur les hauteurs de la ville. On s'est très vite demandé ce qu'on foutait là alors qu'en face, la Corse, à la même époque, était quasi déserte et d'une beauté incomparable.

Stéphanie, enceinte de six mois maintenant, passait le plus clair de ses après-midi dans le bassin prétentieusement appelé piscine, pour soulager son ventre. Mammine, qui était du voyage, profitait du soleil la journée en attendant les grandes parties de rami ouvert du soir. On se préparait psychologiquement à s'emmerder ferme et à bronzer idiot.

La première bonne surprise fut la rencontre inopinée de Georges Blanès, mon complice « incorruptible » des éditions Barclay, qui gérait, pendant l'été, le restaurant d'un de ses copains. La deuxième vint d'un coup de téléphone professionnel de Jacques Marouani qui, au détour d'un « t'es où ? », m'apprit qu'il était également à Ibiza.

– Non !

– Si !

– Trop !

Grosses rigolades avec Georges, ski nautique avec Jacques. Il a fallu, quand même, tenir un mois. Puis on a quitté cette île pour n'y plus revenir.

Retour à Rueil. Le temps qui restait avant les retrouvailles de la rentrée me vit passer, à longueur de jour, du piano à la cuisine, de la cuisine à la salle de bains et inversement, à la recherche de la réverbe naturelle déclencheuse d'inspiration. Un accord de guitare ne sonne pas de la même manière que l'on soit dans une pièce carrelée ou dans une pièce moquettée. C'est dans la salle de bains qu'est née *Chante*, et dans la cuisine que j'ai composé *Tout va changer*, par exemple. Le piano, lui, se débrouille tout seul. Il a une pédale de sustain magique.

C'est à ce moment-là que Stéphanie et moi avons

commencé de rêver d'une maison à nous, à la campagne, pour que nos enfants grandissent avec les joues roses dans un décor naturel. On la voulait avec un peu de terrain autour pour qu'ils puissent jouer. Maintenant que Stéphanie attendait un premier enfant, tous les espoirs étaient permis. Elle en voulait au moins trois. Attendri par son ventre qui devenait de plus en plus volumineux, j'étais prêt à lui en faire autant qu'elle voulait. Picasso avait raison. Rien n'est plus beau, plus désirable qu'une femme enceinte épanouie.

L'achat d'une maison représentait une somme que nous n'avions pas, bien sûr, mais l'avenir paraissait sourire. Rolande, qui était la tour de contrôle de l'entreprise et de sa santé financière, nous encouragea à le faire et on commença à chercher. On voulait plutôt dans l'ouest de Paris et, pour trouver à un prix abordable, on s'attendait, logiquement, à une cinquantaine de kilomètres de la capitale. Rapidement, le directeur d'une agence immobilière nous emmena faire un tour dans les Yvelines, visiter des maisons qui, bien que chères, ne nous plaisaient pas. On allait rentrer bredouilles.

Pourtant, parmi les différentes photos que le type nous avait envoyées, il y en avait une qui nous parlait bien. Le directeur de l'agence, un peu agacé de ne pas nous avoir fourgué une de ses vilaines baraques prétentieuses et hors de prix, nous dit que oui, mais non, elle n'est plus libre, elle est vendue, c'est bête, hein ? J'insiste pour la voir. Allez, d'accord. Il passe prendre sa correspondante de Dampierre qui a les clés et nous entrons par une ouverture improbable, sous un saule pleureur centenaire. À droite du saule, une ruine. En continuant, on passe un grand portail surmonté d'un pigeonnier et on se retrouve devant un bâtiment tout en longueur qui délimite une sorte de cour en triangle avec, au fond, une grange au toit pitoyable – qui après restauration deviendra mon studio d'enregistrement –, et un muret. Derrière le muret un petit lac, retenue d'eau de l'ancien moulin. De l'autre côté, le ru de l'Yvette. Après avoir visité l'intérieur, tout en niveaux différents, Stéphanie et moi sommes sous le charme du lieu, du lac et des vieux murs. Dépité, je ronchonne :

– C'est vraiment dommage que ce soit vendu ça, parce que...

– Oh... Mais c'est pas encore fait, dit la correspondante.

– Mais si, voyons, enfin ! proteste l'agent, foudroyant du regard l'honnête femme et néanmoins mauvaise vendeuse.

Le mec venait de réaliser que la fille, dans la foulée, m'avait donné le prix de la baraque, très inférieur à tout ce qu'on avait visité jusque-là, alors qu'il aurait pu me demander beaucoup plus vu le coup de foudre que Stéphanie et moi venions d'éprouver. Plus rapide que l'éclair, j'ai sorti mon carnet de chèques et j'ai arrêté la vente. Cette grande maison, sur deux hectares et demi de terrain, dans laquelle on fera beaucoup de travaux, s'appelait le Moulin de Lavagot, situé à Lévis-Saint-Nom, en pleine campagne, dans le parc de la haute vallée de Chevreuse, à trente-cinq kilomètres de Paris. C'est là que nos enfants grandiront.

Aux alentours du 15 septembre, une fois la troupe au complet, nous nous sommes remis au travail au même rythme que précédemment, heureux de nous retrouver et convaincus qu'il n'y avait que ça qui nous intéressait vraiment. Il est vrai que le succès de l'album engendrait une euphorie générale propice à l'envie de bien faire. C'est tellement bon d'avoir l'impression que le travail est payé de retour.

Dans le même temps, je préparais les nouvelles chansons de l'« album n° 2 ».

Pierre Delanoë et Maurice Vidalin se partagèrent la

tâche. Pierre écrivit, entre autres, *Bravo Monsieur le monde*, *Tout va changer*, *Jusqu'à demain peut-être*, et Maurice, *Léda, Léda*, *Le roi d'Argot* et *La Fête* qui allait, définitivement, coller à la peau du Big, et à la mienne. Combien de fois ai-je entendu : « Fugain, c'est la fête ! » J'avoue en avoir été agacé pendant quelques années. Jusqu'au jour où j'ai réalisé que, pour un artiste, avoir une identité dans la culture populaire d'un pays est un privilège qu'il ne faut pas bouder. Après tout, il est plus agréable d'être perçu par ses concitoyens comme un faiseur de fête, que comme un chieur tristounet et mal embouché. Ça vous ferme les pages de *Libé* et de *Télérama*, d'accord, mais les compensations humaines valent bien ce sacrifice.

Côté maison de disques, tout avait changé. Rolande, à la fin de mon contrat chez CBS, avait décidé que nous devions nous jeter à l'eau. Nous allions produire et même monter un label. Nous avons donc créé une société de production de disques, qui allait porter le doux nom de BBZ Productions. BBZ pour Big Bazar, évidemment. Les statuts en étaient larges. Ils nous donnaient la possibilité de produire disques, spectacles et films. Notre autonomie était en bonne voie.

Notre première production sera prête en octobre, enregistrée en novembre, et dans les bacs début décembre.

Le 28 septembre précédent, la France qui aimait rigoler s'était trouvée en deuil. Fernand Raynaud venait de se tuer dans un accident de la route. Grosse tristesse nationale et émissions spéciales à la télévision, qui commençait à bien savoir surfer sur les rubriques nécrologiques.

Il était prévu que Fernand Raynaud fasse quinze jours à l'Olympia pendant les fêtes, période réservée aux grosses pointures populaires. Mi-octobre, Bruno Coquatrix, connaissant nos horaires, me chope au passage et m'offre de prendre les dates prévues pour le fantaisiste. Coup de bambou. Alors là, oui ! À ce moment-là, on aura un nouvel album qui nous aura permis d'avoir un spectacle plus costaud, le temps de bien le peaufiner. Oui Bruno. Cette fois, oui. Banco !

On a serré les rangs et les fesses et continué de délirer. Le premier show nous servait de base. Il ne restait qu'à l'étayer.

C'est pendant le mixage de l'album, à Londres, que j'ai reçu le coup de téléphone, à la fois merveilleux et tragique. Vers trois heures de l'après-midi, Stéphanie a mis au monde une petite fille. Merveilleux, j'étais papa. Tragique, je n'étais pas là. J'aurais tellement voulu la voir naître, entendre son premier cri et, sans doute, verser ma larme. Je me jurai, ce 15 novembre 1973, qu'on ne m'y reprendrait plus. Album ou pas. Spectacle ou non. Plus jamais.

La force de Stéphanie dans ce genre de situation m'a toujours fasciné. Il est vrai que Marie, c'est le nom que nous allons donner à notre amour de petite fille, coquette déjà, s'est fait attendre. Elle semblait ne pas être pressée de nous rejoindre et Stéphanie en avait franchement marre. Elle décida donc, pendant que j'étais à Londres, de faire son sac, de prendre les affaires du bébé, de mettre tout ça dans sa Coccinelle, de se rendre à la clinique et de demander qu'on précipite les choses. Stéphanie n'est pas du genre à se laisser surprendre. C'est pourquoi j'étais à Londres quand ma fille Marie est née.

Je ne ferai sa connaissance qu'en rentrant, amoureux d'abord et définitivement gâteux à son premier sourire.

Mes parents, apprenant qu'ils étaient grand-parents, n'allaient pas rater l'occasion de venir admirer la divine enfant. Les grands-mères, Mammine et Martine, notre adorable belle-mère qui, dans la seconde, fit sienne cette petite Marie, lui trouvaient toutes les ressemblances possibles et imaginables avec les membres de la famille, n'hésitant pas à remonter très loin dans l'arbre généalogique. Papa, le grand-père, en bon toubib généraliste et accoucheur de surcroît, inspecta le bébé sous tous les angles, et rendit son verdict : elle est magnifique.

Après quoi, à ma plus grande surprise, il me glissa qu'il fallait penser à régulariser la situation. J'avais déjà déclaré la naissance à la mairie du seizième et je ne voyais pas bien ce que j'avais d'autre à faire. Et là, mon anar de père me lança :

– Le mariage. On ne sait jamais comment les choses peuvent tourner...

– Le mariage ?

Je ne sais pas d'où ça vient, mais j'ai toujours eu tendance à considérer cette formalité comme surannée. Et dangereuse. Combien de couples très heureux en concubinage se sont-ils déchirés une fois mariés ? J'ai dû répondre de manière suffisamment évasive pour que mon pap' prenne, en douce, les choses en main et s'occupe lui-même des formalités. En réalité, animé par une méfiance paysanne, le papy redoutait simplement qu'une éventuelle séparation le prive de sa petite-fille.

C'est ainsi qu'il fut programmé que Stéphanie, qui n'était pas plus attirée que moi par le passage devant monsieur le maire, deviendrait ma femme le 22 décembre 1973. Quatre jours avant la première de l'Olympia. Marie avait un mois et une semaine.

Mais pour l'heure, nos énergies étaient focalisées sur le spectacle.

Big Bazar 2

C'est le mauvais moment que choisit Jacques Marouani pour revenir à la charge sur un sujet qui m'énervait. Son bureau était dans l'agence de son père, Félix, rue Marbeuf, et il voulait, en tant qu'agent, que l'artiste Fugain et le Big Bazar reversent à l'agence les dix pour cent que perçoit généralement un imprésario sur un contrat de spectacle. Je lui avais déjà répondu que ce n'était absolument pas la philosophie de notre équipe, et qu'en tant qu'agent, lui, Jacques, toucherait la même somme que tout le monde, mais certainement pas dix pour cent du cachet global pour l'agence. Je détestais, et je déteste encore, l'idée qu'un agent puisse gagner plus d'argent sur un spectacle que les artistes qui y travaillent. J'étais dans ce métier depuis suffisamment longtemps pour savoir qu'un téléphone sur un bureau suffisait amplement pour établir le calendrier d'un artiste. Payer une location de téléphone ou de bureau, soit, mais pas plus. Jacques s'est dit désolé, mais il ne pouvait pas continuer. Salut Jacques.

J'ai remarqué, après coup, que Rolande avait été très discrète sur ce point de litige. La guêpe n'était pas folle. Elle avait l'intention de tout recentraliser. Elle voyait loin. La suite prouvera qu'elle avait raison.

Histoire de rentabiliser l'achat récent, les photos de la pochette furent faites au Moulin. En ce qui concerne la promo, étant désormais indépendants, nous nous privions malheureusement de « Toutoune », le génialissime Robert Toutan, qui restait à CBS, mais je sais que, de loin et en secret, il continuait d'œuvrer dans notre sens. Il fut remplacé par une des attachées de presse les plus spectaculaires de Paris, Nicole Sonneville. Nicole, grande et superbe plante à la crinière de lionne, des formes partout où il fallait et une voix aggravée par les cigarettes et le champagne, avait quelque chose de ces grandes actrices

italiennes rendues légendaires par Fellini. Désirable, elle
l'était, mais effrayante également, pour tout homme en
petite forme. Hyper nature et snob à la fois, elle était aussi
à l'aise au Fouquet's que dans un boui-boui de banlieue.
Du haut de sa splendeur, elle traversait la faune du showbiz
comme un croiseur fend la mer. Elle semblait connaître
tout le monde et avait un diminutif, ou un sobriquet, pour
chacun. Rien ne lui échappait, ni personne.

Dans le travail, Nicole Sonneville pouvait être, aussi,
d'une tendresse infinie. Je lui garde la mienne pour l'éternité.

La promo de l'album n° 2 fut irréprochable. Maritie et
Gilbert Carpentier nous offrirent un « Top à », début
décembre. Très vite, l'Olympia afficha complet.

Comme prévu, les formalités du mariage eurent lieu le
samedi 22 décembre. La veille nous étions en pleine répétition. On savait que l'on régularisait une situation qui,
pourtant, nous allait bien telle qu'elle était. Pas question
de robe de mariée, falbalas et pièce montée. Si le maire et
le village s'attendaient à un déferlement de célébrités avec
lunettes noires et capelines, ils restèrent sur leur faim. On
arriva à dix heures. J'étais en blouson, Stéphanie, pour
marquer le coup, portait une petite robe toute simple. Pas
de famille, pas d'amis. Rolande et Pierre Sisser étaient nos
seuls témoins. Les deux ou trois civilités et recommanda-
tions d'usage, puis les signatures faites, à dix heures et
demie on était dehors. J'avais promis à Stéphanie de sacri-
fier à la tradition. Nous nous rendîmes au Moulin, qui
n'était alors qu'un vaste chantier. Je la pris dans mes bras
et franchis, en la portant, la seule entrée praticable de ce
qui allait être notre maison familiale. Je tenais à ce sym-
bole-là. Plus que marié, j'étais lié à cette femme que

j'aimais par cette grande bâtisse entourée d'arbres centenaires, se mirant dans un petit lac sur les bords duquel
couraient encore des ragondins. J'y voyais la concrétisation
de notre jeune réussite autant que de l'amour que nous
partagions et j'entendais déjà nos enfants jouer dans la
cour.

On trempa les lèvres dans un champagne pas assez frais
au milieu des gravats et des sacs de ciment, et on remonta
dans nos bagnoles. Retour à l'Olympia pour les ultimes
répétitions. On commençait dans trois jours.

Il y eut tellement de jolies fêtes au Moulin, pendant les
dizaines d'années qui vont suivre, que leur somme a fini
par faire une belle et très longue noce.

16

BIG BAZAR 3

Mardi 25 décembre. Tiens ! C'est Noël. Je l'avais oublié celui-là.

Peut-être Stéphanie a-t-elle décoré un sapin pour essayer d'émerveiller les jolis yeux mordorés et ouverts depuis peu de Marie. Je ne sais pas. Je ne me rappelle pas. Mon esprit était occupé ailleurs.

Le jour de Noël, l'Olympia faisait relâche et était donc tout à nous. Nous avions presque deux jours pour mettre en place le spectacle, le décor, répéter avec les musiciens et installer la grosse machine que constituait, pour l'époque, la technique son et lumière du Big Bazar.

En attendant que Gégé, super responsable de cette installation, nous donne le feu vert, on déambulait dans le magnifique théâtre de Bruno Coquatrix qui, lui aussi, rôdait dans les coulisses pour voir si tout se passait bien, et peut-être aussi pour se rassurer. Nous n'étions pas le type de vedettes qu'il avait l'habitude de programmer. Trop nombreux. Un artiste seul, c'est clair. C'est lui qu'on aime, qu'on applaudit, qu'on vénère parfois. Pas une troupe. Trop de monde.

Bruno n'a jamais bien su d'où l'on sortait. Le Big Bazar était une énigme, pour lui. Il arrive fréquemment que l'on ne voie pas ce qu'on a sous les yeux. Nous ne faisions que descendre du quatrième étage et nous n'étions pas auréolés, auprès des gens d'ici, de ce mystère qui constitue une valeur ajoutée aux artistes « normaux ». Nous étions la troupe de jeunes de la maison, c'est tout. Bruno était perplexe. Tout à sa réflexion, en se grattant la petite verrue qu'il avait sur un doigt, il m'annonça, presque étonné, qu'on allait jouer deux semaines à guichets fermés et que c'était bizarre...

– On ne sait jamais bien pourquoi, d'un seul coup, les gens se mettent à aimer un artiste. Qu'est-ce qui les fait se déplacer en masse ? Qu'est-ce qui les attire ? C'est assez extraordinaire, quand même... Ils en font une vedette, et un jour, tu sais pas pourquoi non plus, il vont trouver que la couleur de ses chaussettes ne va pas avec sa chemise, ou que sa coiffure, c'était mieux avant... Et ils ne viennent plus.

Bon ! Merci Bruno. Je retiendrai cette belle leçon d'humilité. La fin de votre histoire était toutefois un peu triste, alors, j'ai préféré rester au présent, avec mon trac et mes soucis d'histrion à quelques heures du lever de rideau. À ce moment critique, je me foutais pas mal des aléas du vedettariat.

L'installation fut laborieuse. Le son était épouvantable. Pour la première fois, j'ai pété un câble. Gégé faisait des allers-retours entre sa console et les enceintes sans trouver d'où venait la panne. On avait bossé comme des malades, jusque-là tout semblait bien fonctionner, et soudain, à l'Olympia, juste au moment où il fallait que ça marche, ça merdait. J'ai été horrible. Je me sentais trahi par mon pote, mon Gégé, mon complice de la première heure. Je l'ai traité de tous les noms dont celui d'assassin. Il en fit un œdème de la gorge qui obligea Claude, ma petite sœur, à lui faire une piqûre de cortisone pour qu'il puisse respirer. J'en ai été honteux très longtemps.

Il y a, inévitablement, des observateurs qui arrivent à se glisser dans les théâtres pendant les montages. Ceux-là ont dû repartir avec une très mauvaise image de ce que j'étais. C'est peut-être de là qu'a commencé ma réputation de sale connard et, si c'est le cas, je l'ai bien mérité.

On a fini par répéter, en faisant abstraction du mauvais son. Vers minuit on s'est séparés, exténués, en se donnant rendez-vous en fin de matinée. En arrivant le lendemain, Gégé, qui avait passé le reste de la nuit à chercher la panne, m'accueillit avec son grand sourire qui découvrait ses dents du bonheur et me dit :

– C'est réglé ! C'était que dalle. Un câble monté à l'envers.

Bien que soulagé, je lui aurais volontiers pété la gueule.

19 heures, coupure, l'équipe s'éparpille. Les techniciens pour aller faire un vrai repas, les musiciens pour pratiquer leur instrument dans leur loge et la troupe pour se concentrer, passer les costumes, les filles se faire jolies, les garçons tenter de tromper leur trac. On sait tous que cette soirée est décisive. C'est un gros examen de passage. Nicole Sonneville nous a avertis, avec fierté, que la salle serait bourrée de célébrités, c'est-à-dire des thuriféraires en puissance, aussi bien que des langues de vipères si on s'est planté dans la conception, ou, tout simplement, si on est mauvais.

J'ai eu droit à la loge de la vedette, la première à gauche en arrivant dans les coulisses. Je m'y vide de toute énergie inutile. De toute façon, il est trop tard pour douter. Stéphanie est arrivée avec de quoi personnaliser l'endroit mythique : un nécessaire de toilette, des serviettes et quelques photos de Marie et de nous deux, qu'elle place sur la table de maquillage, un peu comme les mamans posent sur le tableau de bord de la voiture du papa conducteur ces objets rococo qui disent : « Pense à nous. » Une âme charitable a pris soin de poser quelques affiches du spectacle, non pour flatter l'ego de l'artiste, mais pour cacher les murs tendus d'un velours pisseux, qui ont vu passer tout le métier depuis des décennies sans qu'on ait trouvé utile de les rendre présentables. Au moins je ne serai jamais seul, les acariens pullulent. Dans notre métier, si l'on fréquente les loges, il vaut mieux ne pas être sujet aux allergies.

C'est depuis ces tout premiers jours que j'ai ressenti comme un privilège de vivre cette heure d'attente dans un théâtre presque vide et silencieux où le rouge des fauteuils domine, où seuls les gens du spectacle vont et viennent, s'affairant aux ultimes réglages. Les ouvreurs et ouvreuses, les bras déjà chargés de programmes, arpentent les allées à la recherche d'un emballage de bonbons ou d'un mégot jeté par un spectateur indélicat. Les barmans de l'orchestre et du balcon font le plein de bière et de sodas, l'intendance se met en place. Doudou, le régisseur, actionne le rideau de fer sous l'œil vigilant du pompier de service qui vient d'arriver. On ne commencera que s'il fonctionne. Puis Marcel, un machino maison, figure emblématique de l'Olympia, lave le plateau, inspecte le grand rideau rouge, l'ouvre et le referme, après quoi il a un peu de répit, juste le temps d'avaler, en coulisse, un sandwich et un demi au « bar de Maryline », haut lieu, incontournable, des souvenirs des spectacles passés dont les affiches tapissent les murs. À ce moment-là, la scène, éclairée par la seule lumière blafarde du « service », semble attendre qu'un magicien lui donne vie, que l'assemblage de planches, de caisses et de cubes devienne, dans la lumière, le décor.

Rolande et Jocelyn, notre staff, ont délaissé le « contrôle », où sont délivrées les invitations, et sont venus partager un peu de la tension ambiante, histoire de se sentir en communion avec nous, puis sont allés rejoindre leurs places avec papa, Mammine, Martine et Claude. Bruno Coquatrix, qui, traditionnellement passe embrasser le chanteur avant son entrée en scène, quitte ma loge pour aller faire un tour dans la salle, sentir l'atmosphère de cette « générale » et, aussi, soigner un peu sa popularité. C'est le soir ou jamais. Tout le métier est présent ainsi que les critiques des gros quotidiens.

La troupe se réunit petit à petit dans les coulisses, au pied des escaliers qui montent à notre quatrième étage. De la couleur, des paillettes, des strass, des sourires forcés, des étreintes... Vivement que ça commence. Comme toutes les premières, le spectacle débutera en retard. Les people lambinent, papotent, se congratulent, se montrent, et certains sont encore en train de chercher une place car le parking de la rue Caumartin est à bloc. Bon signe.

Pierre Fuger, mon Pierrot auquel je m'accroche pour me rassurer, est dans son costume blanc. Il sera « l'oiseau ». Lorsqu'il a mis ses ailes pour nous montrer ce que ça allait donner, un « Woaouh ! » unanime a salué la beauté du bonhomme et de l'image, et un déclic s'est produit dans ma tête. On y est, les enfants. C'est parti !

Autre tradition de ce music-hall légendaire, dans les grandes occasions, Bruno se trouve à la porte de la scène et c'est lui qui donne le signal du départ. On avait décidé que ce signal se ferait, comme au théâtre, avec un brigadier.

Et Bruno frappa les trois coups.

Attention mesdames et messieurs,
Dans un instant, ça va commencer !...

On s'est jetés en scène comme une horde de loups affamés.

Ce soir-là, je peux le dire, ils ont « brûlé les planches » ! Gérard Kaplan, le Petit Homme que l'on initiait et à qui on racontait son histoire, de sa naissance à l'âge adulte ; l'œil rieur, naturellement drôle, il savait avoir l'innocence et la dérision requises par son rôle de candide. Christiane Mouron, la coccinelle, était inspirée de celle de Marcel Gotlieb dans ses « Rubriques à brac ». J'avais passé une soirée avec Marcel, pour lui demander l'autorisation d'utiliser l'image de la petite bestiole futée. Il me l'avait donnée sans problème. En fin de compte, personne n'a jamais vu la référence. Mouron jouait, à l'instar du Jiminy Cricket de *Pinocchio*, la conscience du petit homme. Vava n'avait pas de rôle défini mais était très présente, jolie complice pleine de charme et au timbre lumineux. Jean-Pierre Lacot, une voix solide et un rôle de poète rêveur, initiait le petit homme aux belles choses. Les sœurs Mucret, Véronique et Dominique, nos deux blackettes, pétillaient d'impertinence. Carine Reggiani avait choisi de faire un numéro de danse indienne, Bollywood bien avant l'heure. Cordélia Piccoli remplaçait toujours Stéphanie et tenait parfaitement sa place. Sans compter nos « boys ». Johnny Montheiller, pas très grand, épaisse chevelure rousse coiffée afro, le regard vif, une pile électrique montée sur ressorts, affichant de façon permanente un large sourire. Christian Dorfer, grand et beau métis, bon danseur sur lequel le regard des femmes s'attardait volontiers. Roland Gibelli, excellent danseur également, professionnalisme et bonne humeur garantis. Jérôme Nobécourt, encore sous-utilisé, compensait son manque de grâce naturelle par une énergie de montreur de foire. Quant à Michel Prezman, notre pianiste concertiste, il interpréta sur le piano, au centre du décor, un prélude de Chopin auquel le public ne s'attendait pas une seconde.

Il ne s'attendait pas non plus à ce que les techniciens aient un numéro à eux. Gégé était, en plus de ses talents d'ingénieur du son, un excellent mélodiste. Nous avons d'ailleurs plusieurs fois cosigné des chansons. Il avait aussi enregistré, sur notre label BBZ, un single dont on décida qu'il le chanterait dans le spectacle avec ses copains de la technique que nous remplacerions pendant qu'ils étaient sur scène. Pierrot leur avait arrangé une chorégraphie pas compliquée, et ils pouvaient, ainsi, participer à la fête.

Pierrot, costume en satin et grandes ailes en vraies plumes, s'il vous plaît, avait décidé de n'apparaître que dans le rôle de « l'oiseau ». Il est vrai que dans la première mouture, n'étant pas chanteur, il n'avait pas grand-chose à faire et s'était un peu emmerdé. Il fut donc l'oiseau blanc abattu en plein vol. Comme quoi, on ne lésinait pas sur la symbolique. Le coup de feu était tiré en coulisse. Cartouche à blanc, évidemment.

Le décor, tout simple et en fond de scène, était fait de praticables qui montaient en escalier de chaque côté vers un plateau surélevé, en formant une sorte de triangle au milieu duquel se trouvait le piano. Le tout constituait autant de niveaux pour éviter d'être à plat sur la scène et donner ainsi du relief aux tableaux successifs. Je grimpais souvent sur le piano lui-même, pour chanter ou faire le mariole, en veillant, bien sûr, à ne pas l'abîmer. Il m'est d'ailleurs arrivé quelquefois de tomber entre le piano et le pratos, c'est-à-dire de disparaître par le bas du rond de lumière sous les yeux ébahis d'un public qui se demandait où j'étais passé et comment j'avais fait ça. Facile : j'avais simplement raté la marche. C'est quand on remonte en crapahutant qu'on a l'air un peu con.

Les musiciens, eux, étaient derrière un tulle. On nous a souvent reproché ça. Et pourtant, avec quinze personnes en scène qui chantent et dansent en occupant tout l'espace plus onze musiciens qui, même s'ils restent en place, bougent aussi, l'image aurait été complètement brouillée. Trop d'informations tuent l'information.

Le spectacle se déroulait en deux parties entrecoupées d'un entracte. En effet, il faut le savoir, lorsqu'on supprime l'entracte, on doit payer un dédit conséquent aux buvettes et bars de l'établissement. J'ai longtemps justifié cette formule, partant du principe que si l'on a une bonne première partie, c'est pendant cette pause que la sauce prend. Les spectateurs commentent, se disent tout le bien qu'ils pensent de ce qu'ils viennent de voir et sont d'autant plus impatients et réceptifs à la reprise. Avec la maturité, j'ai mis un bémol à ma position. En effet, lorsqu'on fait l'amour, on ne s'arrête pas en plein coït pour aller boire une bière. On caresse, on construit, on développe, on s'enflamme et, au bout du bout, on atteint l'orgasme.

Le seul avantage de la première version fut l'irruption de Bruno qui avait fait le tour des points d'eau pour prendre la température.

– Ça marche, mon petit ! Ça marche ! C'est formidable !

Une demi-bouteille de flotte. La sonnerie de rappel. Les sourires crispés sont devenus des rires joyeux. On est chauds bouillants. Allez, musique ! C'est reparti !

Très franchement je n'ai aucune conscience de ce qui s'est passé sur la scène ce soir-là. Dans les grandes occasions, on ne fait que ce que l'on sait faire. Seuls les réflexes jouent. Le cerveau est trop embrumé pour qu'il y ait une part quelconque à l'improvisation ou à la création instantanée. On serre les boulons, on s'en tient à ce qui a été écrit. D'où, saltimbanques, mes frères, l'importance du travail en amont.

Je n'ai commencé à remettre les pieds sur terre qu'en réalisant, à la fin, que le public était debout, le parterre de professionnels applaudissant et hurlant des bravos sonores. On saluait gauchement ces mines réjouies. Je répondais d'un petit signe de la main aux clins d'œil de mes confrères. En réalité, je ne savais pas bien quoi faire. Je ne m'attendais pas à un tel tabac devant les gens du métier, généralement coincés. Nous n'avions pas réglé les saluts, donc on a fait ça « à l'arrache ». Tout simple, sans chichis. Comédiens, musiciens et techniciens, une trentaine de jeunes gens fiers d'avoir réussi un bon coup, plus Bruno Coquatrix que j'ai appelé à nous rejoindre. Ça leur a plu, ils nous en ont remis une couche. Les photographes shootaient dans tous les sens, immortalisaient l'instant. Je ne peux même pas affirmer avoir été heureux. À la limite, c'était trop. Est-ce que notre spectacle méritait cette bruyante standing ovation ? Il m'a fallu un peu de temps pour analyser ce qui s'était passé ce 26 décembre 1973. Une chose est certaine : notre métier venait de porter « Michel Fugain et le Big Bazar » sur les fonts baptismaux.

J'ai retrouvé ma loge avec soulagement. J'avais besoin d'un peu de calme pour y voir plus clair. Stéphanie y était déjà. Pendant le spectacle elle était assise au tout premier rang, au bord, prête à bondir dans les loges à la moindre anicroche. J'ai souvent croisé son regard et chaque fois j'y puisais un peu plus de force. C'est dans ses yeux que j'ai lu qu'on avait gagné.

Puis Rolande est arrivée, m'a sauté dans les bras, suivie de Claude et de mon père, plus impressionnés par le succès que par le spectacle qu'ils avaient regardé morts de trouille, puis Mammine, Martine... La loge fut rapidement pleine. On ne me parlait que de triomphe. J'aurais préféré des analyses un peu plus fines, mais bon...

Après quoi, ce fut le défilé des célébrités et un chapelet de superlatifs auxquels on ne sait jamais quoi répondre.

« C'est vrai ? Ah, je suis content que ça vous ait plu...
Merci. » Embrassades. Photos pour les gazettes. C'était la
première fois que je faisais l'objet de tels compliments,
alors, je me suis coupablement laissé caresser dans le sens
du poil.

Je me souviens surtout du vrai bonheur qui se lisait dans
les yeux de toute la troupe quand on s'est retrouvés et qu'il
n'y avait plus que nous dans les coulisses. J'avoue que
c'est là, et là seulement, avec Pierrot à mes côtés et n'ayant
pas assez de bras pour enlacer toute ma bande, que j'ai
pris conscience qu'il s'était passé quelque chose d'important qui allait très vite changer notre vie.

Comédiens, musiciens, techniciens, tous réunis chez
Maryline, on prit le temps de boire un pot, de checker ce
qui avait marché ou pas, de se donner rendez-vous à « la
balance » suffisamment tôt le lendemain pour recadrer certains tableaux, et on est rentrés à la maison, raide morts
de fatigue. Cette nuit-là, j'ai dormi du sommeil du juste,
dans les bras de mon amour. Dans la chambre d'à côté,
notre Marie faisait de beaux rêves de bébé...

Le lendemain, la critique était dithyrambique et unanime. Le journaliste du *Figaro* est même allé jusqu'à écrire
que les spectacles de variétés ne pourraient plus jamais être
ce qu'ils étaient auparavant, qu'une page venait de se
tourner, etc.

Nous avons joué quinze jours à guichets fermés, mais
pas complètement. Il restait les marches, à vendre.

Nous avons terminé le 17 janvier 1974, Bruno ayant
réussi à prolonger de deux jours. Le 24 nous partions pour
Montréal. Stéphanie confia Marie à Martine, élevée, définitivement, au rang de mamy gardienne de la prunelle de
ses yeux.

J'avais déjà eu l'occasion de me rendre au Québec. Une première fois, avec Caroline, pour une semaine de promo, et une deuxième pour participer à des spectacles dans les petites villes de la Belle Province. Et chaque fois, en hiver. Galops d'essai, prises de contact avec un pays où je vais aimer aller. Le producteur québécois, Guy Latraverse, habitué des artistes français et grand connaisseur du showbiz parisien, va très vite devenir un ami.

Steph et moi sommes partis un peu en avance sur la troupe pour la fameuse promo, indispensable dans ce pays, grand comme cinq fois la France, où toutes les informations passent par la télé et la radio.

Nous étions fin janvier, la période la plus froide de l'année. Moins vingt-cinq dans les rues de Montréal où règnent en maître les courants d'air, ça vous ragaillardit un homme, ça fait circuler le sang. Ça surprend...

Comme souvent, le climat est aussi rude que les gens sont cordiaux. Il faut cependant se méfier. L'histoire commune à nos deux pays avait, encore à cette époque, laissé des traces douloureuses et mal digérées. Pour les Québécois des années soixante-dix, à part de Gaulle et son fameux « Vive le Québec libre ! », nous les avions abandonnés pendant plus de cent ans, ce qui leur avait valu les pires ennuis avec les Anglais. Les plus teigneux vivaient encore cela comme une haute trahison. De plus, le comportement parigo-parisianiste de certains artistes pour qui l'Afrique commence à Ozoir-la-Ferrière et qui ne voyaient volontiers dans les Québécois que des bouseux parlant un patois vendéen hors d'âge les avait, en toute logique, amenés à nous traiter de « môdzits français ». Cela dit, quand ils ont compris que vous ne correspondez pas à ce stéréotype, ils savent vous faire sentir que vous êtes le bienvenu. En fait, les Québécois sont des Américains du Nord.

Ils parlent une langue qui a des racines communes avec la nôtre, enrichie d'anglicismes traduits mot à mot, qui font que, là-bas, on « tombe en amour » comme les britishs « fall in love ». C'est une langue que j'aime profondément, ainsi que le joual, l'argot des quartiers populaires, qui enchante mon oreille sans que j'en comprenne le millième.

Une petite semaine plus tard, le Big nous a rejoints et l'installation a commencé Place des Arts, grand complexe de salles de spectacle situé rue Sainte-Catherine. Nous devions jouer quatre ou cinq jours, salle Wilfried-Pelletier, quatre mille places, une scène immense, un bonheur.

Nous n'étions pas au complet. Seuls étaient du voyage les gens de scène, comédiens et musiciens, Gégé au son et Gérard Pernet à la lumière. Tous les autres postes étaient tenus par des Canadiens.

En Amérique du Nord, en effet, on ne plaisante pas avec l'Union, le syndicat des travailleurs du spectacle et des musiciens. Pour avoir la permission de travailler au Canada, il faut prouver que ce qu'on fait n'est pas faisable par un Canadien. En vertu de quoi le producteur doit payer une « amende », c'est-à-dire un cachet supplémentaire, par personne que l'on ne peut pas remplacer, à savoir, dans notre cas, les comédiens de scène, les musiciens – car le travail à fournir pour un spectacle comme celui du Big était très spécifique –, ainsi que le responsable du son et le chef lumière. En gros, Guy Latraverse a dû s'acquitter de vingt-huit amendes. Ça fait des sous ! D'autant que le tarif syndical local était plus élevé que ce que nous touchions en tant que membres du Big Bazar. C'est sans aucun doute du protectionnisme, mais ça marche. Il y a de la musique partout et les musiciens sont respectés.

Le carton fut égal à celui de Paris. Les gens riaient aux mêmes moments qu'à l'Olympia, avec un rire gras supplémentaire dû aux paroles de *La Fête*.

... Merde ! Que ma ville est belle
Avec ces gosses qui jouent...

Lorsqu'on a demandé le pourquoi de ces rires, on nous a expliqué qu'en joual, « les gosses » étaient « les couilles ». Ah ! Ben oui, là, évidemment...

Sinon, tout pareil. Un vrai succès qui s'est répandu comme une traînée de poudre dans la Belle Province et qui a déclenché un achat, immédiat et en masse, de billets dans toutes les villes où nous devions passer, et où on nous a fait le même triomphe. Après Montréal, Sherbrook, Trois-Rivières, Matane, Québec. Il n'y a guère que Chicoutimi où nous n'avons pas pu nous rendre, une tempête de neige nous ayant empêchés de traverser le parc des Laurentides.

Il est vrai que les Européens tempérés que nous étions avaient de quoi être étonnés par les tonnes de flocons que le ciel de là-bas est capable de déverser sur les êtres et les choses. Un matin en nous réveillant, par exemple, nous avions vu Montréal enfouie sous une doudoune blanche de deux mètres de haut. On s'attendait à ne pas jouer le soir. Qui pouvait bien avoir envie d'aller au spectacle par un temps pareil ? Erreur. En fin d'après-midi, on a vu arriver le public à pied, en voiture, en raquettes, en skidoos – des motoneiges –, tous habillés façon pôle Nord, mais nullement rebutés par le froid. Dans le grand hall de la Place des Arts, chacun a déposé sa parka, ses claques, bien rangés, sans même imaginer que quelqu'un puisse leur piquer, et, ô merveille, tout le monde s'est parlé. C'était d'autant plus émouvant que les murs de toute la Province étaient à ce moment-là recouverts d'affiches militantes qui disaient : « On est cinq millions, faut qu'on se parle. » Je ne sais pas si c'était dû aux intempéries ou aux affiches, en tout cas, ils se parlaient. Comme je rêve que nous nous parlions, un jour, nous qui ne sommes, après tout, que quelques millions de plus.

On aurait pu croire que pour la tournée, le voyage en bus au milieu de ces immenses étendues recouvertes de neige allait être long et fastidieux. Il n'en fut rien. Comme dans le désert, il y a toujours quelque chose à regarder. Le paysage change sans arrêt et le dépaysement est tel qu'on ne s'ennuie jamais. C'est d'une grande beauté. Chaque fois que je passe dans ce décor, je pense aux premiers arrivants. S'ils ont posé le pied sur cette terre en été, l'hiver a dû bien les surprendre et faire le ménage. N'ont pu résister que les durs à cuire, dans ce pays où le budget de déneigement de Montréal est égal au budget de notre ministère de l'Intérieur. Les souffreteux ont dû passer, en quelques heures, par profits et pertes de la colonisation.

En longeant le fleuve Saint-Laurent, on se dit que tout est grand, ici. Les hommes, ces petits mammifères obstinés que rien ne décourage, s'adaptent à tous les climats, aux éléments, aux reliefs, et un jour, la descendance d'un paysan normand ou breton se retrouve à l'autre bout du monde, dans une cabane comme il y en a des centaines sur le fleuve gelé, en train de pêcher je ne sais quel poisson, après avoir fait un trou dans la glace, en se torchant au « caribou ». À l'origine, cette boisson mythique était faite de sang de renne – caribou en québécois – et d'un tord-boyaux quelconque pourvu qu'il soit fort. Avec le temps, le gin a civilisé le breuvage, et c'est un vin cuit qui joue le rôle du sang. Très bon, très calorique. L'inconvénient est qu'il ne faut pas s'arrêter d'en boire sinon le froid vous gagne.

On a terminé notre tournée à Québec. Nous étions logés à l'hôtel Concorde, à deux blocs du Grand Théâtre. Le temps était au beau et le ciel d'un bleu vif sans nuages alors que la veille il nous avait copieusement montré son pouvoir de nuisance. À l'heure de la répète, comme d'habitude, le bus vint nous chercher mais, en bons Français plus malins que les autres, un grand nombre d'entre nous décida d'aller au théâtre à pied. On a juste eu le temps d'arriver au milieu du boulevard. Impossible de continuer. Demi-tour immédiat et on s'est engouffrés dans le bus, sous l'œil narquois du chauffeur. Il faisait beau, certes, mais presque moins trente et nos joues ont failli éclater sous le froid sec, terrible.

La veille, Guy Latraverse, qui m'avait prévenu d'une surprise, avait fait les cinq cents kilomètres qui séparent Montréal de Québec dans ce qu'on appelle là-bas une « poudrerie », c'est-à-dire du vent violent qui soulève de la neige, qui crée des congères, le tout rendant la vision et la circulation très difficiles sinon parfois impossibles, tant que les déneigeuses ne sont pas passées. Il arriva pour déjeuner. Alors ? La surprise ?

J'en suis resté bouche bée. J'avais devant moi quelqu'un qui ne faisait pas partie de l'histoire qu'on était en train de vivre. Bruno Coquatrix ! Je commençais à bien connaître le bonhomme et je doutais fort qu'il soit venu jusque-là, et dans la tempête, pour revoir une fois de plus le spectacle, lui qui ne s'éloignait jamais de son théâtre, sinon pour faire l'aller-retour Paris-Cabourg, dont il était maire. Rolande avait, également, fait le voyage et je sentais que ces deux-là étaient de mèche. Alors, Bruno ?

Et il y alla tout de go.

— Michel, tu ne peux pas avoir monté ce spectacle pour seulement quinze jours d'Olympia ! Il faut recommencer.

Des rires et une larme

Il faut y retourner. Moi, si tu me dis oui, je te laisse la salle à partir du mois d'avril et t'y restes tant que tu veux...

Voilà ce que le patron de l'Olympia était venu me dire, dans le blizzard du Grand Nord. Quand je pense qu'il avait fait ce long voyage pour me convaincre, en ayant la trouille que je l'envoie bouler, alors qu'il nous proposait simplement de rentrer à la maison, dans ce temple qui reste, à mes yeux, même dans sa forme actuelle, la plus belle salle de spectacle de Paris...

17

BIG BAZAR 4

Pour comprendre ce qui va suivre après notre retour du Québec, il nous faut remonter le temps. Quatre ans en arrière. Lors d'une projection privée d'*Un enfant dans la ville* au Club 13, salle de projo de Claude Lelouch, avenue Hoche, Zazie Gélin avait amené son beau-père, Yves Robert, que je revoyais pour la première fois depuis *Les Copains*. Ma bifurcation du cinéma vers la musique l'amusait beaucoup. En sortant de la projection, il lança, comme ça, à Pierre Sisser, le réalisateur de l'*Enfant* :

– Eh bien, il ne vous reste plus qu'à faire un vrai film de comédie musicale...

... Sans bien se rendre compte de ce qu'il allait déclencher. Sisser se retourna vers moi. Le ver qui venait d'entrer dans sa pomme passa aussitôt dans la mienne. Ainsi, dans les mois et années qui allaient suivre, parallèlement à la création des chansons du Big Bazar naissant, j'allais, sans me presser, mettre en chantier ce que je voulais être « une œuvre ».

Comme ces journalistes qui ont, dans un tiroir, un bouquin qu'ils ne finiront jamais, quel jeune musicien n'a pas rêvé d'écrire une symphonie ? Il m'est arrivé deux ou trois fois, je l'avoue, de vouloir laisser derrière moi une trace forte, histoire de démontrer que j'avais plusieurs cordes à mon arc, que je pouvais boxer dans des catégories différentes, et, aussi, de me confronter à mon seuil d'incompétence. Quel artiste n'a pas l'espoir d'échapper à l'étiquetage réducteur pratiqué, à la va-vite, par les interfaces que sont les programmateurs et observateurs dits privilégiés ? Cette démarche peut toujours paraître présomptueuse, mais c'est de la présomption, souvent, et de l'outrecuidance, parfois, que naissent les plus belles créations, chargées d'innocence, d'énergie, d'enthousiasme et de provocation, plus salutaires, à mon avis, que l'acceptation moutonnière et à-quoi-boniste.

« L'œuvre », je la voyais bien s'appeler « HLM ». L'ouverture, sur laquelle je travaillai en premier, faisait « Pom... Pom... Pom... ». Il est vrai que, sans la musique, ça reste un peu abstrait, je le concède, mais je tenais mon « H... L... M... » !

Que se passait-il dans ce HLM ? Nous l'apprendrons petit à petit, avec Pierre Sisser, en nous racontant des bouts d'histoire, et en imaginant ce que pouvaient porter les différentes mélodies dont j'accouchais lentement, car la création du Big Bazar restait ma priorité.

Depuis que j'ai fait de la musique mon métier, j'ai perdu l'habitude d'en écouter comme je le faisais auparavant. Méfiance incontestable envers tout ce qui pourrait m'influencer. En revanche, j'entends tout et ne me déroute que pour ce qui m'étonne, un arrangement, une mélodie, une voix peut-être, un texte également s'il est porteur d'émotion.

N'étant pas sectaire dans mes goûts musicaux, je garde de ce fatras disparate et éclectique qu'est ma culture musicale quelques tendances maîtresses pour orienter les chemins que je veux emprunter.

– Les Beatles, musique légère, maligne et tendre à la fois, rythmique sans affectation, archi pop, très difficile si l'on veut faire original.

– La musique sud-américaine ou méditerranéenne, mélodique et rythmique. C'est vraisemblablement celle qui, génétiquement, me ressemble le plus. Beaucoup d'harmonies, savantes si possible. Souvent festive et bonne pour les jambes, le cul, et pourquoi pas, la tête, si le texte s'y prête. Une précision s'impose : je donne toutes les bossas du monde pour une belle samba lente.

– Les grands romantiques classiques, avec une petite préférence pour les Russes dont Prokofiev, qui ne sont jamais loin dans mes ballades contemplatives ou enflammées. Certaines des harmos qui accompagnent les œuvres romantiques ont la particularité de me prendre aux tripes, sinon de me faire chialer comme une midinette. J'adore ça.

– Les folklores, de la « morna » du Cap-Vert aux chants ashkénazes d'Europe de l'Est, en passant par quelques très vieilles belles chansons françaises.

– Le jazz, dont je n'arrive pas à me défaire, comme un premier amour de jeunesse dont le souvenir ne veut pas me lâcher les baskets et qui arrive toujours à me choper au détour d'une rêverie musicale.

– Et puis les électrons libres, les musiciens de spectacle parfois spectaculaires : Kurt Weill, Bernstein, et peu d'autres.

Pour « HLM », je sentais l'option romantico-kurt-weillienne. Ou l'inverse. Au choix.

Pierre Sisser avait, de son côté, fait son boulot de réalisateur. Plusieurs réunions avaient eu lieu dont certaines au Moulin de la Guéville, chez Yves Robert et Danièle Delorme, où je fis la connaissance d'Alain Poiré, grand bonhomme du cinéma et de la production de films, pour une prise de contact avec la Gaumont. Finalement c'est avec UGC que se fera le film.

Les « je-sais-tout » très avisés de cette grande maison ont d'abord commencé par m'énerver. Pour eux le titre « HLM » était trop triste, alors que « Michel Fugain et le

Big Bazar »... c'était la fête ! J'eus beau argumenter et rappeler qu'il y avait quand même un mort à la fin, rien n'y fit. Ils voulaient appeler ça « Un jour, la fête ». Ils m'ont fatigué. Je crois que c'est de là que vient ma méfiance maladive à l'égard des gens de marketing. Ils affirment sans preuve, sûrs de détenir la vérité. Pis, ils ne sont pas sanctionnés quand ils se plantent. C'est toujours le produit qui a tort.

Dégoûté, je n'ai pas suivi les tractations, rebondissements et autres contorsions relatives à la production du film. Mon métier est de faire l'artiste, de la musique et du spectacle. Contrats et paperasseries diverses m'ont toujours fait fuir.

Plusieurs moutures du scénario ont été pondues, dont une de Jean-Marie Poiré, le fils d'Alain, qui, à cette époque, n'était que scénariste. Autant d'étapes que j'ai suivies de loin, en faisant confiance et en m'en remettant aux hommes de l'art.

Il n'y a guère que le casting qui m'ait intéressé. Il était clair que le Big Bazar allait constituer l'essentiel de la distribution et devait assumer tout ce qui était chanté et dansé. L'histoire était celle d'une bande de jeunes qui entraient en bagarre avec un député-maire affairiste, à l'image des mœurs de l'époque. Les petits rôles furent pensés puis écrits pour les membres du Big les plus repérés dans le spectacle. Kaplan, Mouron, Vava, Stéphanie, mais là, tous avaient un personnage à faire vivre. Il était convenu que Pierrot Fuger, en plus d'être chorégraphe, serait l'un des trois potes assez marginaux qui n'étaient pas pour rien dans la déclaration des hostilités. Il serait le mécano, le fou de moteurs, resté au pays. Pour jouer le deuxième, nous n'avons pas cherché bien loin. Didier Kaminka, dans le rôle de boute-feu revenu de pas mal de choses, avec sa voix traînante et rocailleuse, était parfaitement crédible. Je devais être le troisième larron, Michel, une sorte de routard qui rentrait d'un long voyage et qui constatait que les choses ne s'étaient pas arrangées pendant son absence. Trois potes dans la vie, trois potes à l'écran. Ne manquait que Zazie Gélin, mais son côté « fils de famille » le rendait par trop inimaginable dans cet univers de banlieue.

Il y avait également Marie, serveuse du bistrot du coin, dont on comprenait vite qu'elle avait eu une love affair avec Michel avant qu'il ne parte. Là, c'est Pierre Sisser qui nous a fait la surprise en nous offrant Nathalie Baye. Nathalie l'adorable, l'intelligente, la douce Nathalie. Mais faut faire gaffe quand même. Elle sait se faire respecter. Nous l'avions tous vue dans *La Nuit américaine* de Truffaut, film dans lequel elle jouait la scripte, et cette jolie fille toute simple qui était en train de se faire un nom avait un grand avenir. Elle accepta d'être Marie.

Comme Sisser évoluait à ce moment-là dans la sphère Lelouch, Charles Gérard, acteur fétiche de Claude, fut de l'aventure. Il fut un patron de bistrot tendance gros con FN plus vrai que nature. L'auteur du drame c'était lui. Normal.

Le député-maire fut Michel Beaune, acteur éminemment sympathique à la filmographie impressionnante, homme à tout jouer et tout terrain. Un de ces artistes qui vivent leur vie professionnelle sans jamais espérer être en haut de l'affiche, leur seul but étant d'être bons, vrais, sûrs.

Restait à mettre le tout en musique. À partir de mi-février nous n'avons fait que ça.

Comme d'habitude, les enregistrements eurent lieu à Londres. Jean Bouchéty avait fait un travail absolument magnifique. Il est presque arrivé à me convaincre que j'étais un grand compositeur. Ses arrangements étaient conçus pour un orchestre symphonique et je n'essaierai même pas de décrire ce que j'ai ressenti à la première écoute, lorsque cette somptueuse machine de guerre qu'est un symphonique a entamé l'ouverture... Les séances du grand orchestre se firent à Wembley, dans des studios mythiques. On rentra de Londres pour enchaîner avec les prises de voix au Studio des Dames.

Problème : Pierrot Fuger et Didier Kaminka ne chantaient pas. Il fallut les doubler. Pour Pierrot, ce fut assez simple. Il avait une voix parlée douce et assez flutée. Laurent Voulzy, qui n'était pas encore connu du grand public, s'y colla. Laulau, archi musicien, talentueux, et lui aussi voué à un grand avenir, mit en boîte ses interventions sans aucune difficulté.

Pour Didier, ce fut un peu plus ardu. Sa voix grave ne m'évoquait personne dont le timbre pouvait s'approcher. C'est là que je me suis souvenu de Michel Elias. Un soir nous étions allés, en troupe, voir *Godspel*, une comédie musicale dont la Bible, très à la mode alors, était le fil conducteur. Y jouaient notamment Dave, particulièrement drôle, Daniel Auteuil, excellent, et Michel Elias, que je ne connaissais pas, étonnant. Après le show, les deux troupes s'étaient retrouvées au troquet et avaient copiné pendant deux heures. Michel s'était révélé, en déconnant, un super faiseur de voix à l'imagination incroyable. C'est ce qui m'est revenu en mémoire. Il allait forcément nous refaire le timbre de Didier. Effectivement, il le fit.

C'est une chanteuse prénommée Laurence, joli timbre et bon phrasé, qui doubla Nathalie Baye. Nathalie m'en veut encore. Chaque fois que nous nous rencontrons, elle m'engueule et me reproche de ne pas l'avoir laissée chanter elle-même. Mais elle était très difficile, cette chanson, Nathalie ! C'était vraiment un truc de chanteuse. Des hauts, des bas, des pleins, des déliés. Des nuances, des *forte*, et une mélodie compliquée. Impossible si tu ne fais pas ça à plein temps.

Je suis toujours étonné que les comédiens et comédiennes nourrissent à ce point le rêve de chanter. Comme

288

si c'était facile. Comme si notre métier était, finalement, un passe-temps auquel n'importe qui peut s'adonner. C'en est vexant, à la longue. Certains directeurs artistiques, reniflant la bonne occasion de faire de l'argent, n'hésitent pas à les enregistrer et sortent, avec force promo à la clé, un disque qui, la plupart du temps, se révèle être un bide et reste dans les bacs. Car le public ne pratique pas le mélange des genres et pour lui donner envie d'aller jusqu'au marchand de musique le plus proche, il ne suffit pas d'ouvrir la bouche et d'émettre un son. Je connais plus de chanteurs devenus de bons comédiens que l'inverse.

L'album une fois terminé, nous n'avions plus qu'à reprendre à l'Olympia le 4 avril 1974. Le spectacle était parfaitement rodé, d'une efficacité redoutable et il nous suffisait de retrouver nos marques. Cette remise en place fut marquée par le retour de Stéphanie. Elle était désormais parfaitement en forme et piaffait depuis longtemps de retrouver sa place au sein de la troupe. Inutile de dire qu'elle connaissait sa partition par cœur. Elle nous avait vus des dizaines de fois. Cordélia nous quitta avec d'autant moins de regret que c'était elle, maintenant, qui était enceinte. Pierrot allait, dans quelques mois, être papa.

La promo de l'Olympia fut facile car Guy Lux, fan du spectacle qu'il avait vu en janvier, fit bien plus que nous inviter dans son émission archi-populaire. Il nous donna, à la surprise générale, trois quarts d'heure d'antenne. Trois quarts d'heure pendant lesquels il ne se montra pas. Il nous annonça et disparut. Le temps d'un mini spectacle, nous avions la télé pour nous tout seuls. Quand on sait à quel point Guy était bavard et squatteur d'antenne, on imagine l'épreuve qu'il a dû surmonter. Un tel cadeau ne s'oublie pas.

On approchait de la date de reprise lorsque la France apprit, le 2 avril, que Georges Pompidou venait de mourir. Ce fut le retour du roi de l'intérim, Alain Poher, que l'Histoire retiendra comme un bouche-trou exemplaire et chanceux. Pour être deux fois dans sa vie président de la République, il n'eut qu'à attendre. Que l'un s'en aille et que l'autre meure.

Nous allions donc être en spectacle en pleine campagne présidentielle. En fait, on allait dépasser de loin les dates des élections, puisqu'on est restés à l'Olympia jusqu'au 4 juillet...

La campagne présidentielle opposait un certain nombre de candidats, dont Arlette Laguiller et Jean-Marie Le Pen, qui étaient déjà en lice, mais le combat des chefs se déroulait entre François Mitterrand et Valéry Giscard d'Estaing. Les gazettes, comme il n'y a pas très longtemps, se faisaient l'écho des ralliements et des supports aux deux challengers avec une tendance marquée à mettre en lumière ceux qui se déclaraient pour Giscard. On a vu en photo au côté de leur favori des nouveaux riches, des affairistes, des vendus qui allaient à la gamelle, mais aussi des producteurs de télé, des présentatrices et... Johnny Hallyday plus deux ou trois chanteurs et chanteuses qui s'étaient subitement découvert une conscience politique. Là, ça m'a gonflé. L'immersion dans la création du Big m'avait tenu éloigné de la chose publique et je ne relevais la tête que pour regarder de temps en temps les infos, avec l'impression désolante de revoir sans arrêt les mêmes VRP proférant les mêmes lieux communs, dans un régime peu enthousiasmant. Mais là c'était trop. Je m'en suis ouvert à la troupe qui dans son ensemble se sentait plutôt « le cœur à gauche » et nous avons décidé de faire officiellement campagne pour Mitterrand. Le lendemain, la fleur au fusil du petit homme devint, naturellement, une rose. Sur scène, dès qu'on le pouvait, on glissait une vanne, on décochait quelques lazzis, on tournait en ridicule Giscard et sa prononciation cotonneuse. Il n'était pas question de faire des meetings. Nous ne faisions qu'utiliser les armes dont les bouffons disposent depuis la plus haute Antiquité. En un mois, une seule personne, une femme, a quitté son fauteuil en maugréant.

Au premier tour, Mitterrand est arrivé largement en tête. Jubilation sur scène, puis dans les coulisses, et champagne chez Maryline.

Quinze jours après, la veille du deuxième tour, le samedi, soirée populaire par excellence, nous avons vu débarquer à l'Olympia une armada de complets-veston et de dames très chics, entourant un petit bout de femme au grand sourire généreux, au regard perçant et rieur à la fois, Danielle Mitterrand. Après les hommages franchement respectueux que je lui présentai, Georges-François Hirsch et Claude Bessy, directrice de l'école de danse de l'Opéra, qui semblaient piloter tout ce monde, m'expliquèrent qu'ils venaient tous passer un bon moment avec nous et oublier un peu la campagne. Georges ajouta qu'ils en profiteraient, quand même, pour distribuer des roses aux spectateurs. Autant faire d'une pierre deux coups. Les politiques ne perdent jamais le fil.

Dans le spectacle, nous avions la chanson *Tout va changer*. Pain bénit, une veille d'élection, après plus de quinze ans de la droite au pouvoir.

Tout va changer, demain,
Tu n'as qu'à ouvrir les mains...

Quand on en arrivait au fameux : « *Qu'on allume des millions de chandelles* », conformément à la toute nouvelle tradition des spectateurs complices, tous ceux qui avaient un briquet l'allumaient en essayant de le tenir le plus longtemps possible avant de se brûler.

Ce samedi soir, 18 mai 1974, à la phrase clé, l'Olympia entier s'illumina. Deux mille places, deux mille flammes. L'émotion était décuplée par le texte de la chanson. Ce *Tout va changer demain* et l'espoir qu'il recouvrait fit circuler dans la salle un frisson que les gens présents ce jour-là ne sont pas près d'oublier.

Dans les coulisses, on était sûrs de notre coup. Demain, Mitterrand... Haut la main !

Il s'en est fallu d'un doigt de cette main-là. Nous allions devoir attendre sept ans pour entendre celui que nous ne regretterons pas nous dire d'une voix sinistre : « Au revoir. »

En tout, on aura joué trois mois, dans une salle bourrée à craquer. Ça finit par faire du monde. Nous n'avons arrêté que pour commencer les répétitions des ballets du film, le tournage étant prévu en septembre. Nous avons quitté la scène et les ovations quotidiennes pour passer notre été à Clichy, dans une salle de sport glauque et surchauffée.

Pierrot avait auditionné des danseurs pour gonfler un peu la troupe et se donner la possibilité d'écrire des ballets plus spectaculaires. On avait confié le dessin et la réalisation des costumes à Annie Ravier, folle de mode, au goût irréprochable. Ses créations nous ont un peu surpris. Elle avait pris le parti du décalage. Ça ne sentait pas vraiment la banlieue, mais ça plaisait.

En ce début des années soixante-dix, la banlieue et les cités n'avaient strictement rien à voir avec celles d'aujourd'hui. Moches, mais calmes, peuplées de prolos qui rêvaient de profiter des fruits de la croissance, elles n'étaient pas encore ces ghettos où la rage le dispute à la désespérance. Le décor dans lequel était censée évoluer notre bande de jeunes se situait quelque part dans l'imaginaire, mais toute ressemblance avec des personnes existantes était, bien sûr, le fruit de notre volonté. Sauf qu'on ne chante pas, dans la vie. On ne danse pas, non plus, ses états d'âme. Une comédie musicale est une convention. Les personnages sont des stéréotypes. Tout y est en valeur absolue. On ne fait pas un documentaire ou une étude de mœurs. L'histoire se doit d'abord d'être simple, et toute transposition et stylisation des décors et costumes est non seulement possible mais bienvenue.

Fin août nous étions prêts, habillés, textes sus, pas encore maquillés, mais ça n'allait pas tarder. Le temps était au beau et au chaud. On allait sûrement avoir une belle arrière-saison. Le tournage devait commencer à la mi-septembre. À Chanteloup-les-Vignes.

Chanteloup-les-Vignes était une charmante bourgade des Yvelines, en bord de Seine, offrant au marcheur du dimanche un visage paisible et délicieusement campagnard, jusqu'à ce que les pouvoirs publics décident de l'orner d'une méchante balafre : une cité HLM. De grandes barres surgirent du sol calcaire – propre à la culture d'un petit vin blanc séculaire dont les vignerons d'ici étaient fiers – qui n'était plus, à ce moment-là, qu'un immense chantier boueux. Les destructeurs d'environnement ont souvent besoin d'un alibi culturel pour perpétrer leurs forfaits. Ici, comble du cynisme, ils appelleront ça des murs-images : des portraits géants des grands écrivains et poètes français sur les façades aveugles des immeubles. Victor Hugo, Baudelaire, Rimbaud, Chénier étaient censés justifier l'immonde. Cet enfer de 1974, qui n'a fait qu'empirer depuis, portait le doux nom de « La Noé ». En référence, sans doute, à l'Arche dans laquelle fut entassé le bétail universel.

Encore vide de tout occupant, on aurait pu croire que ce décor touchant au surréalisme avait été construit pour le film. Des générations et des idées qui s'affrontent dans la boue, sous le regard des grands de notre culture, entre des blocs de béton cru et glacé qui préfigurent la rigidité d'une société à venir. En gros, l'essentiel était là.

À La Noé, ce fut le déluge. Il a plu du premier au dernier jour de tournage. Ou presque. La pause-déjeuner au catering, la cantine, était le seul moment agréable de la journée. On regardait l'heure tourner, pressés d'en finir et de rentrer à la maison. Le seul souvenir un peu glamour de cette aventure fut la visite de Lino Ventura que Charles Gérard, ou je ne sais qui chez UGC, avait convaincu d'entrer dans la production du film. Il arriva pour partager notre repas. Il nous faisait une visite de politesse et, éventuellement, venait vérifier qu'il avait bien placé son argent. C'est le poids spécifique de ce grand monsieur qui m'a frappé, tout d'abord. Il n'était pas du genre à entretenir la conversation. Face à lui, il valait mieux ne pas tricher. Il regardait. Les yeux et les hommes. On pouvait avoir l'impression qu'il les partageait en deux catégories. Les vrais, les bons, Brel, Brassens... et le reste. Ce côté binaire lui allait bien, et était raccord avec sa légende. J'aurais eu du mal à l'imaginer faisant des analyses fines, pesant le pour et le contre. L'homme était carré, solide, mais sans doute plus fragile que les apparences ne le montraient. Une animalité certaine se dégageait de sa façon d'être à l'affût du moindre détail. Paraître n'était pas son but. Un fauve ne paraît pas, il est. Lino était.

Je ne suis pas sûr qu'il soit reparti en me considérant comme l'un des siens. Avec le Big, nous représentions, à ce moment-là et à l'âge qu'on avait, une société qui avançait, totalement étrangère à celle qu'il connaissait, et que, de toute évidence, il ne souhaitait pas. Trop désordre.

Pendant un mois, chacun a fait son boulot. Les acteurs furent irréprochables. Garçons et filles ont puisé en eux tout ce qu'ils avaient d'énergie positive, mais c'était trop de pluie, de froid et de boue. On a quitté La Noé et Chanteloup-les-Vignes sans se retourner.

Restaient à faire quelques jours en studio, le montage, puis le mixage du film – opération de rabotage, par une technique désuète et des machines antédiluviennes, de notre bande musicale magnifiquement réalisée en quarante-huit pistes sur des consoles sophistiquées.

Allez, fin du coup ! On passe à autre chose.

Un jour la fête sortira en 1975 et sera un flop total. La leçon, maintes fois vérifiée, tirée de cette aventure, fut que les milliers de spectateurs qui ont aimé des artistes sur scène ne se précipitent pas nécessairement pour les voir au cinéma. Je persiste à dire que le public ne pratique que très rarement le mélange des genres, et c'est tant mieux. C'est la garantie que rien ne remplacera jamais le spectacle vivant.

L'« album n° 3 » était sur les rails. Il n'y avait pas d'urgence à le sortir car Rolande avait mis en vente, pour Noël, le *live* enregistré pendant l'Olympia, qui marchait très fort et nous permettait de souffler un peu.

L'objectif immédiat était la tournée de fin d'automne. Retour au quatrième pour remettre en place le spectacle.

Deux jours suffirent. Il était imprimé dans nos cellules, gravé dans notre ADN.

Rolande cherchait depuis longtemps la meilleure façon de tourner. Elle connaissait parfaitement les données techniques du spectacle et savait les difficultés que représentaient le montage spécifique et le volume de matériel qu'il nécessitait sur scène. Changer tous les jours de théâtre, c'était à chaque fois se retrouver dans des espaces différents et des conditions de travail qui nous obligeaient, sans cesse, à nous y adapter, et, par voie de conséquence, à ne pas donner tous les soirs le même spectacle. Après une grosse discussion avec Gégé et Gérard Pernet, on tomba tous d'accord sur le fait qu'un chapiteau serait la solution idéale. Notre théâtre ambulant, en quelque sorte. Rolande passa un accord avec une grande famille du cirque, la famille Robba, et c'est avec eux que nous sommes partis sur les routes pendant le mois et demi qui nous séparait de la trêve de Noël. Dans le même temps, Rolande avait pris un nouveau collaborateur et conseiller, spécialisé dans le fonctionnement des cirques, Hubert de Malafosse, un grand bonhomme, très vieille France, qui semblait connaître tous les emplacements réservés aux cirques dans toutes les villes de l'Hexagone et de ses pays limitrophes. C'est lui qui était l'avant-courrier, responsable du contact avec les villes où nous devions jouer, et de l'affichage. Nos affiches, en effet, avaient changé de taille et étaient devenues de grands panneaux très visibles. Sur la route, le convoi de camions peints aux couleurs et au nom de « Michel Fugain et le Big Bazar » et des caravanes de « Monsieur Robba » et de ses employés était impressionnant.

Avec un chapiteau, il y a au moins une surprise par jour. Des incidents, des accidents, des gradins qui s'écroulent, des bagarres entre fortes têtes, car les monteurs et démonteurs sont souvent des cas limites, et quand les intempéries s'y mettent, on peut s'attendre au pire. Comme à Tarare, par exemple, un jour de vent très fort, où la première image que nous avons vue en descendant du bus fut un monteur à dix mètres du sol, accroché à un hauban de la toile du chapiteau qui claquait dans le vent. Le type, un dur de dur, était trimbalé comme au bout d'un fouet, de droite à gauche, de haut en bas, dans les airs, et mettait un point d'honneur à ne pas lâcher. Il a passé la nuit à l'hosto. L'équipe de montage n'a jamais pu dresser notre théâtre. Ce soir-là, ce fut relâche obligatoire. C'est bon, aussi, de temps en temps.

On allait ainsi de ville en ville, préférant les grandes, Lyon, Lille, Marseille, Bordeaux, où nous nous installions une semaine. L'affichage se faisant à cent kilomètres à la ronde drainait assez loin dans le département autour de la capitale régionale. On n'arrêtait que pour se laisser le temps d'écrire des chansons, les enregistrer et monter le spectacle suivant.

Nous étions totalement autonomes. Nous ne dépendions de personne. Mon rêve initial était réalisé.

Poser nos valises une semaine dans les villes nous permettait, aux uns et aux autres, d'avoir une vie quotidienne suffisamment stable pour ne pas nous sentir déracinés. Stéphanie, par exemple, prit l'habitude d'emmener en tournée Marie, qui avait maintenant un an. Une nounou nous suivait pour veiller sur elle le soir. C'est à partir de ce moment-là que notre fille va devenir « une enfant de la balle », fascinée par la musique et la danse, exigeant que Steph lui achète des « robes qui tournent », c'est-à-dire, comme toutes les mamans le savent, des jupes qui se soulèvent en corolle lorsque leur fille joue les derviches tourneurs. Après quoi, Marie s'endormait sur des caisses au milieu du bruit et de l'agitation, sans que ses rêves en soient, le moins du monde, perturbés.

Lors de notre passage à Nice, une bande de joyeux fêtards se joignit à nous au final. Masqués, costumés, maquillés, lâchant des ballons de toutes les couleurs dans le chapiteau, ils nous ont fait le carnaval de Rio et mis le souk sur scène. Sans agressivité aucune, bien sûr. Pour que la fête continue, tout simplement. Ils nous ont rejoints dans les coulisses et nous ont invités à venir manger dans leur restaurant. En général, on se méfie des galères de ce genre. On ne sait jamais dans quel bouge on va tomber, mais ils ont tellement insisté qu'on a fini par se laisser faire. On est arrivés sur les hauteurs de Nice, dans un lieu incroyable, un temple de la déjanterie et des allumés réunis, appelé la Madonette. Les deux frères qui en étaient les propriétaires et animateurs, Gé et Pitou Cavallera, deux fous de spectacle, de musique et de chansons, authentiques Nissarts avec l'accent, les attitudes et les expressions, avaient transformé au fil du temps la petite gargote qu'ils avaient héritée de leur père en un vrai resto très fréquenté où ils offraient un dîner-spectacle hilarant et hyper potache. Les garçons étaient en patins à roulettes et sillonnaient la salle à toute vitesse, servant un menu unique et très goûteux, spécialités niçoises et gigot à la ficelle. À la fin du repas, la tribu des serveurs et les patrons faisaient le show. Le but était clairement de faire marrer les clients repus, et souvent bien éméchés au champagne. La Madonette était un lieu de fête. Neurasthéniques ou culs cousus s'abstenir. Le rire était gras et ce n'était pas Molière qui avait fait les textes. Cette nuit-là, un pacte tacite a été ratifié entre les deux tribus. Gé et Pitou sont devenus, en quelques heures, des amis, et la Madonette sera pendant longtemps mon point de chute à Nice. Gé fait toujours partie de ma famille. Pitou, lui, a choisi de s'en aller... trop tôt. Et puis, un jour, il y a peu de temps, le chemin de la Madonette est devenue « une pénétrante », et l'urbanisation galopante de la région a condamné à mort cet îlot de la rigolade. De profundis.

On passait généralement à Bruxelles en automne. C'est toujours une promesse de plaisir que de venir montrer son spectacle au public belge. Une tradition orale dit que les Wallons aiment toujours avant les autres et que lorsqu'une chanson, un album, un film, marche chez eux, il marchera ailleurs par la suite. Je n'ai pas complètement vérifié cette affirmation, mais je la garde dans un coin de ma tête. Elle peut, de temps en temps, remonter le moral. Notre premier passage se fit en 1973, dans un cinéma, le deuxième place Flaget, et le troisième, en plein centre. Le réglage du son et de la lumière venait de commencer lorsque je vis, dans le fond du chapiteau, quelques très jeunes garçons et filles qui dévoraient des yeux tout ce qui se passait sous la toile, c'est-à-dire peu de chose pour l'instant. Stéphanie était au courant de leur présence et c'est elle qui me présenta une ado de quinze ans, encore un peu rondouillette, au visage souriant et au caractère affirmé. Elle se prénommait Claudine, se disait fan de la première heure de « Fugain et le Big Bazar ». D'ailleurs, elle avait elle-même formé une petite troupe avec des copains et elle voulait nous montrer le fruit de leur travail. Son groupe s'appelait « Le Mini Brol », ce qui signifiait, en français, le petit bazar. Comme nous n'étions pas tout à fait prêts, je lui ai donné le feu vert et « Le Mini Brol » nous a montré de quoi il était capable. J'avoue que je n'ai pas le souvenir de leur prestation, ni de ma réaction, après. Me connaissant un peu, je suis sûr d'avoir dit à la gamine qu'à quinze ans, l'urgence était surtout de continuer ses études et qu'elle avait bien le temps de voir venir. Une attitude récurrente chez moi : les enfants prodiges m'énervent.

C'est bien plus tard que Claudine, outrée que je ne m'en souvienne pas plus précisément, m'a reconstitué notre première rencontre. Cette Claudine s'appelait Luypaerts. En grandissant, et en rabotant petit à petit ses pseudonymes, elle se fera un jour appeler Maurane. Mauranounette, Mauranoune, ou Mau... Ou, avec le plus grand respect, Madame Maurane, selon que vous êtes de sa famille ou pas.

Ce soir-là, Maurane venait d'entrer dans la mienne et je ne m'en étais même pas rendu compte. Mea culpa, Mau, mea maxima culpa.

Noël 1974 fut le premier vrai Noël de Marie. On le fêta chez mes parents, à Grenoble. Sapin, jouets, cadeaux, papillotes, mandarines, rebaptisées « poutines » par Marie qui ne savait plus où donner des yeux. Pendant une semaine, les grands-mères, Mammine et Martine, le grand-père et la tante Claude n'eurent d'attention que pour leur petite princesse. Stéphanie immortalisait en photo l'émerveillement de notre fille, et moi... j'étais le papa.

C'est ce genre d'occasions qui vous fait prendre conscience que ça y est, vous avez basculé dans la catégorie « adulte, père de famille ».

J'ai toujours tenté d'échapper, au moins mentalement, à ce processus inéluctable. Un artiste, je le crois encore, doit protéger jalousement sa part d'enfance, ses révoltes d'adolescent, et les enthousiasmes de sa jeunesse. Il n'a rien à gagner à devenir adulte. À quoi pourrait bien lui servir d'être raisonnable ? Alors, je résistais en silence...

L'album nº 3 vit l'entrée officielle, dans notre équipe d'auteurs, de Claude Lemesle.

Très vite après la tournée de 1968, Joe Dassin et moi nous étions retrouvé à son mariage avec Valentine. En quelques mois, il était devenu, avec Pierre Delanoë, auteur, attitré et heureux, de Joe, qui s'était hissé au rang de big boss de la chanson populaire française, et dont le succès était largement dû aux textes, généralement bien écrits, de ses deux complices. Enfoui dans la création du Big, j'avais un peu perdu de vue Claude, mais de toute évidence, lorsque j'ai vu arriver Vava avec Jérôme Nobécourt, tous deux membres de la troupe, j'ai compris que le mariage avait fait long feu. Claude était redevenu célibataire, mais son célibat ne semblait pas lui peser outre mesure. Sans doute n'était-ce qu'une apparence. En tout cas, il menait une vie de patachon. Pour rattraper le temps perdu ? Pour oublier ? Pour se perdre ? Je n'ai jamais su.

Pierre Delanoë et Maurice Vidalin avaient une très grande estime pour le talent de leur cadet. Pierre, pourtant, l'accusait régulièrement de vouloir faire du Vidalin, et Maurice se moquait de ses travers delanoesques. Claude restait, bien sûr, de marbre sous les piques de ses deux compères et continuait d'écrire à sa manière, en étant, c'est mon avis, le fils naturel des deux. Il a en effet la fantaisie, la créativité et la technique imparable de Pierre, et de Maurice, l'humanité et les cicatrices à l'âme. Quelle équipe à eux trois ! Quelle chance j'ai eue de les compter comme auteurs et comme amis !

La première épreuve que j'ai soumise à Claude était une petite mélodie facétieuse et sursyncopée, un casse-tête insoluble pour qui n'est pas un vrai bon parolier. Sans que je l'aie pensé de cette manière, c'était une sorte d'examen de passage : s'il fait celle-là, il peut tout faire. Il m'a laissé sur le cul. En un après-midi, il m'a torché un petit chef-d'œuvre d'habileté, de jonglerie de mots et d'idées, qui m'étonne encore. Le tout enrobé de tendresse, qualité incontournable de Claude Lemesle.

> *Dis « oui » au Maître !*
> *Le Maître t'a déjà dit de mettre*
> *Sur l'« i », l'accent circonflexe.*
> *Il est « le Maître »,*
> *Et l'« M » est cette fois majuscule,*
> *Important ! Souviens-t'en ! Virgule,*
> *Tu es sur Terre – Deux « e » et deux « r » –*
> *Pour te soumettre... À qui ?*
> *Au Maître, pardi !*
> *Et pour te taire... Tais-toi !*
> *Fais gaffe à tes doigts !*
> *Et point final, mon pote,*
> *Fais gaffe à ta note !*

J'avais jusque-là Athos et Porthos. Aramis venait de les rejoindre.

Lors du séjour à Montréal, l'année précédente, Robert Charlebois était venu nous saluer à la fin du spectacle et la soirée s'était poursuivie très tard dans la nuit. Robert n'était pas encore le brasseur de bière qu'il fut un moment, mais il avait d'indéniables prédispositions. C'est donc définitivement cuits que nous avons pris la dernière gorgée chez lui, en écoutant de la musique cajun (« kèdjeun », prononciation anglicisée de « acadien ») dont Robert, intarissable, me fit l'historique. Il me raconta l'histoire des Acadiens, ce peuple martyr francophone que les Anglais ont dispersé aux quatre coins de l'Amérique. Je faisais poliment l'effort de ne pas m'endormir et, du fond de ma soûlographie, les images de ce « grand dérangement » qu'il me décrivait avec passion restaient un peu floues. Je n'ai jamais su s'il voulait s'en débarrasser ou s'il voulait faire de moi un adepte de cette musique, mais il m'a chargé les bras d'une vingtaine d'albums que j'ai rapportés en France.

C'est en rentrant du Canada que je me suis vraiment intéressé aux Acadiens, de Louisiane et d'ailleurs, à cette histoire de Français d'hier totalement méconnue des Français d'aujourd'hui. Et pourtant, aux États-Unis, entre Lafayette et Bâton Rouge, il y a des Américains qui s'efforcent de garder vivante la langue de leurs ancêtres.

C'est ainsi qu'est née la chanson *Les Acadiens*, régurgitation amusée d'une tragédie de la grande histoire de l'Amérique du Nord. J'avais le refrain. Maurice Vidalin se chargea des couplets. Dans la pile de disques que m'avait donnés Robert, il y en avait cinq ou six de Rufus Thibaudeau, fiddler réputé que nous avons immortalisé sans lui demander son avis. « La faute à qui donc ? La faute à Charlebois. »

L'année 1975 vit la sortie de l'album n° 3. Celui-ci occasionna un nouveau spectacle, déclinaison des premiers. Le Petit Homme était devenu, pour l'occasion, le fils d'un roi bien fragile, qui apprenait la vie, l'amour, la mort, coaché par l'inamovible coccinelle et body-gardé par un nouveau personnage, Quasimodo, très bien habité par Jérôme Nobécourt. La symbolique lourde ne nous a jamais effrayés. Il était donc normal qu'à la fin, ce soit le mal foutu, le simple d'esprit, le généreux qui trinque. Au cours d'une bastonnade réglée comme un sabbat de sorciers et de sorcières, la troupe vêtue de costumes du Ku Klux Klan le fracassait à coups de manches de pioches, et Quasimodo-Jérôme sortait de scène les pieds devant. Que l'on se rassure, Jérôme revenait très vite sur le plateau. Pas question de rater les rappels et les applaudissements.

Cela dit, les manches de pioches liés à l'énergie parfois incontrôlée de mes camarades du Big valurent à Carine Reggiani de perdre, un soir, les deux incisives du haut. Les progrès de la dentisterie universelle lui permirent, toute-

303

fois, de se présenter le lendemain avec un sourire apparemment intact.

Ce spectacle, loin d'être abouti, marquait, cependant, l'évolution qui nous amènera à celui de l'année suivante. Heureusement, nous ne le présenterons pas à l'Olympia, mais la tournée en province s'étalera du printemps à la fin du mois d'août.

Cette année-là Rolande, toujours attentive au plus grand confort et à la meilleure qualité de services au public, avait passé un accord avec l'« American Circus » (Circo Americano, pour les Italiens) et la grande famille milanaise du cirque, les Togni. Une ère nouvelle commença. Un chapiteau de trois mille cinq cents à quatre mille places, magnifique, dont les abords, l'accueil, la caisse étaient particulièrement soignés. Massifs de buis délimitant l'enceinte, tapis rouge, personnel stylé, habillé de frais pour réceptionner les spectateurs et vendre le programme. Tout cet environnement faisait du théâtre un peu bohémien que nous avions initialement rêvé une sorte d'Olympia ambulant. Autour de la toile, les caravanes étaient disposées de telle manière que les coulisses et les loges donnaient sur une sorte de village convivial qui fut, les soirs d'été, un lieu de fêtes, de spaghetti-parties mémorables et plus que chaleureuses, au nom du rapprochement italo-bigobazarien. Sur la route, les camions impeccables, estampillés d'énormes « Michel Fugain et le Big Bazar », suivis des somptueux appartements sur roulettes des gens du cirque, représentaient un bon kilomètre et demi de longueur. Les pouvoirs publics nous déléguaient, région par région, deux motards des CRS qui faisaient des allers-retours de la tête à la queue du convoi, aidant l'énorme chenille de fer et de couleurs à traverser les carrefours et entrer dans les villes. Impressionnant. Énervant aussi, je suppose, pour les automobilistes pressés qui étaient obligés d'attendre, au carrefour, ou qui se trouvaient dans l'impossibilité de dépasser. Ceux-là ont dû nous haïr copieusement. Qu'ils acceptent, avec un peu de retard j'en conviens, nos excuses les plus sincères.

Le métier de motard, dans ce genre de convoi accompagné, n'est pas sans risques. Lors d'un déplacement du barnum, un automobiliste énervé a coupé le convoi et pris de plein fouet le CRS qui, à ce moment-là, remontait à pleine vitesse de la queue vers la tête. Le chagrin fut unanime. La veille au soir de ce jour funeste, après avoir quitté son uniforme, ce garçon qui venait d'être fauché en pleine jeunesse avait, comme d'habitude, fait partie intégrante de l'équipe. Avec son collègue, pour le plaisir de participer à la fête quotidienne, il vendait, dans les travées, des programmes aux côtés des Italiens, devenus ses amis. C'était ça aussi, l'humeur et l'ambiance de ce chapiteau.

La journée fut sinistre, mais nous n'avions le droit d'être tristes que jusqu'à 20 h 45. Notre métier à nous, c'est de faire sourire la vie.

18

BIG BAZAR 5

Revenir à la vie normale avait toujours quelque chose de déprimant. On vivait ça un peu comme des combattants démobilisés. Stéphanie et moi retrouvions, légèrement sonnés, la quiétude du Moulin, notre maison que nous ne connaissions pas vraiment et dans laquelle nous n'avions pas encore eu le temps de prendre des habitudes. La veille encore, sous le chapiteau, on exultait sous les bravos d'un public qui en redemandait, et là, dans le calme de la vallée de Chevreuse, on se sentait étrangers, tout à coup. Il faut un peu de temps pour que le manque disparaisse, pour oublier les frissons que procure ce shoot quotidien à la bonne adrénaline. Celle que l'on commence à sécréter bien avant le spectacle et qui nous tient éveillés jusque tard dans la nuit. Celle qui fait vivre jeune plus longtemps, qui fait que le temps s'arrête pendant quelques heures. Du temps gagné sur la mort.

Heureusement, j'avais des fers au feu qui m'obligeaient à penser très vite à l'avenir immédiat. Un album de plus, pas encore de trop, le numéro 4.

Pour des raisons que je n'ai jamais élucidées, un an auparavant, Jocelyn Hattab, le représentant du staff en tournée, avait disparu pendant le tournage de notre film. Il est vrai qu'il n'avait rien à y faire. J'ai sans doute raté quelques épisodes de son feuilleton personnel, mais quelques années plus tard, j'ai appris qu'il était parti en Italie et qu'il s'y était fait une place d'animateur de télé, sur Télé Monte-Carlo Italia, où il animait une émission pour les jeunes, très populaire, qui avait fait de lui une sorte disc-jockey vedette. Pour le remplacer, Rolande eut la bonne idée de faire appel à Georges Blanès. Georges, mon vieux complice du fond du couloir des Éditions Barclay. Georges, mon co-compositeur de toutes les chansons des « Incorruptibles ».

Il était écrit que nous avions encore une chanson à faire ensemble. Il avait un départ de mélodie qu'il me joua à l'accordéon. L'instrument donnait à son début de refrain un côté folklorique qui me plaisait. Le temps de repiquer, au piano, ses harmonies, on s'est laissé emporter par l'allégresse, en riant comme des bossus, comme chaque fois que l'on fait « à la manière de ». On est arrivés très vite à une pseudo-danse paysanne d'Europe de l'Est qui, une fois parolée par Maurice Vidalin, s'appellera *Le Printemps*. J'ai encore dans les yeux et les oreilles les éclats du rire grasseyant de Maurice lorsqu'il trouvait, sans peine, les mots justes qui se calaient sur la mélodie comme s'ils avaient toujours été là. On était loin du rock 'n' roll ou de l'Amérique du Sud, mais ce genre de musique est tellement plus amusant à faire qu'on n'avait aucune envie de s'en priver.

Le Printemps fut la première pierre posée de l'album. C'était reparti pour un tour.

Une des grandes mauvaises nouvelles qui allait changer la routine de la troupe fut le départ de Pierre Fuger. Il en avait marre. Marre de la répétition des choses, des tournées, et de la pression constante. Il avait envie de ranger ses valises, d'arrêter la machine et de se retrouver devant une toile ou une feuille de dessin. Il rêvait du calme et du silence de son univers intérieur. Je n'ai pas su trouver les mots pour le convaincre de continuer la route avec nous, d'autant que je comprenais parfaitement l'état de son âme. Je n'étais pas loin, moi-même, de vouloir mettre les pouces, me poser quelque part, ne rien faire, prendre le temps et retrouver mon insouciance envolée. Cela faisait maintenant six ans que, de passion en passion, d'enthousiasme en enthousiasme, je n'avais plus glandé vraiment, alors que c'était ma nature première.

Nous ne nous sommes pas perdus de vue pour autant. Pierrot est encore et restera mon frère, mon alter ego, jusqu'à la fin de mes turpitudes terrestres.

Malgré la fatigue, et peut-être à cause d'elle, il y eut quelques grands moments pendant la création de ce qui sera le dernier album de « Michel Fugain et le Big Bazar ». Des rires, des engueulades, des fâcheries, des réconciliations... Je pourrais dire « comme d'habitude » mais il y avait un petit quelque chose en plus, ou en moins, dont nul n'aurait pu dire, à ce moment-là, ce que c'était et quelle en était l'origine. On était à vif. Il arrive que les artistes – nous en étions tous – soient sensibles aux mauvaises vibrations qui circulent dans la société. La nôtre n'était, effectivement, pas très motivante. Le régime giscardien, qui donnait l'impression de détenir le pouvoir de droit divin, affichait une morgue insupportable, mais ce n'était pas cela qui créait notre malaise. Je crois qu'on ne s'étonnait plus les uns les autres. Insidieusement, la lassitude aidant, le désamour s'installait. La magnifique aventure du Big Bazar nous avait gâtés. Nous étions repus. Nous n'avions plus faim.

Claude, le dernier arrivé dans l'équipe, était le seul à garder sa fraîcheur intacte. J'essayais de faire bonne figure, mais un soir, après qu'il eut terminé un texte très joli et émouvant, *Chanson pour mes amis*, j'ai sauté sur l'occasion pour vouloir fêter ça. Il me proposa, tout de go, d'aller boire un verre au Saint-Hilaire, un de ses QG. Banco ! Un verre, dix verres, je ne sais plus. En tout cas moins que notre Johnny national, qui se trouvait déjà là, avec une grosse avance sur nous. Je n'ai pas le souvenir de la fin de cette nuit, toujours est-il que je me suis réveillé au petit matin dans ma voiture, à la porte des Ternes, avec une fille au maquillage improbable à mes côtés. Cela faisait une éternité que je n'avais plus déjanté. L'espace d'une courte échappée, j'étais redevenu le branleur que je connaissais bien et je n'en éprouvais aucun remords. Je devais me manquer, sans doute.

L'album, qui devait sortir en début d'année, fut enregistré de la même manière que les précédents. Londres pour la musique, Paris pour les voix, Londres à nouveau pour les mixages et sortie juste avant le printemps. Le premier extrait, *Le Printemps*, justement, fut bien évidemment sur toutes les platines des radios. Il était difficile de faire plus à propos et, connaissant l'opportunisme des médias, on s'y attendait un peu.

Cet album n° 4 nous prépara le terrain et nous déroula le tapis rouge pour le mois d'Olympia qui allait suivre, avant qu'on reparte au Canada.

Il y eut un peu de mouvement dans la troupe. Les sœurs Mucret nous quittèrent pour vivre leur vie. Dominique, sous le nom de Mino, sera chanteuse, en Belgique. Véronique se mariera. Elles furent remplacées par deux filles très différentes. La première, Guylaine Allief, mignonne petite poupée russe, blonde aux yeux bleus, très vive et du caractère, affichait la plupart du temps un sourire joyeux de jeune komsomol. Gérard Kaplan ne tardera pas à vou-

310

loir jouer avec cette poupée-là. Pas très grands tous les deux, ils allaient très bien ensemble. Nouvelle venue également, Mireille Perre était l'exact contraire de Guylaine. Grande fille blonde, niçoise, longue en jambes, elle hésitait entre cagole et sauvage. Quelque chose d'animal se dégageait de sa façon d'évoluer et de mouvoir son corps impudique malgré elle. Elle nous avait dit être née à Fès, au Maroc, et les garçons, qui ne rataient jamais une occasion de faire des jeux de mots douteux, en firent Mireille Perre... de Fès. Roland Gibelli, quant à lui, décida de retourner à sa carrière de danseur. Il fut remplacé par un Antillais très sympathique, bon chanteur de rythm and blues au rire contagieux, José Massal. Pas plus attaché que ça à l'esprit Big Bazar, il s'acquittait honnêtement de son job en rêvant de faire, un jour, oublier Otis Redding. Pas dans la poche... Christian Dorfer n'était donc plus le seul black de l'équipe. Et puis, en surnombre, un garçon très original et bourré d'humour nous rejoignit. Exceptionnellement physique, pas très grand, athlète plus que danseur, intelligent et généreux, il se nommait Philippe Pouchain. Ce blond vénitien à la barbe bien taillée était le fils de Jacques Pouchain, peintre et sculpteur dans un village de Provence, Dieulefit, cher à mon cœur.

L'accueil de l'album et le succès du spectacle furent inversement proportionnels au petit coup de moins bien que j'avais éprouvé tout au long de leur réalisation. L'Olympia était bourré à craquer, le public en liesse, et, finalement, le spectacle 1976 fut le véritable aboutissement des cinq ans de travail du Big Bazar. Nous avions devant nous des familles entières, des petits-enfants aux grands-parents, prenant le même plaisir pour des raisons différentes. Pendant un mois, tout ce qu'on avait semé les années précédentes a commencé à lever et à nous faire de beaux parterres de regards émerveillés, de bouches bées, de rires et de sourires qui fleurissaient à nos pieds. C'est de la pure tendresse que nous ont renvoyée les milliers de gens qui sont venus se réchauffer au coin du Big, pour oublier leur quotidien, pendant deux heures. On offrait un vrai spectacle populaire, pour un public populaire qui se livrait sans retenue à des artistes sincères dont il savait qu'ils ne le truanderaient pas.

Au bout de cinq ans, pourtant, certaines critiques se faisaient acerbes. Un tel succès ne pouvait que défriser frustrés et mal-pensants. Le Big Bazar attrape-tout ? Effectivement nous n'avions pas de chapelle, on était libres de toute attache avec le showbiz. Aucun requin ne pouvait mordre dans ce gâteau-là. On commença à nous reprocher le prix des places. Et pourtant j'ai vu, les samedis, des familles de huit à dix personnes, des prolos qui avaient dû en avoir pour au moins mille cinq cents francs, l'équivalent de deux cents euros, venir me faire signer leurs programmes, qu'ils n'étaient pas obligés d'acheter en plus, et me dire leur joie, qui se lisait d'ailleurs ouvertement sur leurs visages. Un tel budget devait être énorme pour ces petits salaires. Ceux-là ne nous ont jamais reproché le prix de leur soirée. C'est là que j'ai compris que le grand public sort peu, car les sorties coûtent cher, et ne se déplace que lorsqu'il est sûr d'être payé en retour. Par de l'énergie, de la sincérité, et en ayant le sentiment d'être tiré vers le haut avec des images et des mots qu'il comprend, et tant mieux si la musique qui enrobe le tout est agréable à écouter. En revanche, je suis bien incapable de dire au nom de quels critères il sait que tel ou tel spectacle mérite le déplacement et les sous qu'il faudra débourser. Je suppose que le temps joue en faveur de l'artiste s'il persiste honnêtement dans la ligne qui est la sienne. En cinq ans, on a largement le temps de repérer les tricheurs, les démagos, les nombrilistes ou les escrocs. Il n'y a pas de hasard. Pourquoi, plus de trois décennies après, me parle-t-on toujours du Big Bazar ? Tous les jours, je rencontre des quadragénaires dont le Big fut le premier spectacle qu'ils ont vu dans leur vie. Ils l'évoquent encore avec des étoiles dans les yeux. Les plus âgés avaient trente ans au moins à cette époque, et ont toujours la nostalgie des soirées passées à l'Olympia ou n'importe où, en France et ailleurs. Certains nous ont vus plus de dix fois.

Autant de questions, évidemment, que je ne me posais pas à ce moment-là, et c'est tant mieux. Je me serais senti obligé de trouver une réponse et j'aurais été en danger de devenir un fabricant.

Conséquence de la fameuse soirée où le PS, en délégation, avait accompagné Danielle Mitterrand à l'Olympia, Claude Bessy était devenue une grande amie de Rolande et de la famille. Elle était déjà directrice de l'école de danse de l'Opéra de Paris, mais cela n'empêcha pas Rolande de lui proposer de prendre la place de Pierre pour le spectacle suivant. Claude accepta. L'aventure l'amusait.

J'ai déjà parlé de l'évolution du spectacle initial au fil des années. Nous avions à l'origine un Petit Homme qu'on initiait aux choses de sa vie future. On en fit un prince dans l'histoire suivante. Il devint un extraterrestre, un petit homme vert, dans la dernière mouture. Son costume et la parure inca qu'il avait sur la tête étaient ornés de magnifiques plumes vertes. Le décor était fait de deux pièces maîtresses. Un grand fauteuil, un immense trône, celui de l'Homme, et une grande chaise haute, de bébé ou d'arbitre de tennis, au choix, le siège de Dieu. C'est Philippe Pouchain qui s'y colla. Stéphanie fut deux fées à la fois : Mélusine et Carabosse. L'une masquant l'autre et réciproque-

ment, interprétation quelque peu orientée, je l'avoue, de
« la Femme ». Comme, par ailleurs, on ne se privait pas
de ridiculiser les travers de l'Homme, on était quittes.
Marions-les ! C'est ce que nous avons fait. Tous les soirs,
moi qui avait un peu bâclé mon vrai mariage, je réépousais,
sur scène, la femme de ma vie, avec, pour témoins, cette
fois, des saltimbanques et le public.

La vie que nous allions raconter au petit homme vert
s'appelait « La Cour des Miracles ». C'est Victor Hugo qui
nous a fourni une partie du casting : Jérôme Nobécourt
nous peaufina le Quasimodo qu'il avait créé dans le spectacle précédent. On lui ajouta une Esméralda, que joua
Mireille Perre... de Fès. Jean-Pierre Lacot fut Gringoire et
Johnny Montheillet, Gavroche. Vava, toute de bleu ciel
vêtue, fut Perrette, sans son « pot au lait » qui l'aurait un
peu encombrée. Guylaine Allief fut Alice – du Pays des
merveilles –, une chipie qui allait en faire baver au petit
homme vert. Carine Reggiani, toujours aussi Bollywood,
appela le personnage qu'elle avait mis au point Mata Hari,
et Christiane Mouron abandonna, sur le bord d'une feuille
sans doute, sa dépouille de coccinelle, pour se muer en « le
clown ». Restaient nos deux blacks, Christian Dorfer et
José Massal, qui furent respectivement Vendredi et l'Oncle
Tom. Tous les soirs, je lançais le spectacle en présentant
ce petit monde :

– Nobles seigneurs, gentes dames... La Cour des Miracles !

Et c'était parti pour deux heures de bonheur intégral.

Ce bonheur, en ce qui me concerne, fut largement
entamé par un fâcheux incident de parcours. Traditionnellement, on commence un mardi, le lundi de relâche servant
à s'installer. Les trois premiers jours furent mon pain blanc.
Éclate, carton, succès, sur un nuage. Bruno Coquatrix et

Rolande m'avaient demandé si, le samedi, on ne pouvait pas, exceptionnellement, ajouter une matinée pour des associations caritatives. « Oui... bien sûr... y a pas de problème », avais-je répondu en pensant toutefois que la dernière, le dimanche après-midi, serait sans doute difficile. Mais, avec la relâche du lundi, je pensais avoir le temps de reposer ma voix. Optimiste, le gars. C'est à « l'arrache » que j'ai fini le spectacle le dimanche. Je suis sorti de scène quasiment aphone. Le lundi se passa sans que je dise un mot, et je me suis réveillé, le mardi matin, sans voix, ou, plus exactement, avec le feulement abominable d'un chat de gouttière sur la défensive.

À ce moment précis, je sais que je ne pourrai pas récupérer avant le soir. Appel immédiat de ma petite sœur chérie et phoniatre de surcroît. Visite en urgence à l'hôpital Saint-Antoine ou elle bosse le matin. Examen des cordes vocales. Verdict ? La vache ! C'est rouge vif. Un énorme œdème. Allez, cortisone. Pas un peu. Beaucoup. Traitement d'attaque : quatre piqûres de quatre milligrammes dans la journée. Dans le même temps, branle-bas de combat à l'Olympia. Il va falloir annuler. On verra demain. Je suis mort, triste, j'ai envie de chialer comme un gosse. Je déteste annuler. Je vis ça comme une trahison. Je rentre me coucher. Je vais me recroqueviller dans un coin et attendre que ça passe. À raison de deux piqûres par jour, ça n'est « passé » qu'au bout de trois semaines. Mise à part l'annulation de ce jour funeste, on a joué tous les soirs. Tous les soirs, j'ai eu sous les yeux les visages ahuris des gens qui me voyaient entrer en scène, tout beau, tout blanc, et m'entendaient éructer mon « Noble seigneur... etc. ». Pire, plus les jours passaient, plus ma voix était mauvaise. Ma bande de copains du Big n'a jamais cessé de m'épauler et ils ont courageusement chanté à ma place quand plus aucun son ne sortait de ma gorge. La science se penchait sur mes cordes vocales à heure régulière avant le spectacle.

Claude invitait, quotidiennement, des spécialistes confrères pour leur montrer le cas, exhiber la bête : et chaque fois que les hommes de l'art relevaient la tête, après inspection, ils avaient une moue qui en disait long sur leur surprise et leur perplexité. Et vlan ! on m'en remettait une couche : une piqûre dans les fesses, plus une intraveineuse pour que l'effet soit plus rapide. En vingt et un jours, j'ai pris dix kilos. La cortisone donne faim. Je mangeais comme un ogre. Steak-frites-salade au petit déjeuner. Même courir, tous les matins, une bonne heure et demie dans la forêt n'y fit rien. Le Big Bazar, cette bande d'enfoirés qui ne respectaient rien, m'appela « Bouboule ». Sans parler des dames qui prirent très vite l'habitude de mettre la main à mon cul rebondi. Pas désagréable, certes, mais mon costume était à deux doigts de craquer. La cortisone énerve, également. J'ai passé trois semaines à avoir envie de péter la gueule au premier connard qui me disait bonjour avec une belle voix bien claire, alors qu'il n'en avait pas besoin, lui. Cela dit, j'étais en pleine forme.

Au bout de ces trois semaines, le diagnostic des toubibs se précisa.

– C'est une ampoule due à un forçage ! Il faut attendre qu'elle crève... Y a que ça.

Une ampoule ! On peut se faire une ampoule sur une corde vocale ? Non, mais...

L'avant-dernier samedi soir de cet Olympia qui restera gravé dans ma mémoire d'une pierre blanche d'un côté, et noire de l'autre, au moment où le petit homme vert me demandait qui j'étais, je lui répondis comme d'habitude :

– Je suiiiis... l'Homme !

Et là, dans la lumière des spots, j'ai vu un jet de liquide gicler de ma bouche dans l'air, et entendu ma voix passer de rien à tout. On/off. Mon « Homme ! » avait crevé l'ampoule et ma voix était intacte. Ce soir-là, j'ai fait le spectacle un mètre au-dessus de la scène. Mes pieds ne touchaient plus terre. J'étais heureux comme un gamin, et comme un gamin je pirouettais dans tous les sens. Je me retrouvais. Je retrouvais les vraies sensations, les réponses vibrantes du public. Le bonheur d'Arlequin à l'état pur.

J'ai goûté chaque seconde de chaque soirée de la semaine qu'il nous restait à faire à l'Olympia, et juré, une fois pour toutes... qu'on ne m'y prendrait plus.

Montréal, juin 1976. De l'Olympia aux Olympiques. La ville était en pleins travaux de préparation des Jeux qui devaient s'y dérouler en juillet. L'ambiance générale était à la fête. Les Québécois adorent que leur pays soit au centre de l'intérêt universel. L'été s'annonçait beau et les filles se dénudaient chaque jour un peu plus. Il est vrai que dans ce coin du monde où les intersaisons ne durent pas long-temps, lorsque l'hiver s'en va, que la neige et le froid sont allés se faire voir quelque part dans l'hémisphère Sud, la vie s'empresse de reprendre son droit de cité, de jardins, de parcs et de terrasses de cafés. Nous étions programmés à la Place des Arts, salle Wilfried-Pelletier où nous avions déjà nos habitudes. Vingt et un jours. Vingt et une fêtes avec, à chaque fois, quatre mille Québécois et Québé-coises, public rieur et bon enfant, qui ne demandaient qu'à avoir un peu de « fun ». On commençait à être tellement implantés là-bas que certains d'entre eux pensaient que nous étions du pays.

Stéphanie, Marie et moi habitions dans les Laurentides. Michelle Pilon, une amie de longue date, collaboratrice de Guy Latraverse, notre producteur, nous avait prêté son chalet à Sainte-Marguerite près d'un lac, à cinquante kilo-mètres de Montréal. Cadre idéal pour récupérer, à condi-tion de se prémunir contre les maringouins, les moustiques du coin, et les mouches noires, ces saloperies d'insectes qui vous enlèvent carrément un bout de peau.

La série de spectacles à Montréal terminée, nous sommes partis pour Ottawa. Arrivé un peu en avance dans une salle superbe, j'étais tout à mon admiration des espaces, du rideau de scène très particulier, de l'acoustique idéale du théâtre lorsque le bus de la troupe arriva. Par une porte donnant sur l'extérieur, au fond du plateau, je vis toute l'équipe entrer, à la queue leu leu, garçons et filles, vanity case à la main, puis traverser la scène sans le moindre regard pour le théâtre, et se diriger vers les loges, pour choisir la meilleure ou la plus proche, ou encore pour ne pas la partager avec un tel ou une telle. J'ai éprouvé, sur le coup, un tel dépit que je crois bien que c'est là qu'a commencé à germer mon envie d'arrêter. Je venais de voir des petits fonctionnaires. Le Big Bazar, que j'avais telle-ment rêvé comme une troupe descendant en droite ligne des comédiens, histrions et bateleurs du Pont Neuf, m'a paru vieux, soudain... Peut-être faisaient-ils confiance. Peut-être qu'ils s'en foutaient, tout simplement. Ici ou ail-leurs... Qu'importe. De vieux enfants gâtés par le succès, par la réussite incroyable de ce pari complètement fou de constituer une troupe et d'en vivre confortablement. Sans en apprendre grand-chose, ou, en tout cas, pas l'essentiel.

Ce ne fut même pas une réflexion. Un flash, simplement. Le big bang aussi ne fut qu'un flash, après tout, mais il fallut quelques milliards d'années pour que la Terre devienne ce qu'elle est.

La soirée fut à l'égal de toutes les autres. La tournée continua et se termina à Québec comme elle avait commencé. Triomphale.

À peine rentrés du Canada on repartait sur la route jusqu'à la mi-décembre.

*
**

Parmi toutes les villes où nous installions le chapiteau, certaines étaient un peu fétiches. C'était le cas d'Antibes. L'année précédente, la municipalité nous avait donné l'autorisation, très rare sinon unique, de nous installer au Fort Carré, sur le vaste terrain au pied de la forteresse construite par Vauban, qui domine l'entrée du port. Emplacement idéal, position hyper stratégique où nous étions restés une semaine. En ce mois d'août 1976, c'est deux que nous resterons. Pendant quinze jours, on ne bougea pas. Des semi-vacances sur la Côte d'Azur. Steph, Marie et moi étions logés chez mon pote Gé de la Madonette qui, en plus du restaurant de nuit, tenait pendant tout l'été une plage de Nice, repaire de marchands de jeans, de nouveaux riches et de gangsters, qui exhibaient leurs Cartier, leurs gourmettes et leurs fausses blondes archi bronzées de partout, malgré les tonnes d'or qu'elles transportaient sur elles. Mer et soleil la journée, spectacle le soir. La belle vie.

Signe d'opulence, chacun avait sa voiture. Nous étions tous dispersés. On se retrouvait à la balance, on jouait le soir, et on se séparait jusqu'au lendemain.

Tous les soirs, le chapiteau était plein à craquer. Il arriva même, un jour, qu'il fût bourré au-delà du raisonnable. Une agence de location s'étant emmêlé les crayons, certaines places avaient été louées deux fois. Georges Blanès s'est montré à la hauteur. Avec un sens de la diplomatie que je ne lui connaissais pas, il arriva à convaincre les gens de se pousser un peu sur les gradins, à gagner de la place ici, glisser une chaise supplémentaire là, mais beaucoup restaient debout et on ne pouvait pas commencer. Il a fallu que j'y aille moi-même. Les mécontents s'attendaient tellement peu à me voir qu'ils se sont calmés et que finalement, à force de bonnes volontés, tout le monde fut casé. La sécurité et les pompiers ont heureusement fermé les yeux, mais il y avait sûrement cinq mille personnes dans un chapiteau conçu pour quatre. Je laisse imaginer la chaleur sous la toile en plein été.

Comme une emmerde n'arrive jamais seule, au milieu du show, pendant que je chantais, j'ai senti un brouhaha, une agitation que je ne pouvais pas voir, aveuglé que j'étais par les projecteurs. Par intercom, Gégé me dit alors que les gens paniquaient parce qu'ils sentaient une odeur d'essence. Je fis rallumer en catastrophe.

– Hop ! hop ! hop ! Où vous allez, là ? Qu'est-ce qui se passe ?

Je revois encore les gens debout, prêts à partir, me dire que l'odeur d'essence... que la peur du feu...

– Où le feu ? Quel feu ? Vous voyez de la fumée, là ?

Les Italiens, qui avaient rapidement fait le tour du chapiteau, confirmèrent qu'il n'y avait de feu nulle part. Rendus à l'évidence, les spectateurs se sont rassis et le spectacle a repris. Plus tard, et toujours dans l'intercom, Gégé me passa l'explication donnée par la sécurité : un pétrolier avait dégazé au large et la saloperie qu'il avait lâchée en mer était en train d'arriver sur la plage toute proche. Entre deux chansons, j'ai transmis le message et on a pu terminer comme si rien ne s'était passé. En conclusion : on a eu chaud.

George Blanès avait pris le parti de vivre carrément dans l'enceinte. Il habitait une caravane avec son neveu, Bruno, qui, étant en vacances, s'était joint à nous pendant cette tournée d'été. J'avais connu Bruno bien avant, chez Georges, et je savais la joyeuse complicité qui liait l'oncle et le neveu, lesquels pratiquaient l'humour pied-noir à longueur de journée. Bruno était à cette époque en rupture de Club Med et n'allait pas tarder à être animateur à FR3 Marseille où il se fera un nom avec sa complice Chantal Lauby. Bruno Carette, car c'est de lui qu'il s'agit, sera plus tard un des mecs les plus drôles de France, aux côtés de ses copains les Nuls, avant d'être terrassé par une saleté de maladie à la con. Treize ans seulement après cet été 1976.

Lyon, parc de la Tête-d'Or. Depuis toujours, j'ai pris l'habitude, exaspérante pour ceux qui m'attendent dans le bus pour aller à l'hôtel ou au resto, de signer des autographes et de rencontrer les spectateurs. Cela fait longtemps que j'ai compris que les autographes, pour la plupart des adultes, ne sont qu'un prétexte pour parler, de tout, de rien, et d'eux-mêmes, surtout. J'en ai en général pour une bonne heure et demie. Tant que j'en aurai la force, je ne sacrifierai jamais ces moments de contact au départ faux et convenus, mais que l'on peut rendre tellement vrais et humains.

Un des soirs de cette semaine à Lyon, un tout petit bout de jeune fille, dont j'ai su par la suite qu'elle était venue nous voir plusieurs fois, me dit qu'elle voulait faire partie du Big Bazar. Mille fois j'avais entendu ça. Je lui ai demandé ce qu'elle faisait dans la vie. Elle était étudiante en je ne sais plus trop quoi, et, comme d'habitude, je lui ai dit de finir ses études, de se faire un bagage, et qu'elle aurait bien le temps de voir, après. Elle s'appelait Mimie, avait un regard de ciel bleu et un large sourire dont la générosité n'était pas feinte, malgré son handicap. Mimie était en effet, selon l'expression bien-pensante et hypocrite, une personne de petite taille. Ma réponse l'a déçue, forcément.

Ce que je ne pouvais pas savoir, c'est que cette petite Mimie avait de la suite dans les idées, une âme de bagarreuse, et un caractère en acier trempé. Nous étions appelés à nous revoir.

En France, Giscard continuait de crachoter ses discours lénifiants et semblait à deux doigts de se pacser avec l'Allemand Helmut Schmidt. Gérald Ford, l'Américain, se distinguait en se ramassant dans les escaliers ou en descendant de son avion, amnistiant au passage les vilenies de Nixon. L'Angleterre, qui s'est toujours crue supérieure à tous les autres, était en attente de Margaret Thatcher et de ses coups de trique. Raymond Barre, notre Premier ministre depuis fin août, gérait la crise qui s'amplifiait, après le premier choc pétrolier. L'humeur générale était à la morosité.

Parti des États-Unis, faisant rapidement tache chez les rosbifs, le mouvement punk prenait de la vigueur. Les jeunes de Liverpool et Manchester hurlaient « No future ! ». La World Company, qui avait retrouvé ses esprits après la « chienlit » universelle de 1968 et qui n'en était pas à un cynisme près, phagocytait la tendance, et faisait beaucoup d'argent sur le dos du désespoir. L'épingle à nourrice en était devenue l'emblème, la crête d'Iroquois l'étendard, et le doigt d'honneur la philosophie. Comme il faut bien qu'une boucle se boucle, on va voir fleurir, dans les quartiers chics, des punkets et des punkettes, qui sans s'en douter vont purement et simplement égorger les mômes de Liverpool et de Manchester, lesquels avaient, pourtant, de vraies bonnes raisons de vomir la société qui les laissait pour compte. C'est la loi du commerce. On diffuse au maximum. On banalise, en attendant de surfer sur la prochaine mode, et au diable les dommages collatéraux !

Nous, pendant ce temps-là, on continuait de chanter l'espoir, les lendemains meilleurs, la fraternité, tout en dénonçant, sur un mode majeur, l'inhumanité d'une société qui, définitivement, tardait à changer. C'est ce « mode majeur » qui n'était plus dans l'air du temps. L'ère du premier degré commençait. Les jeunes, qui n'avaient que huit à dix ans en 1968, s'inventaient un nouveau vocabulaire, de nouveaux codes, et un autre type de provocation, pendant que les adultes découvraient les délices de la consommation et le plaisir d'être cajolés par des marchands qui en voulaient à leurs économies.

Je sentais bien le décalage qui se creusait de jour en jour. Sous peu, le Big Bazar et son indécrottable optimisme allait être rangé sur l'étagère des vieilleries, entre la boule à neige et les castagnettes ramenées des dernières vacances en Espagne. En cinq ans, les comportements changent profondément. Les rêves se transforment, quitte à devenir des cauchemars. Contre ça, l'artiste ne peut rien. Il constate, s'immerge, aspire et recrache. L'erreur fatale serait qu'il s'enferme dans une tour d'ivoire. Le splendide isolement que constituent la réussite et le succès n'est rien d'autre qu'un kyste mal placé qui peut entraîner la mort. Il y a urgence à extraire, ou à s'en extraire.

Ajoutons à cette réflexion ce que j'avais entrevu à Ottawa, la fatigue, la répétition, d'année en année, des processus de création d'albums ou de spectacles, l'impression d'avoir fait le tour du sujet, et le départ de Pierrot qui, finalement, me laissait bien seul : ma décision d'arrêter ma participation au Big Bazar se faisait de jour en jour plus évidente. J'avais envie de me retrouver, de reprendre mon chemin de faiseur de chansons et de me donner la possibilité d'évoluer, moi aussi.

Tout cela, je l'ai dit à Rolande, bien sûr. Elle n'a pas sauté de joie, évidemment. Elle a compris, quand même, qu'il y allait de ma survie. Rolande, me connaissant bien, savait que ma liberté était la condition sine qua non de mon envie de faire.

Avant toute chose, je devais réunir la troupe. Le pow wow eut lieu dans la caravane des loges, à Lille, fin septembre.

Certains furent étonnés, d'autres moins, mais tous furent tristes. Ça sonnait comme une fin de récré. Les mines de mes camarades étaient aussi grises que le ciel lillois qui pleurait à froides larmes. J'ai expliqué mes états d'âme, en omettant volontairement certaines impressions qui auraient pu les blesser, dit ma fatigue et ma lassitude, préférant passer pour un souffreteux que pour un traître, et annoncé qu'à la fin de la tournée, je me retirais. En accord avec Rolande, je leur laissais les clés et la possibilité de continuer en tant que Big Bazar. À eux d'en faire ce qu'ils souhaitaient. Ils allaient pouvoir à leur tour inventer des albums et du spectacle. Rien ne changeait dans la manière, sinon que mon nom disparaissait de l'affiche. C'est tout...

– Réfléchissez, mais je crois que c'est une chance à ne pas rater.

Ils avaient, maintenant, du grain à moudre, la possibilité de montrer ce qu'ils savaient faire, et l'espoir de gagner.

– Cela dit, on a encore trois mois de tournée. Ça nous laisse le temps d'en reparler et, à vous, d'y penser sérieusement. Allez ! Au boulot.

Le lendemain, un journaliste de *La Voix du Nord* annonçait la séparation, immédiatement relayé par les radios parisiennes. Ce fut d'actualité un jour. Pas plus.

Après notre semaine lilloise, très agréable « car les gens du Nord » ont vraiment « dans le cœur le soleil qu'ils n'ont pas dehors », le convoi prit la direction de Bordeaux, en s'arrêtant dans les grandes villes intermédiaires où nous ne restions qu'un jour.

Bordeaux, sur la somptueuse place des Quinconces.

Le hasard des programmations fit que nous étions deux chapiteaux côte à côte. Nos amis du cirque Bouglione nous accueillirent avec un sourire d'autant plus sincère que nous n'étions pas concurrents. Cette proximité nous a permis de voir nos spectacles respectifs et de partager des moments très agréables, les uns invitant les autres et réciproquement. Depuis cette période où nous étions assimilés à la vie des cirques, je garde, pour ces grosses familles dans lesquelles les frères, les cousins, les sœurs, les oncles perpétuent les traditions et la manière de vivre des gens du voyage, une amitié sincère et un respect profond. Ils ne sont généralement pas faciles, mais les difficultés qu'ils rencontrent sont tellement énormes que, sans vouloir leur trouver des circonstances atténuantes, je comprends qu'ils soient, de temps en temps, un peu bord cadre.

Bordeaux nous connaissait. C'était la deuxième fois que nous installions notre grand théâtre ambulant sur la place des Quinconces. Et c'est à Bordeaux que l'avenir proche s'est mis en marche.

À la fin de cette semaine bordelaise, à l'heure de la balance, Rolande me présenta un grand et jeune mec filiforme, au sourire aussi efficace que sa poignée de main. Il se présenta comme responsable culturel de la ville du Havre, dont il me dit d'emblée qu'elle était la plus grande municipalité communiste de France. Visiblement, il en était assez fier et sa façon de me donner cette précision, toutes dents dehors et en battant des cils, pouvait laisser penser qu'il jaugeait ma réaction. Il constata que le mot « communiste » ne provoquait pas chez moi une soudaine poussée d'urticaire. Max Serveau – c'était son nom – avait dormi dans la DS pendant le trajet Le Havre-Bordeaux et devait rentrer la nuit suivante. C'était important, donc. Il était dûment mandaté pour venir prendre contact avec moi, nous, le Big, Rolande, etc. On décida, d'un commun accord, de tout se dire après le spectacle, autour d'une table, et je repris la balance.

Max, qui n'était pas loin de débuter, avait encore ce petit côté « socio-culturel » dont les municipalités communistes ont le secret, et le Big Bazar n'était, a priori, pas sa tasse de thé. Trop populaire, pas assez intelli-chiant.

Il attendit, comme tout le monde, que j'aie fini de signer les autographes après le spectacle, et on passa aux choses sérieuses : bouffer et boire un coup de bordeaux. Il me dit avoir été surpris par la qualité de ce qu'il avait vu et ça le confortait dans la proposition qu'il venait nous faire. Il m'expliqua qu'une grande manifestation annuelle se déroulait au Havre, « Juin dans la rue, mois de la jeunesse », pendant laquelle les animations se multipliaient dans la ville, permettant à des groupes de se faire entendre, à des comédiens de montrer leurs créations, et au public de voir des spectacles qu'il n'avait pas forcément les moyens de s'offrir. Généreux, utile, pas con.

Si je précise que nous étions à table et à Bordeaux, en train précisément de boire du vin de la région, c'est que ce facteur est important pour la suite. J'ai laissé Max me donner le moindre détail de cette animation, me bornant à ponctuer le tableau qu'il m'en faisait de « Super ! » et de « Ah, bien ! ». À la fin, j'ai demandé :

– Et... C'est quoi le but de ta visite ?

– On a pensé que le Big Bazar pouvait faire trois jours pendant le mois de juin prochain.

– Mais Max, on n'existera plus en juin ! On arrête en décembre.

– Vous arrêtez, mais... Vous allez reprendre, après.

– Ah, non, non, non, non, non ! Fini. On plie les gaules.

Et là, j'ai commencé de lui dire qu'en plus, son projet n'était pas bon. « Juin dans la rue » me semblait être une fête populaire. Un spectacle venu d'ailleurs, installé pendant trois jours, n'était qu'une pièce rapportée qui n'aurait rien à voir avec l'éthique même de la manifestation. Dans une fête comme ça, c'est le peuple qui doit être acteur. C'est lui qui doit faire et non pas se contenter de regarder des artistes qui viennent et se tirent dès qu'ils ont terminé. Sinon, c'est du showbiz ! Autant faire un festival. Au moins c'est clair. Moi, si c'était moi...

Pour que j'en arrive à dire deux « moi » dans une phrase de quatre mots, c'est que le bordeaux commençait à me chauffer. Il y avait, sur la table, une nappe en papier. On a poussé les assiettes, Max m'a prêté son stylo et le délire a commencé.

J'ai dessiné ce que pouvaient être les grandes lignes d'une fête populaire dans laquelle le peuple du Havre aurait le premier rôle. La nappe se couvrait de cercles, de liens entre les cercles, de flèches vers un point central. Les cercles représentaient des quartiers, parce qu'une ville est faite de quartiers dont chacun a une identité, qu'il soit ouvrier, petit-bourgeois ou résidentiel. Le principal était de mobiliser. Porter la bonne parole. Convaincre. Vaincre l'isolement et la tentation de l'immobilisme. Il faut leur donner des choses à faire. Quand on fait, on est fier. Un peuple n'est jamais aussi heureux que lorsqu'il se retrouve au coude à coude avec lui-même, sur un même projet. Il faut que les gens se parlent. Il faut les sortir, ne serait-ce que quelques jours, de devant la télé qui retient chez soi, qui anéantit peu à peu toute vie sociale. Une fête est toujours séditieuse. Ce n'est pas par hasard que tous les régimes totalitaires interdisent d'abord, lorsqu'il y a du tirage, les rassemblements de plus de deux personnes. À trois, c'est déjà le risque d'un début de prise de conscience. Alors... Y a combien d'habitants au Havre ? 250 000 ! Tu te rends compte... Si on en a le cinquième, ça devient le grand soir ! Il faut que toutes les générations se rassemblent. « Juin dans la rue, mois de la jeunesse », mon cul ! C'est « Juin dans la rue » qui m'intéresse. Une fois que t'auras programmé tes vingt-cinq groupes de rock qui ne rassembleront que des jeunes, t'auras fait bouger qu'une partie de la population. Les autres resteront chez eux, devant Guy Lux. Une vraie fête populaire, c'est toujours un peu la « fête des fous », celle où le peuple tournait en ridicule les institutions, le pouvoir et les curés. Soupape de sécurité ? Et alors ? Ce qui est dit est dit. Il faut longtemps pour que les idées circulent et que les mentalités changent. Mais pour ça, il faut dire, il faut faire, il faut rire, s'émouvoir, aimer, gueuler, bouffer, boire et baiser !

Max me regardait avec des yeux tout ronds, se demandant sûrement si je n'étais pas un peu frappadingue. Puis il me dit qu'il allait devoir y aller et se faire le voyage de retour en dormant dans la DS.

– Je peux emporter la nappe ?

Il prit la nappe en papier. On se salua. Et il repartit vers son destin.

Le dernier spectacle de la dernière tournée de Fugain et le Big Bazar eut lieu à Franconville, au nord de Paris. Il pleuvait et le terrain n'était que gadoue. Au final, on a sûrement dû éprouver un gros pincement au cœur. Je ne sais plus. Personnellement, j'avais déjà fait une croix. On s'est sans doute beaucoup embrassés les uns les autres. Dans l'état de fatigue où j'étais, je ne pensais qu'à rentrer à la maison.

Autant que je me souvienne, je n'ai jamais eu de nostalgie. Je ne regarde jamais dans le rétroviseur et suis de ceux qui partent sans se retourner.

*
**

Les années qui vont suivre me permettront, après décantation, de faire le bilan complet de ces cinq ans.

Curieusement, chaque fois que les gens me parlent du Big Bazar, ils ont en général l'impression que ce n'est pas si vieux que ça. Plus de trente ans, quand même ! Ah, bon ? Ben ouais... Et seulement cinq ans d'existence. Il est vrai qu'en cinq ans, nous avons réalisé quatre albums studio et une comédie musicale, soit un album tous les ans. Il est vrai aussi que certaines chansons ont été de tels succès qu'elles ont fini par passer dans l'inconscient collectif. Pendant longtemps, les spectacles de fin d'année des collèges étaient toujours des copies du Big, avec la reprise des personnages et des costumes aux couleurs chatoyantes. À mon plus grand étonnement, c'est encore vrai aujourd'hui, d'ailleurs. Les clubs de vacances ont été des relais inespérés. Toutes les fins de semaines, GM et GO se déguisaient, chantaient le Big Bazar ou au moins commençaient leurs bouffonneries par *Attention mesdames et messieurs !*.

Qu'est-ce qui a pu déclencher ce succès phénoménal ? Je crois que c'était ce qu'attendait la société dans laquelle cette troupe a vu le jour. Au lendemain de mai 68, personne ne savait vers quoi on allait. Le monde entier était en apnée. Et nous sommes arrivés en parlant de liberté, d'amitié et d'espoir. Les jeunes ont aimé ça, se sont identifiés, et leurs parents étaient contents qu'ils nous aiment. Une sorte de chaîne d'amour qui s'est faite toute seule. Les plus surpris ? Nous. Jamais l'idée ou la recherche du succès n'a été un moteur. Au départ il n'était question que de plaisir. Celui de travailler ensemble, en essayant de grandir et d'imposer petit à petit notre façon de faire du spectacle et d'en vivre le mieux possible, sans passer sous les fourches caudines d'un showbiz sclérosé. Et puis, les chansons, les tubes successifs nous ont propulsés dans une dimension que nous n'avions pas envisagée. À partir de là, on a bien été obligés d'assurer. Alors, autant faire de son mieux.

J'ai été amené, mille fois, à rétablir la vérité. Non, nous n'étions pas une communauté baba. Non, nous ne couchions pas tous ensemble, et chacun rentrait chez soi ou dans sa chambre d'hôtel après le boulot. Je sais que c'est moins exotique pour le lecteur en quête de sulfureux mais bien meilleur pour la réflexion et la création. Non, ce n'était pas difficile humainement, et on ne vivait pas des psychodrames permanents. Une troupe c'est beaucoup de monde, et c'est bien plus facile à gérer qu'un groupe formé de quatre ou cinq individualités dont les ego finissent toujours par s'affronter. Il est arrivé, une fois, qu'un des membres du Big fasse un caca nerveux et décide de ne pas monter en scène. OK, mec. On a simplement serré les rangs et personne ne s'est aperçu qu'il n'était pas là. Il n'a plus jamais recommencé.

L'égalité des salaires a beaucoup intrigué, également. Certains, qui ne voient le monde qu'à travers le prisme mesquin de leur propre mental, restaient dubitatifs, hurlaient à l'effet de communication, ou colportaient volontiers que c'était un mensonge. Désolé. Oui, leader, artistes de scène, musiciens et techniciens, nous avions tous le même cachet. Étant sur la route six à huit mois par an, nous vivions confortablement. Mais jamais le Big Bazar n'aurait existé si l'on avait respecté une quelconque hiérarchie dans les salaires. De la même façon, nous n'aurions jamais pu nous offrir le matériel son et lumière qui était, à cette époque, ce qui se faisait de plus pointu. Le Big Bazar n'était pas une communauté, c'était une sorte de kibboutz ou de coopérative.

Je n'ai qu'un regret. « L'expérience Big Bazar » a mis en échec les illusions égalitaires que je tenais de ma culture familiale. La démocratie aurait dû impliquer, outre l'égalité des salaires, un investissement de chacun sur tous les problèmes rencontrés. Ce ne fut jamais le cas. J'ai bien été obligé de constater que, même dans une microsociété comme la nôtre, « la base » s'empresse de déléguer un petit nombre aux emmerdements, recréant peu à peu la pyramide des responsabilités et une hiérarchie de fait. Mon expérience de citoyen ne m'a jamais démontré le contraire. Dans sa diversité, le Big n'était rien d'autre qu'un « échantillon représentatif » de notre société.

En revanche, il y eut de belles satisfactions, comme par exemple le jour où Gérard Pernet, au nom de l'équipe technique, a convoqué en fin de spectacle l'équipe de scène. Nous venions de quitter Antibes, et, de toute évidence, nous étions encore en vacances plutôt qu'en tournée. La mobilisation n'était pas à son plus haut, ni le strict respect des conventions. Bref, il y avait du relâchement.

D'un côté les artistes, de l'autre, Gérard, en meneur des techniciens.

– Écoutez-moi, les kikis. Je vous rappelle que nous, on se lève à quatre ou cinq heures du mat' pour faire la route, puis le montage, et le soir on fait le spectacle. Et là, qu'est-ce qu'on voit ? Une bande de rigolos qui font n'importe quoi, qui se marrent entre eux sur scène et qui ne respectent pas le public. Nous on n'est pas d'accord. Y a pas de raison qu'on se crève pour des artistes qui sont pas professionnels. Alors vous vous ressaisissez très vite, vous recalez tout ce qui a bougé, ou nous, on arrête.

En mon for intérieur, je jubilais. J'ai fait de cette mise au point une victoire personnelle. Elle était là, ma conception de la troupe ! Une équipe technique qui remonte les bretelles aux artistes, je n'avais jamais vu. Le lendemain tout est rentré dans l'ordre. C'était ça aussi, le Big Bazar.

Ce gros barnum a eu la chance d'avoir un staff très efficace qui a toujours su ménager les données artistiques et les contingences économiques. Ce n'était pas une usine à pognon et c'est sans doute ce qui nous a permis de travailler autant. N'étant pas un homme d'argent, le contraire m'aurait vite fait fuir. Le talon d'Achille de cette grosse entreprise était qu'elle reposait, pour beaucoup, sur mon envie et la passion qui m'animait. C'est pour cette raison qu'il fallait arrêter au sommet de la réussite. Je me suis fais copieusement insulter, traiter de tous les noms d'oiseaux par des amis qui me voulaient du bien, pensant que le bien était de presser le citron au maximum. Il y avait de l'or à faire avec le Big, pendant longtemps, encore. Comme si ce genre d'argument pouvait me faire changer d'avis ! Il en va de la chose artistique comme de l'amour : on ne peut pas faire semblant de désirer. Et le désir était passé.

Le Big Bazar m'a apporté des joies immenses. C'est au sein de cette troupe que j'ai appris tout ce que je sais faire. J'ai appris le plateau, les gens dessus, les gens devant, le rythme, les vibrations, les pleins, les déliés, la lumière des regards, le son des silences... Tout ce que je sais, je le tiens de là. J'y ai même désappris le trac. Entrer en scène avec quatorze copains, quatorze énergies, de la complicité, des fous rires qu'on retient, des sourires qui épaulent... Un bonheur ! Pourquoi aurais-je peur du bonheur ? Bien sûr, les soirs de générale, lorsqu'on présente pour la première fois le spectacle qu'on a imaginé, on est inquiet, on a la trouille d'être passé à côté, de ne pas posséder pleinement son sujet, donc de ne pas être suffisamment performant, mais tout ça est oublié dès qu'on entre dans le rond de lumière. Si on est seul dans sa tête, on ne sera jamais que deux sur scène. Soi-même et le reste du monde. Ça oui, ça fout la trouille. Si, au contraire, on est avec les autres, c'est toute une bande qui entre s'éclater pendant deux heures, pour le plus grand plaisir de ceux qui espèrent s'éclater avec eux. Rien que du bonheur, toujours...

*
**

Mi-décembre, bien au chaud au sein de ma famille, je récupère, rêvasse, tourne autour de mon piano. Je m'émerveille devant Marie qui vient d'avoir trois ans et qui fait tourner ses jupes de plus belle. J'aime Stéphanie qui, en retrouvant sa maison, est passée de son rôle de « fée Mélusine et Carabosse » à celui de fée du logis et de super maman. Tout est paisible. Tout va bien...

Téléphone. C'est Max Serveau. Il m'a fallu un peu de temps pour recadrer l'attaché culturel du Havre.

— Aaah... Ah, oui. Max ! Comment vas-tu, Max ?

— Très bien. Alors, voilà, je t'appelle pour te dire que j'ai montré la nappe, et que tout le monde est d'accord.

— La nappe ? Quelle nappe ?

— La nappe du resto, à Bordeaux !

— Ouais... Et ils sont d'accord pour quoi ?

— Ben ! Pour faire ce que tu as dessiné sur la nappe. Si c'est OK pour toi, le 20 on se voit avec tout le conseil municipal et on commence.

Alors là ! Il m'a cueilli le Max. Après avoir raccroché, je n'avais, en gros, qu'une seule question en tête :

— Mais putain ! Qu'est-ce que j'ai bien pu dessiner sur cette nappe ?

19

UN JOUR D'ÉTÉ DANS UN HAVRE DE PAIX

Le 20 décembre au petit matin, je partais rejoindre Max Serveau à la mairie du Havre, avec la ferme intention de lui dire que j'étais désolé mais en convalescence de Big Bazar, et que les médecins m'avaient prescrit le repos pendant quelques mois.

Depuis son coup de téléphone, j'avais plus ou moins retracé dans mes souvenirs les grandes lignes de ce que j'avais dessiné sur la nappe et le projet m'avait paru tellement barjo que mon seul salut était dans la fuite. J'évitais, donc, en pénétrant dans l'agglomération, de trop regarder autour de moi, de peur de m'attacher. Je ne perdais pas grand-chose car, en 1976, Le Havre était un peu revêche. De ses rues et de ses murs ne se dégageait pas vraiment une impression de bonheur incommensurable. Le ciel bas et plombé y était sans doute pour beaucoup. Le béton aussi. Plus j'avançais vers le centre, plus le cœur de la ville semblait s'endurcir. De grandes avenues se coupaient à angles droits, bordées d'immeubles à l'architecture stalinienne et balayées par un vent froid et humide. Rehaussant ce décor psychorigide, trônait la mairie, monument sévère élevé à la gloire des ciments Lafarge par un maître d'œuvre ignorant tout des voluptés que peuvent procurer le rond, l'ovale ou la courbe.

Le grand sourire de Max et ses battements de cils me firent l'effet d'un coup de chaud au milieu de la Sibérie. Il me conduisit dans la salle du conseil où se trouvaient déjà les édiles et présidents d'associations en tout genre, qui m'attendaient sans plus de chaleur que ça. Seul le maire, André Duroméa, m'accueillit avec un franc sourire. Il m'expliqua qu'il connaissait mon père, qu'il en savait les exploits en tant que résistant et les combats qu'il continuait de mener. André Duroméa était lui-même une figure de la Résistance, un brave parmi les braves, ce qui lui avait valu le grade de commandeur de la Légion d'honneur. Cela dit, je sentais bien le fond de sa pensée : le prestige d'un père n'est pas héréditaire et il allait falloir que je montre patte blanche.

Max se glissa dans un silence et étala la nappe. En deux coups d'œil, j'ai redécouvert mes élucubrations bordelaises. J'y ai retrouvé mes thèmes récurrents : la fête des fous, le peuple dans la rue, en liesse, Sa Majesté Carnaval que l'on brûle à la fin, et la longue préparation de l'événement pour que la communion dans l'allégresse soit le fait de la mobilisation du plus grand nombre, sans distinction de classe, ni de race. C'est en gros ce que j'ai expliqué à un auditoire attentif. J'ai eu l'impression de devenir plus fréquentable. Max m'expliqua, en douce, les divergences entre les membres de ce conseil – des communistes, des membres d'associations catholiques, des commerçants n'ayant d'autre idéologie que leur tiroir-caisse et forcément méfiants à l'égard de toute initiative qui pouvait coûter sans rapporter – et me dit qu'il allait falloir convaincre en profondeur. J'ai vite compris que ce qui intéressait le plus était la mobilisation, la motivation qui pouvait adoucir les rapports humains dans la ville. Ils évoquèrent les bagarres inévitables autour des spectacles de rock, les bandes de loulous qui cassaient tout, dont la gueule des organisateurs, bref ils doutaient franchement que tout se passe sans heurts ni baston. J'en ai profité pour prêcher une fête résolument populaire et trans-générationnelle, affirmant, en croisant les doigts, que lorsqu'un père de famille participe à un événement, le voyou que peut être son fils ne s'approche pas, de peur de tomber sur le seul homme qui puisse légitimement lui mettre une branlée devant ses copains.

Sur la nappe, il était dessiné que tout devait se faire en partageant la ville en quartiers. Les animateurs de CLEC (Centres de loisirs et d'échanges culturels) que me présenta Max m'expliquèrent comment était foutue la cité et l'on arriva à définir clairement les limites naturelles de sept secteurs. Certains étaient regroupés autour d'un CLEC, d'autres autour d'associations bien implantées.

J'inventais les règles en même temps que je répondais aux questions. Il me semblait évident que j'allais devoir réunir une équipe pour encadrer, catalyser, enthousiasmer, pousser au cul les plus tièdes et que nous allions fournir, clé en main, le spectacle prévu le 18 juin, sans que l'appel du même nom y soit pour quoi que ce soit. On me demanda alors combien ça allait coûter. Pour que nous ne soyons pas perçus comme des profiteurs, des people qui viennent prendre des sous et qui se tirent, j'ai, un peu trop rapidement, répondu que nous toucherions le même salaire qu'un animateur de CLEC et ce, pendant trois mois. Je ne savais pas que celui-ci percevait la somme ridicule de 3 500 francs : 500 euros par mois.

Après avoir déjeuné à la cantine de la mairie, salué tout le monde, promis à Max qu'on se retrouverait le premier samedi de l'année prochaine, j'ai pris le chemin du retour vers la maison et notre campagne sans béton, avec la vague impression de m'être fait avoir sur toute la ligne. Par moi-même.

J'ai cru bon de tenir Rolande au courant de ce qui se profilait. Dans son infinie confiance en mes délires et pulsions, elle ne dit rien dans un premier temps et décida d'entrer en contact avec Max Serveau. Après tout, c'est elle qui me l'avait présenté.

Les fêtes de Noël furent familiales, pour le plus grand bonheur de Marie. Stéphanie, qui commençait à bien me connaître, profitait du calme avant la tempête pour souder la famille et l'enraciner au Moulin, devenu après travaux une bâtisse où il faisait bon vivre autour des cheminées qui ronflaient tout l'hiver.

Mon beau-père, Jean-Constantin Coquinos, était grutier, jusqu'à ce que sa fille Stéphanie lui propose de devenir officiellement « gardien » de la propriété. Tombé deux ou trois fois de sa grue, il avait le dos et les reins fracassés, ce qui l'obligeait à marcher penché et de guingois sans affaiblir pour autant cette force de la nature. Il descendit définitivement de sa dangereuse machine pour venir s'installer en haute vallée de Chevreuse où il retrouva la campagne qui lui avait tellement manqué dans son treizième arrondissement parisien. Natif de Symi, une petite île du Dodécanèse, il revendiquait ses origines gréco-turques. Sympathique grande gueule, il se fit immédiatement des amis dans toute la région et devint très vite « le Papy Coquinos ». Le Moulin était son domaine et il en était la mémoire. Pas un recoin, pas une motte de terre, pas un arbre n'avait de secret pour lui. Il pouvait, sans hésiter, indiquer le chemin souterrain de tous les tuyaux et conduites installés pendant les travaux. Assez rouleur, hâbleur, et séducteur impénitent malgré son âge, il filait doux devant son épouse, Paulette, qui lui avait donné sept enfants. Mamy Coquinos était le prototype de la mère à la fois sévère et aimante, et de la grand-mère gâteuse devant ses petits-enfants et tous ceux qu'elle gardait volontiers pour rendre service aux jeunes mamans. Leur présence dans la maison de gardien complètement retapée avait le double avantage de ne jamais laisser le Moulin vide et d'offrir à Marie la présence permanente de ses grands-parents.

En cette fin 1976, la région parisienne fut recouverte d'une épaisse couche de neige. Le lac gela sur quinze centimètres et la glace fut assez solide pour qu'on y patine au milieu des canards colverts un peu déboussolés. Les arbres enneigés, le sapin décoré clignotant devant la baie vitrée du salon, les papillotes, les mandarines, les deux familles réunies et les jouets par dizaines firent de ce Noël des trois ans de Marie un film de Walt Disney.

La récolte des fruits de mes cogitations commençait à être bonne. Petit à petit, je possédais mon sujet. Je me suis gavé de tout ce qui avait pu être écrit sur les fêtes populaires, tenant à ce que la trame de celle que nous préparions soit enracinée dans les traditions. De siècle en siècle et de génération en génération, les hommes se sont transmis des rituels, dont certains nous viennent de la plus haute Antiquité. Cette pérennité n'est pas due au hasard. L'homme, cet animalcule cher à mon cœur, est un être cosmique. Sous des formes déguisées ou sous d'autres noms, il continue de fêter les solstices, les changements de saison, certaines phases lunaires ou solaires et, aussi, les grandes célébrations des religions qui se sont pillées les unes les autres, profitant souvent de l'occasion pour s'envoyer en l'air. L'origine de Carnaval n'est rien d'autre que la veille du Carême, derniers jours avant l'abstinence, dernières ripailles, venues en droite ligne des antiques bacchanales ou saturnales. Me savoir relié aux civilisations du passé par ces poussées de fièvre récurrentes me rassure toujours.

Le 18 juin ne correspondait à aucune date traditionnelle. Il fallait cependant trouver le thème fédérateur qui allait logiquement prendre place dans l'inconscient collectif.

Lors de ma première visite, Max Serveau m'avait rappelé que le centre-ville et le port du Havre avaient été rasés par les bombardements américains pour appuyer la progression des forces alliées. L'opération s'appelait « Tabula rasa ». De ce point de vue, ce fut effectivement un succès total. La table fut rase. Contrairement aux Anglais, les Ricains vidaient leurs soutes de très haut sans vraiment se soucier des dommages collatéraux. Conséquence : cinq mille morts, quatre-vingt mille sans-abri et une ville qui, à la fin de la guerre, mesurait quatre-vingt-dix centimètres de hauteur moyenne. L'expression « havre de paix » me titillait les méninges depuis déjà un petit moment. Je l'estimais d'autant plus justifiée pour cette ville qui avait tant souffert. « La Paix » me parut être le thème fédérateur que je cherchais.

La première réaction des élus havrais fut mitigée : je venais de leur soutenir que la fête ne devait pas être colorée politiquement, que la célébration de la paix n'était pas l'apanage des seuls communistes mais concernait tous les citoyens. Ils se rallièrent quand même à mon panache blanc quand je leur eus suggéré l'appellation de la fête : « Un jour d'été dans un havre de paix. »

Début janvier, j'ai commencé à battre le rappel. Le Big Bazar était en voie de recomposition, avec Kaplan et Mouron en leaders. Les créateurs de l'équipe, dont Gégé qui avait là une bonne occasion d'exprimer son talent de mélodiste, étaient au travail. Ils composaient, écrivaient les textes, et se préparaient pour l'enregistrement de leur album auquel devait succéder une tournée d'été. Rolande leur donnait les mêmes moyens que ceux dont nous avions disposé les années précédentes. Ils firent des auditions pour compléter les effectifs. France Brel, fille du grand Jacques, qui nous suivait amicalement depuis un moment, rejoignit leur équipe. Une erreur : la jeune Claudine qui était venue nous présenter son « Mini Brol » à Bruxelles avait mûri en âge et en talent. Elle vint tenter sa chance d'entrer dans le Big Bazar. De toute évidence, Maurane, car c'était elle, pointait déjà sous Claudine. Mouron l'a bien senti et recala celle qui aurait pu lui faire ombrage. Comme souvent dans notre métier, le temps et la justice immanente se chargeront de rétablir les hiérarchies.

Vava, Jérôme, Philippe Pouchain, Johnny Montheillet et Stéphanie, bien sûr, étaient au chômage. Les sachant tout-terrain, je les ai tenus avertis de ce qui se préparait au Havre. Le côté commando de notre histoire les alléchait fortement. Il allait simplement falloir compléter la troupe. Nous avions partagé la ville en sept secteurs : il fut établi que cent personnes par quartier était un nombre gérable sans trop de difficultés. On était dans l'obligation d'ajouter du monde pour porter la bonne parole, coacher et dyna-miser cette foule un peu balourde bien qu'animée de bonne volonté.

Nous avions six mois devant nous. Les trois premiers, je fus seul à me rendre chaque samedi au Havre, pour décou-vrir tout ce que la ville comptait d'associations, d'écoles et de lieux de créations « artistiques », de la pâte à sel au macramé. Les centres de loisirs et d'échanges culturels nous servirent de points d'information. La plus grosse difficulté fut de briser la méfiance des gens qui se demandaient ce que je foutais là. Ils ne pouvaient pas imaginer que je sois sorti de leur poste de télé pour venir chez eux, au Havre, leur parler d'homme à homme, afin de mettre sur pied un spectacle auquel ils participeraient. Il me fallut l'aide de tous les relais de la ville pour qu'il soit clair qu'on ne venait pas s'enrichir sur leur dos. Cela prit du temps, mais peu à peu le malentendu s'estompa. Les réunions hebdomadaires étaient de plus en plus chargées et le nombre de cent volontaires par quartier fut assez rapidement atteint. Les retardataires furent éconduits, ou plutôt versés dans la logistique. Le cahier des charges était tel qu'il y avait du boulot pour tout le monde.

C'est l'école des beaux-arts de la ville qui décida que les sept quartiers auraient, chacun, une couleur de l'arc-en-ciel. Violet, indigo, bleu, vert, jaune, orange et rouge. L'indigo et le bleu étant difficiles à différencier et l'arc-en-ciel étant le spectre de la lumière blanche, on décida que le blanc serait la couleur des enfants. On attribua sa couleur à chaque secteur en souhaitant que les habitants en fasse un signe de reconnaissance. Pas facile. J'ai découvert à cette occasion, et avec une pointe de tristesse, que beaucoup d'habitants des quartiers populaires n'avaient pas vraiment envie de s'en vanter. La société de la frime et du faux-semblant était déjà en marche.

Au cours des réunions du samedi, après avoir longuement insisté sur le thème de la paix, j'avais incité les gens à définir de quel type de paix ils voulaient être les représentants : la paix dans le monde, la paix sociale, la paix raciale, la paix mais pas n'importe laquelle, la non-violence, etc. La recherche du thème déclencha de beaux débats qui souvent se terminaient chez l'habitant, pour l'apéro et le partage de la soupe. Une fois le sujet défini et validé à l'unanimité, c'était à nous de faire le texte et la musique. Toutes ces chansons « commandées » étaient appelées à figurer sur un album témoin de la fête.

Conformément aux délires que j'avais dessinés sur la nappe, le spectacle devait se terminer par la mise à feu d'une immense figurine, extrapolation du Roi Carnaval, symbolisant un odieux personnage, le « Roi de tous les conflits ». Chaque quartier descendrait en cortège vers la place de l'Hôtel-de-Ville en portant le symbole en carton-pâte qui allait compléter la silhouette de cet épouvantail universel. Une main de rapace, une arme, une bourse de dollars, une bombe atomique, un couteau entre les dents... Tout y était.

Les couleurs des quartiers étant attribuées, il fut facile de convaincre la mairie de nous faire cadeau de métrages de tissu aux différentes couleurs. Cent mètres de tissu satiné pour chaque quartier. Un mètre par personne.

Chaque fois que j'ai assisté ou participé à des fêtes costumées, j'ai été frappé par l'imagination débordante des filles et des garçons qui se fabriquaient eux-même leurs costumes. Ils allaient toujours beaucoup plus loin que les costumiers officiels. Les filles se dénudaient comme elles n'auraient jamais supporté qu'on les dénude et les garçons laissaient libre cours à leurs fantasmes les plus secrets. Je ne me faisais donc pas de souci, persuadé que le résultat dépasserait de loin ce à quoi l'on pouvait s'attendre.

Outre les chansons, chaque quartier devait faire le choix, sous la houlette de profs ou de lettrés, d'un texte qui lui paraissait illustrer la cause qu'il défendait, et qui serait dit par un comédien de la ville. Il y en eut de très beaux, écoutés dans un silence religieux.

Quant aux fleurs en papier crépon que les handicapés avaient à confectionner, elles devaient être la preuve que pendant la journée, chaque participant avait rencontré ceux des autres quartiers : le jeu consistait à revenir chez soi, après la fête, avec six autres fleurs aux six autres couleurs.

Toute ma conception était sous-tendue par l'idée que les grandes fêtes populaires sont depuis toujours l'expression de symboliques simples mais pas simplistes puisque essentiellement humaines.

Il fallut du temps pour faire comprendre, argumenter, convaincre. Il fallut des heures pour que la population me considère comme un des leurs. Il fallut des jours pour gommer l'image isolante d'artiste vu à la télé donc possiblement complice ou valet du grand capital. Les six mois de préparations ne furent pas de trop.

Il fallut également penser les infrastructures. La scène, le gril de lumière, les projecteurs, les tours de son... le tout, énorme. La place de l'Hôtel-de-Ville était un immense espace pas encore verduré et tous les édiles prédisaient qu'elle serait pleine.

Le samedi où nous avions rendez-vous avec les équipes techniques de la ville, je suis arrivé avec Antoine Lacerenza. Gérard Pernet ayant choisi, par souci d'équilibre, de faire les lumières du Big Bazar, c'est Antoine qui était en charge de celles du Havre. Talentueux et sachant obtenir avec fermeté ce qu'il attend de ses collaborateurs, Antoine Lacerenza, Rital de la deuxième génération, a comme particularité de mesurer un mètre deux. J'exagère bien sûr, mais petit, il l'est. C'était d'autant plus voyant qu'il était toujours flanqué de son inséparable pote, Paco, qui le dépasse de trois têtes.

Les techniciens de la ville nous attendaient, et le temps de boire un café, nous étions sur le site, devant la mairie. Ce fut un plaisir de travailler avec ces bonshommes qui se sont mis entièrement à notre disposition. On n'avait qu'à demander, on avait. Ils étaient tous géants. Des vrais balèzes. Les voir suivre Antoine le minuscule, noter méthodiquement tout ce qu'il commandait reste un souvenir inoubliable. Antoine arpentant le parvis de la mairie et comptant ses pas.

– ... Soixante-neuf, soixante-dix ! La scène doit faire au moins soixante-dix mètres. Allez ! Soixante-quinze et on n'en parle plus.

Et les gars notaient soixante-quinze.

– Le gril... Il doit aller... de là à là... Nous, on l'amène, mais comment on le monte et comment il tient ?

– Ben... On peut installer deux grues de port, répondent les géants.

Là j'ai pris conscience qu'on était dans le superlatif. Deux grues de port ? Et en plus ça n'avait pas l'air d'inquiéter qui que ce soit. Il est vrai qu'il fallait caser huit cents personnes sur la scène, qu'elles soient vues et que ce soit solide. J'ai donc laissé Antoine passer ses commandes. À partir de ce moment, la fusion entre nos techniciens et ceux du Havre fut totale. Antoine était le patron et personne ne contesta jamais son autorité.

Les trois derniers mois, la troupe vint se joindre à moi pour les vraies répétitions. On avait une douzaine de samedis devant nous.

L'année précédente, plusieurs d'entre nous étaient allés voir *Mayflower*, la comédie musicale d'Éric Charden et Guy Bontempelli au théâtre de la Porte-Saint-Martin. Parmi les rôles principaux, deux comédiens se détachaient : Grégory Ken, que je connaissais depuis pas mal de temps, et Roland Magdane, qui m'était inconnu bien que Grenoblois comme moi.

Greg, qui chantait magnifiquement, était en quelque sorte l'ancêtre de la pléiade de chanteurs révélés par les spectacles musicaux de ces dernières années. Il était cependant moins lisse, plus voyou, assurément plus rock 'n' roll. Belle gueule de blond ténébreux aux yeux bleus, il affichait volontiers du détachement et semblait parfois pouvoir s'acquitter de son boulot sans être là pour autant. Il avait de l'expérience, des plaies, des bosses, mais un reste d'innocence enfouie qui le rendait attachant. Grégory Ken aura un jour son carton perso associé à sa copine américaine Valli sous le nom de *Chagrin d'amour* : *Chacun fait-fait-fait c'qui lui plaît-plaît-plaît...* Le destin ne lui a, malheureusement, pas laissé le temps de faire-faire-faire tout ce qui lui plai-plai-sait. Nous sommes nombreux à le regretter.

Roland Magdane, lui, était plutôt grand, avec une bouille assez ronde fendue d'un sourire de « smiley », encadrée d'une masse de cheveux bruns et barrée d'une moustache aux pointes descendantes qui bougeait au rythme incessant des mimiques du pitre qu'il était. Un vrai comique. Rapide, observateur, voleur et dévoyeur d'expressions entendues dans la rue ou ailleurs, Roland n'arrêtait jamais. Il était en construction. Il nourrissait sa fantaisie, il engrangeait. Il essayait sur ses copains les vannes, les jokes, les histoires drôles et même la façon de se mouvoir, qui seront un jour son fonds de commerce. Il avait un petit côté cacou, frimeur du Sud, qui refaisait surface de temps en temps, mais sous ses airs de grand garçon, l'enfant en cour de récréation n'était pas loin.

À ce moment-là Grégory Ken était bien vivant, n'avait rien de précis devant lui et Roland se trouvait dans le même cas. C'est sans doute pour cette raison qu'ils acceptèrent ma proposition de nous rejoindre pour le projet du Havre et la somme dérisoire qu'ils allaient percevoir.

À Greg et Roland s'ajoutèrent deux jeunes comédiens, en couple, Liza et Hubert. Liza Viet avait une de ces frimousses rieuses qu'on n'oublie pas. Elle m'apparaissait comme l'archétype de la soubrette. Jolie petite blonde aux yeux étonnés, bouche entrouverte découvrant une rangée de quenottes, l'impertinence au bord des lèvres, on ne

346

savait pas, lorsqu'on lui parlait, si elle était émerveillée ou si elle n'en revenait pas d'être en face d'un tel imbécile. Tout, en Liza, respirait le théâtre. Ce qui frappait chez elle, c'était son humeur. Celle d'une servante de Molière qui rabroue son maître, complote avec ses enfants et peste contre les fâcheux et les fats. Liza, c'était la légèreté. Elle avait une telle présence qu'elle éclipsait Hubert, jeune comédien également, sans l'éclat de sa blonde compagne.

*
**

L'équipe définitive fut constituée à la veille des vacances de Pâques. Quelques jours plus tard nous partions en famille pour la Corse et la maison d'Ariane à San Antonino. Il ne faisait pas très beau. Temps idéal pour travailler et faire fumer le piano. J'avais, bien sûr, déjà pas mal avancé. Il me restait à trouver la chanson du quartier rouge et celles qui n'étaient pas directement l'expression du peuple havrais, le lourd, le ronflant : l'ouverture et la conclusion.

Tous les participants du quartier rouge avaient accepté que leur chanson soit celle des « parias de l'humanité ». Sans le leur imposer, j'avais insisté pour que dans le programme il y ait une chanson un peu « combattante ». Dans ce secteur, ils devaient descendre vers le centre-ville telle une horde de miséreux, gueux ou esclaves, habillés au gré de leur imagination avec comme seule contrainte vestimentaire, en signe de reconnaissance, un morceau de tissu rouge, foulard, brassard ou bandana.

Est-ce parce qu'à Voreppe mon enfance fut bercée par les chants italiens, républicains ou communistes, que s'est glissée entre mes doigts une mélodie garibaldienne ? Peut-être bien, après tout... et tant mieux. J'imaginais ma mère et ses cousines chantant, comme je les avais vues le faire

347

cent fois, étant môme, l'œil humide et l'attitude combative, autour de la table de la cuisine où le café embaumait :

> *Avanti o popolo alla riscossa*
> *Bandiera rossa, bandiera rossa...*
> *Avanti o popolo alla riscossa*
> *Bandiera rossa trionferà !*

Au retour, je passai le bébé à Maurice Vidalin. Trois jours plus tard il débarquait au Moulin les yeux brillants d'une jubilation que je devinais intense. On passe au salon, je me mets au piano, devant la baie vitrée, Maurice s'y accoude, la cendre de sa Boyard papier maïs en profite pour tomber sur son blouson puis sur la moquette, et il me tend, hilare, le texte du *Chiffon rouge*. Je l'avais rarement vu autosatisfait. Son bonheur était d'avoir fait « à la manière de » toutes les chansons qui ont accompagné les grands mouvements populaires de notre histoire. Il y avait puisé avec ferveur les idées et les mots. Maurice n'avait pas cherché l'originalité : c'est le fait de s'inscrire dans la grande tradition qui rendait heureux mon anar d'auteur et ami.

En automne, quelques mois après la fête du Havre, regardant le journal de 20 heures chez mon père, je fus surpris d'entendre *Le Chiffon rouge* chanté par les participants à un congrès de la JOC (Jeunesse ouvrière chrétienne). Ils furent les premiers à l'utiliser comme chanson emblématique. Un peu plus tard, lors des grandes grèves Usinor-Sacilor, les grévistes monteront une radio libre, pirate à l'époque, et prendront la chanson comme générique de leur antenne. Puis ce sera la CGT, et *Le Chiffon rouge* sera, alors, de toutes les manifs. En certaines régions de France, il a même remplacé l'Internationale. En Belgique, il est devenu, à ma plus grande fierté, l'Hymne des Fourons et des hommes rudes qui travaillent au pied des hauts fourneaux. C'est aussi avec émotion que j'ai entendu la chanson traduite en corse, *U stracciu rossu*.

Accroche à ton cœur un morceau de chiffon rouge
Une fleur couleur de sang
Si tu veux vraiment que ça change et que ça bouge
Lève-toi car il est temps.
Allons droit devant vers la lumière
En montrant le poing et en serrant les dents
Nous réveillerons la Terre entière
Et demain nos matins chanteront.
Compagnon de colère, compagnon de combat,
Toi que l'on faisait taire, toi qui ne comptais pas
Tu vas pouvoir enfin le porter, le chiffon rouge de la
[Liberté !
Car le monde sera ce que tu le feras
Plein d'amour, de justice et de joie.

Un analyste cynique pourrait écrire avec suffisance que les hommes sont, décidément, incorrigibles et marchent toujours au même vocabulaire suranné, aux mêmes images désuètes, aux lendemains qui chantent et à l'espoir en des jours meilleurs. Il n'empêche que trente ans après, lorsqu'on me demande ma chanson préférée dans mon propre répertoire, je réponds sans hésiter : *Le Chiffon rouge*. C'est la Légion d'honneur que m'ont décernée ceux qui se battent pour leur dignité.

Mais pour l'heure, nous sommes en pleine préparation de ce « Jour d'été dans un havre de paix » et le « chiffon » n'est que la chanson du quartier rouge.

L'équipe se rend au Havre tous les samedis en commando et investit les différents secteurs. Le gros du boulot est d'amadouer, et, surtout d'être contagieux. Parallèlement à cette activité, les chansons et les numéros musicaux avaient été enregistrés selon le mode habituel : Londres, Paris, Jean Bouchéty à la réalisation et le Big Bazar était même venu en renfort pour les prises de voix. C'est donc munis d'une bande et d'un Revox, que les membres de notre troupe s'installaient chaque samedi dans les différents lieux de répétition.

Les activités du quartier jaune, le centre-ville, étaient regroupées dans l'immeuble de YMCA, l'Union chrétienne des jeunes gens. Cette institution de la bien-pensance à l'américaine avait la particularité d'accueillir les taulards sortant de prison qui trouvaient là le gîte sinon le couvert, et était le QG d'une bande de loulous qui régulièrement faisaient la loi et foutaient même sur la gueule du responsable lorsqu'il essayait de les calmer. Donc, atmosphère lourde et hostile à l'arrivée. Ce secteur avait été confié à Stéphanie. Ma tendre épouse, née dans le treizième arrondissement, m'affirmait que les loulous ne lui faisaient pas peur et que ça allait très bien se passer. Mais c'est à moi que le chef de bande s'adressa. Curieusement, il me demanda d'abord mon âge :

– Trente-cinq ans, répondis-je.

– Oh mais t'es vieux, toi ! s'exclama le crétin, passant soudainement de l'agressivité au plus profond mépris.

Je n'ai jamais su quelle était la limite d'âge en dessous de laquelle j'avais toutes les chances de me faire casser la tête, mais, là, j'avoue que j'étais assez content de faire partie des vieux pour cette caricature qui se faisait appeler « Fonzie », du surnom de son modèle dans *Happy Days*, la série télé américaine qui a dû, au fil du temps, faire des ravages chez les handicapés du QI.

Stéphanie avait pourtant raison. Tout se passa sans problème. Je fis même le pari que Fonzie et ses acolytes ne tiendraient pas longtemps avant d'aller voir ce qui se passait dans la salle de sport de YMCA. Le troisième samedi effectivement, Fonzie n'y tint plus. Il proposa à Stéphanie de porter le Revox, qui pesait un âne mort, et il l'accompagna avec ses potes. Ce jour-là ils regardèrent. Le samedi suivant ils se joignirent au groupe. Peu à peu, Fonzie en devint le chef de file. Pari gagné.

La chanson que nous avions concoctée avec Maurice Vidalin pour ce quartier jaune était *Capitaine, capitaine,* hymne des non-violents qui refusaient d'aller se battre contre quelqu'un qui ne leur avait rien fait.

J'attendais avec une certaine impatience de voir l'usage que ferait Fonzie de son mètre de tissu satiné jaune soleil pour le spectacle. Je ne fus pas déçu. Il s'était fait confectionner une jupette de Romain, et la portait jambes nues et spartiates aux pieds. Les animateurs, qui connaissaient bien le lascar, n'en revenaient pas. Quand je prédisais que les fantasmes des participants allaient dépasser tout ce que l'on pouvait espérer, jamais je n'aurais pu imaginer que ces teigneux se transforment en Romains d'opérette.

On pourra toujours me dire qu'un mètre de tissu c'est peu pour faire un costume, je soutiens que certaines des filles ne l'ont pas utilisé totalement. La majorité d'entre elles étaient à demi nues. Ce fut Rio sur Seine, ou Le Havre de Janeiro, au choix. Étonnant.

Pour corser un peu l'affaire, j'avais prévu de préparer une bande-son illustrant les bombardements qui avaient réduit Le Havre à la portion congrue. Avec l'aide de la sonothèque des studios de Boulogne, Gégé et moi avons bâti le scénario d'une attaque : sirènes qui sonnaient l'alerte, vrombissement des avions en approche, DCA qui entrait en action, Stukas en piqué, Messerschmitt en défenses des bombardiers, puis le gros de la flotte aérienne, le fracas des bombes qui explosaient, et enfin le silence de mort. Trois minutes de drame sonore. Pour rendre cette évocation encore plus réaliste, on avait fait installer au pied de la scène quatre énormes projecteurs antiaériens qui balayaient le ciel pendant l'attaque. Et tandis que les tours de son diffusaient plein pot, les huit cents participants s'affaissaient en slow motion, au ralenti, pour n'être, en fin de bombardement, qu'un amas de corps inertes sur toute la surface du plateau. Puis un texte magnifique, dit par Graeme Allwright qui m'avait fait l'amitié de venir se joindre à nous, permettait à ce peuple détruit de renaître de ses cendres, toujours au ralenti, et de se retrouver debout, prêt à revivre.

J'ai su par la suite que certains vieux Havrais avaient vécu ce moment comme une douleur ravivée, une plaie quelques instants rouverte. La chape de silence qui succéda au chaos sonore était plus qu'éloquente et lorsque la voix de Graeme s'éleva pour dire son texte qui ne parlait que de la paix, une onde de frisson se propagea sur la place de la mairie.

Le 18 juin 1977, il bruinait. Le ciel était bas et pas un souffle de vent ne semblait devoir chasser ce dais de nuages.

Michel Parbot, un très bon réalisateur de reportages, couvrait l'événement pour l'agence Sygma. Il balada ses caméras dans toute la ville, filmant les préparations, les séances de maquillage, les cortèges, puis, le soir, les coulisses et le spectacle. Il doit y avoir quelque part dans les archives de l'agence le document qui fut diffusé un peu plus tard en deuxième partie de soirée sur une chaîne publique. La seule trace de cette éphémère histoire de fous.

Comme souvent, la bruine s'arrêta juste avant qu'on monte en scène et nous avons officié au sec. Le temps humide n'avait pas rebuté les Havrais descendus en famille vers le centre-ville, toutes générations confondues. Il en était venu de partout. Les édiles parlaient de quarante à cinquante mille personnes. Peu importe. J'étais content de moi et de mes délires utopiques, conforté dans l'idée qu'une fête populaire est toujours possible, surtout quand elle réunit toutes les générations.

C'est sûr que pour obtenir ce résultat il faut payer de sa personne, réveiller le moine soldat qui sommeille au fond de l'espoir qu'on a d'une société plus fraternelle, et croire, surtout, en ce qu'il reste d'humain chez le citoyen dont la vie est rythmée par son boulot, la télé qui distille au quotidien la vulgarité officielle, et le Caddie qu'il va remplir le samedi à l'hypermarché du coin. Démarche de boy-scout ? Non. Je suis le fils de Pierre Fugain. Comme je l'ai vu le faire toute sa vie, je tente de résister, de combattre, de pourfendre l'inexorable rouleau compresseur qui veut écraser, aplatir, aplanir l'électroencéphalogramme d'un peuple pour mieux lui vendre des tonnes de camelote ou en faire un obscur numéro dans une fourmilière. C'est tout.

Dans ma symbolique personnelle, je n'ai vu, ce soir-là, que des saltimbanques devenus les fers de lance, les agitateurs, les catalyseurs d'une population qui, derrière eux, s'était déroutée, exprimée, et peut-être défoulée pendant quelques mois. Je suis persuadé que c'est exactement notre rôle d'artistes et ce qu'attend de nous, en retour, le peuple qui nous a secrétés.

À la fin de ce que l'on pourrait très bien appeler la cérémonie, on mit, comme prévu, le feu au vilain bonhomme en carton-pâte qui brûla pendant la chanson de clôture : *Ça s'est passé, un jour d'été, dans un Havre de paix...*

Les techniciens et ouvriers municipaux nous avaient invités au repas de fin dans leurs locaux, de grands hangars où nous avons partagé avec eux, au milieu des engins de nettoyage et des tracteurs, le vin et les plats maison que leurs épouses avaient préparés. Ça respirait le respect et l'amitié. L'émotion était solide. Notre équipe devait, après le repas, démonter le gril et l'éclairage. La nuit allait être longue...

Quand il fut temps pour les uns de rentrer et pour les autres d'aller bosser, on se congratula et on se salua chaleureusement avant de se quitter sans grandes chances de se revoir.

En passant sur la place de la mairie, devant la grande scène éclairée par les lumières blafardes des lampadaires, j'ai stoppé net. Sur le plateau étaient rangés les cinq cents projos. Il n'y avait plus qu'à les rentrer dans le camion. Des ouvriers municipaux qui avaient choisi de ne pas faire la fête de fin avec nous avaient démonté le gril et fait le boulot à notre place. Cadeau.

20

SALTIMBANQUES ET COMPAGNIE

Ça m'avait pris pendant le Big Bazar. J'avais sorti de mon chapeau le mot « saltimbanque » et m'en étais beaucoup servi pour nous situer dans l'imaginaire des gens. À la longue, pourtant, je me suis aperçu que ce mot ne voulait plus dire grand-chose et même qu'il s'était teinté, au fil des générations, d'une nuance péjorative. Je m'en sentais blessé. Quoi ! Cette bande de rien du tout d'autre que du vulgum pecus osent se considérer comme supérieurs à ceux qui les fascinent, les font pleurer, rire ou rêver ! Quoi ! Ces journaleux blasés ou aigris, ces plumitifs dont les pieds écrivent mieux que leur main se permettent de regarder de haut ceux dont les facéties et simulacres en disent plus sur la société que leurs éditoriaux poussifs ! Ouh ! J'étais colère.

Je me suis donc sérieusement penché sur tout ce qui avait pu être écrit sur les saltimbanques, afin de passer de l'empirique à l'historique. Saltimbanque vient de l'italien « Saltimbanco », littéralement « saute en scène », ce que faisaient les acrobates, bateleurs, funambules et autres banquistes. S'y ajoutent les comédiens italiens du pont Neuf, la Commedia dell'Arte et ses tréteaux dans les rues de Naples ou d'ailleurs... Sans discussion possible, je me sentais de leur nombre et je me pris à rêver d'un spectacle enraciné dans la tradition de ces histrions irrévérencieux qu'on enterrait la nuit. La démarche me paraissait, en elle-même, plus subversive que n'importe quelle prise de position politique contre la société giscardienne de l'époque.

Je devais trouver très vite quelqu'un qui nous passerait les clés de ce genre de spectacle très codé. C'est là que j'ai pensé à Philippe Léotard. Il avait fondé avec Ariane Mnouchkine le Théâtre du Soleil et avait beaucoup travaillé sur la Comédie de l'Art. Comment joindre Philippe ? Par Nathalie Baye, bien sûr, qui était sa compagne.

J'appelle Nathalie qui me passe son homme.

Le lendemain, je lui racontais en direct live que j'avais réuni une équipe de comédiens chanteurs pas manchots du tout et de plus couillus, au vu de ce qu'ils venaient de réaliser au Havre. Je lui disais mon souhait d'être initié aux arcanes de la Commedia dell'Arte en précisant bien que nous étions totalement profanes. Son envie de partager son savoir et son amour de cet art primaire sinon primitif fut suffisamment forte pour qu'il accepte. Le temps de battre le rappel et nous nous retrouvions au quatrième étage de l'Olympia pour prendre nos premiers cours.

Philippe Léotard nous expliqua les canevas, genre de scénarios ou synopsis qui servaient de support à l'improvisation des acteurs. Il nous démontra à quel point les personnages de la comédie italienne sont des stéréotypes éternels, transposables dans le temps quelle que soit la société dans laquelle on vit, et ce depuis l'Antiquité. Dans sa bouche, ces divertissements populaires tenaient du sacré. Il nous a appris à regarder autour de nous et à chercher les Arlequins, les Zannis, les Pantalones, les Zerbinettes et les Polichinelles des temps modernes. C'est un jeu étonnant. Il n'y a que les habits qui changent, mais les grands caractères sont là, autour de nous et nous-mêmes en faisons partie. Pendant un mois, Philippe nous guida vers le spectacle que nous devions monter en catastrophe car Rolande et Hubert de Malafosse avaient planifié depuis longtemps la tournée d'été.

Incontestablement, ce spectacle était fait de bric et de broc. Manque de temps et décision tardive de constituer une troupe. J'avais tellement mauvaise conscience d'avoir fait bosser au Havre cette équipe pour la gloire et des clopinettes que la moindre des choses était d'emmener tout ce petit monde en tournée et leur donner l'occasion de faire des sous. Ainsi naquit « La compagnie Michel Fugain » : ouvertement, on se revendiquait « commediante ».

Une première partie du spectacle était basée sur l'enseignement de Philippe Léotard et une deuxième faisait référence à la fête du Havre, en prise directe avec le public, plusieurs scènes étant réparties dans le chapiteau pour figurer les quartiers. Un tiers bateleur, un tiers animateur de jeu, un tiers escroc et beaucoup de musique autour, je remettais sans fierté mon perfectionnisme dans ma poche et mon mouchoir par-dessus. Ce spectacle, en définitive, n'avait pas d'autre raison d'être que de faire travailler tout le monde, pour garder la cohésion de l'équipe, et gagner notre vie. On est parti en tournée jusqu'à la fin de l'année et il mourut le soir de la dernière.

Nous nous sommes quand même bien amusés à détourner les personnages originaux. C'est vrai qu'ils n'étaient que les ébauches de ceux qui figureront dans le spectacle suivant, mais la création des nouvelles caricatures a égayé nos après-midi à l'Olympia. Roland Magdane cherchant en improvisation son Maître Falzar, avatar du Pantalon d'origine, nous a littéralement mis à genoux, morts de rire. De Polichinelle, Philippe Pouchain a fait Poulachenille. Vava était Madame Vertu, l'équivalent au féminin de Pantalon, c'est-à-dire moraliste et folle du cul ; Grégory Ken était un Arlequin très dévergondé, tel le modèle original ; Stéphanie était Mademoiselle Colombe, le contraire d'une oie blanche, très attirée par Stromboli-

Johnny Montheillet qui avait le diable dans sa culotte. Liza Viet était Zerbinette et Hubert, un Zanni. Jérôme Nobécourt, lui, nous concocta un Mezzo dans le droit fil du Quasimodo qu'il avait si bien tenu, mais sans la bosse et en idiot plein de tendresse. Quant à moi, me considérant comme au-dessus du lot, sans doute, j'étais une sorte de clown bateleur blanc qui, en terme de purisme, n'avait rien à foutre là.

On avait la chance et la liberté de faire ce qu'on voulait. Le chapiteau était à nous, les chansons étaient à moi puisqu'une grosse partie du répertoire venait de la période Big Bazar, et ces recherches en « saltimbanquitude » n'avaient été faites que pour présenter autrement des chansons que les gens connaissaient par cœur.

C'est en tout cas avec émotion que j'adresse ici un salut confraternel au souvenir de Philippe Léotard qui a bien voulu nous adouber de sa longue batte en bois et qui m'a permis de m'enraciner un peu plus profondément dans la grande tradition.

Dans le même temps, cet été 1977, le Big Bazar vivait ses derniers instants. La tournée ne marchait pas. Les leaders se faisaient la gueule. À la rentrée, il ne sera plus. Requiescat in pace.

Immergé dans le travail de troupe depuis six ans, j'avais décroché de ce qui se faisait ou ce qu'il ne fallait pas faire pour être dans le courant. J'entendais le son moyen des radios. Les jeunes Français redécouvraient le rock et s'abonnaient à Téléphone, Brel poussait son chant du cygne et Sardou faisait la java à Broadway. La société française avait quelque chose d'un marigot, heureusement sans les moustiques. Giscard continuait de bouffer à l'œil chez des braves gens qu'il empêchait de dormir en leur jouant de l'accordéon jusqu'à l'heure du laitier. En dehors de ça, il gérait la boutique. Pas folichon, mais c'est surtout la manière qui déplaisait. Ses seconds couteaux, calquant leurs attitudes sur celle du patron, n'en finissaient pas d'être horripilants de suffisance.

J'étais finalement très content d'être ailleurs, d'être remonté vers la source, là où l'eau est la plus claire, où la civilisation n'a pas rejeté ses déjections. C'est le pays des valeurs absolues. Tout y est simple et l'air y est pur. Les personnages de la Commedia dell'Arte sont finalement plus intéressants que la multitude de leurs clones qui là-bas, en aval, vont même jusqu'à cacher leur vraie nature et se prendre pour quelqu'un d'autre.

La routine voulait qu'après la tournée d'été suive celle d'automne. Toujours dans les mêmes conditions, avec la même équipe, le même staff. Tout pareil. On avait simplement rebricolé le spectacle pour qu'il soit plus cohérent. Ah, oui... J'avais rasé ma barbe.

Rien n'était programmé pour le début de l'année 1978. Je me suis donc mis au boulot pour l'album de la Compagnie. Il s'enregistra à Londres, pour l'orchestre, Paris, etc. J'étais loin du métier, mais je sentais bien qu'on avait besoin d'une chanson efficace pour bénéficier d'un peu de programmation radio. Le seul extrait tiré du disque de la fête du Havre, *Un jour d'été dans un Havre de paix*, avait été purement et simplement censuré. Pas officiellement. Mais de fait, oui. En effet, c'est dans cette période marécageuse qu'a commencé à naître en France l'autocensure. Cette nouvelle forme de censure, qui n'a strictement rien à voir avec la politique, est le fruit de l'accession à l'aisance de la middle class pour les uns et à des postes clés pour d'autres. Cette fameuse middle class dont j'ai parlé plus haut, qui jusqu'à la fin des années soixante n'avait pas la parole et qui, caressée dans le sens du poil par les marchands, prenait de l'assurance, commençait à parler fort et à décréter ce qui était bien ou pas, correct ou non, selon des critères façonnés par une éducation moyenne au sein d'une famille moyenne. Malheureusement, la matière du creuset influe à vie sur celui qui y a mariné, et la classe, la hauteur de vue, le sens critique ne s'achètent ni ne s'attrapent, qu'on ait une belle situation ou une vie à crédit. Les prémices du laminage intellectuel qui sera bientôt à son apogée venaient d'apparaître. On verra plus tard à quel point cette middle class, en français classe médiocre, est une des plaies de nos nations occidentales. La chanson censurée était, bien sûr, *Le Chiffon rouge*. À toute chose malheur étant bon, en la censurant, ils lui ont permis d'être un hymne.

Au début du mois d'octobre, nous étions partis une semaine en croisière aux Grenadines avec Gé Cavalléra, Jean-Marie Pitavy, un génial ami véto très connu sur les champs de courses, et nos doudous respectives. Mis à part le fait que nous nous sommes copieusement fait chier sur des lagons bleu turquoise et des plages de sable blanc, j'ai baigné pendant dix jours dans une musique que je connaissais mal, le reggae. J'ai adoré ça. De retour au Moulin, j'ai immédiatement cherché à m'en faire un petit pour la route. Je le fis paroler par Maurice Vidalin qui écrivit *Papa*.

À part Bob Marley and the Wailers, cette musique n'était pas encore sur toutes les platines des radios et de toute évidence on ne pouvait réaliser ce titre qu'avec des vrais de vrais de là-bas. Comme toutes les musiques culturellement enracinées, le reggae, ça ne s'invente pas. Si tu n'es pas né dedans tu as toutes les chances de faire du Canada dry. Adrian Kerridge, notre ingénieur du son londonien, nous dégota un groupe de rastas pur jus, défoncés à 10 heures du matin, les yeux explosés, et marchant à deux à l'heure. Ils se penchèrent mollement sur le sujet, palabrèrent beaucoup et tentèrent de faire groover l'affaire. J'avoue que j'avais glissé des pièges. Une mesure à deux temps, d'abord, une sorte de croche-pied pour des mecs qui ont l'habitude de laisser aller dès qu'ils sont sur les rails, et beaucoup d'harmonies. J'avais beau leur expliquer que ce n'était quand même pas très compliqué, ils ramaient. Deux heures et demie plus tard on pensait que c'était foutu. Et puis d'un seul coup, cinq minutes avant la fin de la séance, ça s'est mis à tourner d'enfer. On dansait dans la cabine. On l'avait. Ouf !

Une fois l'album réalisé, pocheté et mis dans les bacs, il ne restait plus qu'à penser au spectacle que la Compagnie devait donner à l'Olympia. Alors qu'est-ce qu'on fait cette fois ? Liza et Hubert étaient retournés au théâtre, Grégory Ken gagnait sa vie en pub et en synchro en attendant d'être la moitié de Chagrin d'amour. En tout, on était sept. Je crois que c'est Johnny Montheillet qui nous amena Nadine Dey. Huit. Nous commencions à bien connaître les personnages, Maître Falzar, Madame Vertu, Poulachenille, Mademoiselle Colombe, Stromboli, Mezzo. Nadine fut Marianne, costume bleu blanc rouge obligatoire, notre République. Pour que ce soit réellement du théâtre musical il fallait un texte. J'ai donc pris ma plume et décidé que ce seraient des vers. Plus exactement des vers de mirliton. J'adore cette expression, elle sent les tréteaux et les coulisses crasseuses. Les vers de mirliton offrent l'avantage de ne pas se prendre pour un poète. L'euphonie prime sur la richesse des rimes et on peut ainsi dire tout ce qu'on veut, mélanger français, argot, anglais et sabir en toute liberté. J'avoue que je me suis beaucoup amusé et que je regrette tous les jours de n'avoir pas gardé de traces de cette œuvrette déjantée et irrévérencieuse.

Musicalement, et bien sûr en dehors des grandes chansons populaires du Big, j'avais ressorti mes Kurt-Weilleries, attaché que j'étais et que je suis encore à l'ambiance « Opéra de quat'sous ».

Le résultat final fut *151, rue des Petits Destins*, du titre d'une des chansons de la pièce.

> *Au 151, rue des Petits Destins*
> *Un petit monde vit sans s'occuper de rien*
> *Un petit monde s'aime ou bien se fait pleurer*
> *Que de petits problèmes de la cave au grenier...*

Et de problèmes en problèmes, ces caricatures en arrivaient à beaucoup faire souffrir Marianne, cette pauvre fille qui pourtant voulait le bien de tous, ce divertissement musical se terminant par une sorte de bataille de polochons, des coussins bleus, blancs ou rouges, qui débordait souvent dans la salle par-dessus les spectateurs.

Puis il y eut l'Olympia, et une tournée d'automne qui se termina à Strasbourg le 28 novembre.

28 novembre 1978 ! Date que je n'oublierai jamais. Elle est gravée au burin dans ma mémoire. Ce soir, l'aventure commencée en janvier 1972 s'achevait. Fini. J'ai donné, payé de ma personne, j'arrête. Je vous ai beaucoup aimés les uns et les autres, les filles, les garçons, mes amis, mes potes, coéquipiers et complices, mais là, je n'en peux plus. Sept ans ! Sept ans de troupe. Je veux me récupérer, me retrouver. Je veux passer à autre chose et, pour commencer, à rien. Rien foutre, recommencer à glander. M'occuper des miens et des miennes. M'endormir sans gamberger, sans chercher ce qu'on pourrait faire pour améliorer, sans être

tarabusté par le souci de faire manger tout le monde. Désolé, Rolande. Je sais, on pouvait aller encore plus loin, continuer comme ça pendant quelques années, refaire, refondre, tourner encore et encore... Mais je suis fatigué. Je ne m'amuse plus, donc je peine. Je n'ai plus l'envie, donc je meurs. Allez, haut les cœurs, je vous salue bien bas et je rentre à la maison.

J'ai pris ma Stéphanie sous le bras, enquillé la première, fait cirer les pneus comme un crétin de base, foncé dans la nuit vers le Moulin, et nous avons dormi dans notre lit. Fondu au noir. Générique de fin.

Stéphanie n'a pas mis longtemps à retrouver ses habitudes de maman. Deux minutes et demie peut-être. Le temps de se réveiller, de réaliser qu'elle n'était pas à l'hôtel mais chez elle, de descendre boire son thé, dans sa tasse, dans sa cuisine. Elle est comme ça Steph. Avant d'être quoi que ce soit d'autre, elle est mère. Marie avait désormais cinq ans. Elle découvrait la maternelle, les copines pour la vie, les nombreux cousins et cousines car les Coquinos étaient prolifiques. Son univers affectif était bien organisé, entre les grands-parents du Moulin et ceux de Grenoble. Sa mamie Martine lui vouait un amour proche du gâtisme et papy Pierrot s'acharnait, sans y parvenir, à vouloir la faire monter sur une carriole tirée par l'ânesse Caddy dont il avait fait l'acquisition spécialement pour sa petite-fille. Nous réapprenions la vie normale d'une famille normale.

Fin décembre, j'appris que cette famille allait s'agrandir. Stéphanie n'avait pas perdu de temps. Dès son arrivée au Moulin, elle a mis en route un deuxième enfant. Elle savait qu'elle n'aurait plus à courir les routes de France, c'était donc le moment idéal. Joie dans toute la propriété. Même les canards et les chiens saluèrent la bonne nouvelle. Stéphanie était radieuse, épanouie. On commença doucement à expliquer à Marie qu'elle allait avoir un petit frère ou une petite sœur. Elle adora l'idée et son impatience grandit de jour en jour.

Les mois passaient et, comme je me l'étais promis, je glandais. Nous n'avions pas de souci, il y avait du blé dans la grange, le ventre de Stéphanie s'arrondissait, tout était pour le mieux dans le meilleur des mondes. Le bonheur. Il est vrai que c'est relatif, le bonheur. Et quand ça dure, ce n'est rien d'autre qu'une habitude. Ça peut même devenir chiant, le bonheur. Je glandais, donc, mais je commençais à sentir le manque.

Pendant des années j'avais vibré, douté, conçu, ramé. Conséquence : mon cerveau, mon corps, régulièrement shootés à l'adrénaline, avaient fini par être addicts. J'ai bien été obligé de faire cet horrible constat : je m'ennuyais.

Pierre Sisser, que je n'avais pas vu depuis un bon moment, nous passa un coup de fil. Il rentrait de tournage dans le Sud, voulait nous saluer et accepta de bon cœur une invitation à déjeuner. Ce coup de téléphone tombait bien. J'avais besoin de conseils pour une idée qui commençait à germer. Après les effusions, Pierre nous raconta qu'il tournait à Nice dans un lieu chargé d'histoire cinématographique, des studios mythiques mais délaissés par la profession, les studios de la Victorine, nouvellement repris par un certain monsieur Guilhem qui faisait de gros efforts pour relancer l'activité de ses nombreux plateaux. Il venait de signer avec la ville de Nice un bail emphytéotique de quatre-vingt-dix-neuf ans, ce qui lui laissait un peu de temps devant lui pour faire fructifier sa mise. Pierre me vanta le travail au soleil, les palmiers, la douceur de vivre et j'avoue que j'en salivais.

– C'est exactement l'endroit où il faudrait installer une école, un atelier pour des jeunes comédiens chanteurs. Bosser au soleil, discuter sous les palmiers, loin de Paris, pas de stress... ça pourrait être génial.

Je n'en étais pas à une image d'Épinal près, je rêvais tout haut.

– Mais ce n'est pas impossible du tout ! J'en parlerai à Guilhem quand je redescendrai et puis on verra bien, me répondit Pierre Sisser.

Tiens ! Quelque chose me plaisait bien dans ce point d'interrogation qui venait d'apparaître au cours de notre discussion. Une porte venait de s'entrebâiller dont ne savait pas ce qu'il y avait derrière, mais...

Café, pousse-café, salut Pierre.

Un mois plus tard, Sisser me rappelle et me dit avoir parlé à monsieur Guilhem de l'éventualité d'installer un atelier dans ses studios, et qu'il s'était montré plus qu'intéressé. Si j'étais d'accord, je devais descendre à Nice. Il m'attendait.

Et voilà. Ça me reprenait. J'aurais pu rester au calme dans ma haute vallée de Chevreuse, tranquille, peinard, les doigts de pieds en éventail en ce printemps 1979, me contenter de tenir la main de la femme de ma vie en caressant son ventre rond. Non. La bougeotte me gagnait. Il fallait que quelque chose se passe.

Nice ? C'est sur la Côte, ça. Et j'ai mes grands potes là-bas...

J'ai pris mon billet d'avion.

21

L'ATELIER

Monsieur Guilhem était l'archétype de ces gens riches nés riches dans une famille riche depuis des lustres. On pouvait l'imaginer petit-fils d'un grand ingénieur du XIXe siècle, un de ces hommes qui ont bâti les infrastructures de notre pays et fait fortune grâce à leur savoir-faire et leurs qualités de visionnaires. La grande bourgeoisie de province nantie sans ostentation, la classe, la vraie. Ceux qui méprisent, sans jamais l'afficher, les gougnafiers qui se sont gavés dans la robinetterie ou le jean. En connaissant mieux Guilhem, je l'ai imaginé cent fois jouant au tennis avec Lacoste, en pantalon blanc et pull à col en V rouge et bleu ou au volant d'une Bugatti Royale, lunettes d'aviateur et écharpe blanche dans le vent. Grand, assez belle gueule, des cheveux blancs dont on devinait qu'ils avaient été blonds, il transpirait l'intelligence. Cordial et respectueux, c'est lui-même qui me fit faire le tour des studios de la Victorine. Il me parla avec enthousiasme de ses projets de rénovation et d'aménagement de certains plateaux, de son désir d'installer un studio de son pour la post-prod. Bref ! Cet homme était ce que nous appelons un bandeur. Puis il m'emmena vers un plateau désaffecté pour lequel il n'avait pas de projet précis, où étaient entassés de vieux décors. Il ouvrit la porte coulissante en grand et me dit :

– De quoi avez-vous besoin ?

Un peu pris de court, car ça allait très vite d'un coup :

– Heu... D'un plancher... de dix sur dix, minimum. D'un miroir sur toute la longueur... et d'un piano.

– Ce sera fait.

Il s'excusa, me laissa seul un moment, m'invitant à le rejoindre un peu plus tard au restaurant des studios, ce qui me permit de faire plus ample connaissance avec ce qui allait devenir notre plateau. Je l'ai tout de suite bien aimé. Il était exposé plein sud, la lumière y entrait largement. La charpente et la toiture étaient bonnes, donc pas de fuites à prévoir par temps de pluie, et finalement le côté « remise » de l'endroit me plaisait bien. Je ne raffole pas des studios trop propres, peints façon garage, où les sons résonnent sur les murs lisses. On en sort, en général, plus fatigué par le bruit que par le travail effectué. Là, rien de tout cela. Les décors entreposés y étaient sûrement pour quelque chose en faisant office de pièges à son.

Allez, banco ! Je me laissai faire par le destin.

Après le repas, monsieur Guilhem m'invita avec une pointe de fierté à le suivre sur les vestiges des décors de *La Nuit américaine* que Truffaut avait tourné ici même. Grosse émotion. Je retrouvai les images de ce film que j'avais vu au moins cinq ou six fois et j'y replaçai mentalement les acteurs, dont Nathalie Baye.

J'ai quitté les studios en milieu d'après-midi pour retrouver mon ami Gé Cavalléra à la Madonette où j'ai passé la nuit. Le lendemain, je rentrai à Paris. J'allais devoir annoncer à Stéphanie que j'étais reparti pour une nouvelle aventure et que j'allais forcément quitter la maison pour m'installer à Nice. Pas facile. Steph était de plus en plus enceinte et donc rapidement irritable.

Nous avions arrêté le début juillet comme date limite de démarrage des activités. Ne sachant pas le moins du monde ce que mon initiative allait donner, j'avais pris le parti de programmer, dans un premier temps, un cours d'été et de jauger, juger sur pièce et sur place si mon projet avait un quelconque avenir. Il fallait donc faire savoir, par voie de presse et autres, que je montais un atelier aux studios de la Victorine à Nice et que les auditions, les rencontres devaient avoir lieu début juin. Mon intention était de sélectionner assez sévèrement pour ne pas avoir à prendre en charge tous les bras cassés rêveurs et oisifs de France et de Navarre. De plus, il fallait laisser aux jeunes gens venus des quatre coins de l'Hexagone le temps de se trouver un logement, ce qui n'était déjà pas facile dans cette région où, l'été, les autochtones louent à prix d'or soupentes et caves à rats.

Il m'a fallu également convaincre Rolande que je ne faisais pas n'importe quoi de ma vie et de mes trente-sept ans. Je lui ai donc présenté ma dernière folie en date comme une façon détournée de repérer et de former de nouvelles recrues pour des spectacles musicaux. Vu sous cet angle, elle me donna sa bénédiction. J'en ai honte aujourd'hui, j'ai préféré passer pour un calculateur que pour un utopiste.

Il n'était pas question pour moi de faire les auditions tout seul. Il me fallait un danseur. J'appelai donc mon pote Johnny Montheillet qui avait été le chorégraphe officieux de la Compagnie et lui proposai la botte. Lui non plus n'en était pas à une dinguerie près et la perspective de deux mois d'été sur la Côte lui plaisait beaucoup.

À ma plus grande surprise, tous les éléments du puzzle se sont mis en place sans difficulté, et au mois de juin, Johnny et moi débarquions à la Victorine.

Une flopée de jeunes nous attendait devant notre plateau « B ». Faussement décontractés comme la plupart des mômes qui veulent avoir l'air de sans vraiment l'être, ils nous observaient. Nous arrivions de Paris, donc sans doute imbus de nous-mêmes et suspects de toutes les prétentions, « Parisiens têtes de chien, parigots têtes de veau », et de plus nous étions des personnalités connues donc possiblement méprisantes à l'égard du petit peuple. Ça n'a pas duré longtemps. Bâtis comme nous l'étions, Johnny et moi, il y avait peu de chances que leurs clichés se vérifient. Puis on passa aux choses sérieuses.

J'ai commencé à les prendre un par un en essayant de savoir pourquoi ils avaient l'intention d'intégrer l'atelier et ce que ça représentait pour eux. Il n'est pas très compliqué de déceler chez un môme les qualités requises. C'est plus dans l'attitude générale, l'expression orale, l'énergie sous-jacente ou extériorisée que dans l'affirmation péremptoire de leur volonté que l'on détecte ceux dont la personnalité a des chances de s'épanouir au sein de ce type d'atelier. Je leur ai fait savoir le plus gentiment possible que nous ne montions pas une antenne du SAMU ni une garderie et que les souffreteux et les fainéants n'avaient pas leur place dans ce lieu consacré au travail. Johnny, l'air de rien, faisait le tour des visages, des corps, des regards qui en disent long sur la psychologie d'un être, et papotait avec ceux dont le comportement général l'accrochait.

Un cas particulier se présenta. Une petite bonne femme que j'avais rencontrée à Lyon à la fin d'un spectacle du Big. Mimie. Elle avait vingt-deux ans la petite Mimie, et elle était venue avec ses parents. D'emblée j'ai trouvé ça super. Une preuve évidente de décision mûrement réfléchie. On ne s'engage pas sur une voie dans laquelle on ne croit pas en amenant ses parents. Cette fille était déterminée. L'honnêteté m'obligeait à la réflexion. Le handicap de Mimie, Mimie Mathy, car c'était elle, me faisait craindre le pire. Les carrières de nains ne sont pas fréquentes et n'aboutissent en général qu'à des rôles subalternes, souvent monstrueux, dans des films d'époque ou encore à des personnages tellement typés qu'il est impossible d'en sortir. Avec ce que je commençais à savoir de Mimie, je la voyais mal accepter de figurer dans un remake de *Freaks*. Pas son genre. Le fait d'être naine ne la turlupinait pas, apparemment.

– Tu vois les difficultés, Mimie ?

– Oui, me répondit-elle en souriant, son regard bleu et intelligent droit dans le mien.

Tout en non-dit. J'ai tout de suite aimé cette femme que je n'ai plus jamais vue petite.

Marcel et Roberte, ses parents, étaient très émus. Je l'étais aussi.

Johnny prit tout ce petit monde en main pour évaluer le niveau moyen et à la fin de la journée, nous établissions la liste de ceux et celles que nous gardions. Salut à tous. Rendez-vous en juillet, ici et même heure.

Nous avons profité du temps qui nous restait pour faire le tour de notre nouvel univers. Guilhem ne s'était pas foutu de nous. Le plancher était sublime, le miroir parfait, et le piano accordé. On se regarda avec Johnny, et on éclata de rire. Décidément, avec nous, les dieux du spectacle musical se montraient aussi imprévisibles que généreux.

Il était décidé que je descendrais seul, d'abord, et que Stéphanie me rejoindrait plus tard. Dans un premier temps, Gé m'hébergerait, mais c'est ensuite que ça se corsait. Il fallait que je loge ma petite famille qui de plus allait s'agrandir. Très gentiment et avec l'accord de sa femme, bien sûr, monsieur Guilhem se proposa de nous accueillir chez lui dans sa superbe maison de Valbonne. Ma première impression se confirma : ces gens-là étaient d'une délicatesse qui ne s'apprend pas. On se la passe de père en fils et de mère en fille. C'est génétique.

Stéphanie, sans trop ronchonner, fit les bagages et se prépara psychologiquement à affronter la chaleur de la Côte d'Azur, ennemie intime d'une femme enceinte jusqu'aux yeux. Elle serait quand même bien restée au Moulin, où les nuits étaient fraîches et la clinique de Versailles toute proche. Mais bon... Elle m'avait épousé pour le meilleur et pour le pire. Marie, notre Marinouche, qui piaffait en attendant son petit frère ou sa petite sœur, était au contraire ravie. Elle le sera encore plus en découvrant à Valbonne la piscine dans laquelle elle passera ses journées. Johnny avait trouvé de son côté un logement chez des potes. En gros la logistique était en place, au moins provisoirement, et on pouvait bosser.

Cheche, Didier, Stéphane, Karim, Fredo, Mitchell, le Hollandais, Mimie, Cathy, Marie-Claude, Dominique, Laetitia, Gaby, Marie-Laure, Corinne, Zaza, Isabelle, Fabiola... et bien d'autres dont j'ai oublié le nom mais pas le visage, pas les yeux, pas la passion et pas l'énergie qu'ils ont dépensée dans ce studio qui de jour en jour devenait un peu plus notre maison. Entre Johnny qui les tuait à un rythme infernal pendant au moins quatre heures et moi qui les faisais chanter, leur écrivais des exercices insensés de difficulté, ils finissaient leur journée sur les genoux, et, pis, en redemandaient le lendemain. Je les ai adorés, ces mômes. Je les trouvais exemplaires. Les rapports entre les animateurs que nous étions et les animés qu'ils étaient se sont très vite transformés en liens d'amitié et de complicité. Je n'affirmerai pas que c'était bien, mais c'était plus fort que nous. Je n'aurais pas pu, de toute façon, rester dans un rôle rigide et détaché. Il m'était impossible de demeurer simple observateur lorsque des jeunes gens morts de faim, j'entends par là avides de savoir, de connaître, d'approcher, de toucher du doigt, se donnaient à moi, où à Johnny, sans retenue et en toute confiance.

J'insiste sur le fait que nous étions des « animateurs », mot dérivé de « anima », âme en latin, et sûrement pas des professeurs. Un professeur enseigne. On n'enseigne pas à un artiste à être artiste. Il l'est ou il ne l'est pas. S'il l'est, on ne peut que l'aider à sortir de lui ce qu'il a de meilleur, à utiliser de la manière la plus efficace son talent et son inspiration, à s'épanouir. Mais lui seul possède les matériaux de base. Il n'y a pas de règles dans nos métiers puisqu'il y en a autant que d'artistes. Ce qui marche pour l'un ne marchera pas pour un autre et inversement. Toute la magie est là. Pourquoi les jeunes rêvent-ils tous de faire partie de ce pourcentage infime de la population qui a la charge de faire rêver, rire, de distraire, d'émouvoir ? Parce qu'ils sentent que c'est un privilège, oubliant que ce privilège implique des devoirs : le savoir-faire qui nécessite de nombreuses répétitions et un travail acharné pour que la technique ne se fasse pas sentir. Tu veux bouger, danser ? Alors travaille ton corps. Il a pris toutes les mauvaises habitudes possibles entre les attitudes étudiées et les involontaires, souvent dues à des complexes physiques ou mentaux. Tu ne les vois pas, ces défauts, puisque tu vis avec et pourtant, ils sont autant de barrages qui empêchent de laisser sortir ce qu'un public est en droit d'attendre de toi.

Tu veux parler, jouer, dire ? Alors travaille ta tête. C'est dans ta tête que ça se passe. Si ton cerveau est clair, ta bouche énoncera clairement. Expulse de ton cerveau, ton meilleur ami et ton pire ennemi, les a priori, les certitudes, les scories qui y traînent peut-être depuis la maternelle ou que tu as, sans forcément le vouloir, copié-collés de ton environnement familial. Il faudra te débarrasser de l'idée même que tu te fais de ta voix, la redécouvrir telle qu'elle est. N'oublie pas que ton empreinte vocale, de la même manière que tes empreintes digitales, est unique au monde. Tu es unique au monde. Il n'y a aucune raison valable pour que ce que tu émets ressemble à quelque chose d'existant. Si c'est le cas, c'est que tu imites ou que tu te caches. Les imitateurs sont des usurpateurs, sympathiques certes, mais ils se planquent et ne seront jamais que des embusqués. L'embusqué n'avance pas, il attend celui qui marche.

Tu veux chanter ? Alors apprends la musique, le rythme, la valeur des silences, les syncopes qui ne sont rien d'autre que des jeux facétieux de silences au sein de la mesure. Apprends la mesure, celle qui te permettra de ne pas sur-chanter, ou surjouer ton texte, de faire tes pleins et tes déliés en fonction de ton émotion et non de la seule technique. Chanter n'est rien d'autre que parler en musique. Apprends donc à parler avant de chanter, pour t'intéresser aux mots, à leurs sens – que j'ai mis au pluriel car le même mot peut vouloir dire tellement de choses –, leur poids selon la phrase dans laquelle ils sont utilisés. Tu verras que tu en seras plus exigeant sur les chansons qu'on te présentera ou que tu feras toi-même. Tu te fous des mots ? Ce qui t'intéresse c'est la musique qui va mettre en valeur ta voix ? Mets-toi bien dans le crâne qu'un stradivarius, si exceptionnel soit-il, ne peut pas jouer tout seul. Il lui faut un violoniste. Pour le stradivarius que tu penses être, tu seras le violoniste. À partir de là c'est l'âme qui fait la différence. Plus l'âme est belle, plus le son du stradivarius est émouvant. Alors bichonne-la, ton âme. Fais-la resplendir, tu vas avoir à la montrer en public.

Il nous fallait faire passer tout ça, et plus encore, à ces jeunes garçons et filles et cette lourde tâche m'enthousiasmait.

Bien sûr, danser, jouer, chanter peuvent n'être que des boulots comme les autres, ou presque, s'ils ne sont pas habités. Mais à des techniciens hors pair de la danse, du chant, de la comédie et de quelque instrument de musique que ce soit, je préférerai toujours l'amateur – au sens d'*amare* : aimer – qui livre ce qu'il est, sans restriction.

Et puis, évidemment, il y a ceux dont la technique est parfaite et qui habitent de toute leur âme l'art qu'ils exercent. Ceux-là, et seulement ceux-là, sont les stars. Les étoiles dans les yeux d'un peuple.

Stéphanie m'avait rejoint vers la mi-juillet. Elle avait tenu à descendre par la route le Blazer Chevrolet. Ce gros 4 × 4 était confortable, certes, seulement faire plus de neuf cents kilomètres à son volant, enceinte de huit mois, me paraissait un exploit. Mais lorsque femme veut... La famille Guilhem nous accueillit comme si nous étions des leurs et Steph copina immédiatement avec les dames de la maison, dont Pia, la fille, jeune et jolie femme qui venait elle-même d'avoir un enfant. Marie commença à faire du charme à tout le monde et trouva vite sa place et ses lieux favoris dans cette magnifique propriété. Le 6 août, l'anniversaire de Stéphanie fut fêté dans une ambiance familiale. Il y avait quelque chose de délicieux à partager la vie de ces gens.

Le vendredi 10 août, nous étions en plein boulot à l'atelier, lorsque je reçus le coup de téléphone me prévenant que Stéphanie venait d'entrer dans une clinique du quartier de la Californie, à Cannes. Une fois de plus, Steph avait fait son sac, était montée dans son Blazer et était tranquillement partie accoucher. Pas de panique. Du pur instinct. Animal. Je saute dans ma bagnole, fonce vers Cannes, me jette dans les embouteillages de fin d'après-midi sur le bord de mer, peste contre ces lambins de vacanciers qui traînent en revenant de la plage et qui ne savent pas que je vais être papa.

J'arrive à temps. Stéphanie ne va pas tarder à entrer en salle d'accouchement. Mais cette fois, comme je me l'étais promis, je serai là. Je vais voir naître mon deuxième enfant. Fille ? Garçon ? À l'époque, les pythies, sibylles et sorcières en tout genre faisaient office d'échographie, selon la forme du ventre, sa hauteur, sa rondeur, la lourdeur des seins, etc. Ça tenait une grande place dans les papotages prénatals et ça faisait passer le temps. Dans le cas de Steph, c'était un garçon qui était prévu. Mais bon ! La divination n'étant pas une science exacte, on attendait de voir. Garçon ou fille, il ou elle était de toute façon le ou la bienvenu(e) sur cette planète où il y avait encore pas mal de boulot à faire pour qu'elle soit parfaite mais qui allait forcément s'arranger puisqu'il ou elle allait mettre la main à la pâte et régler tous les problèmes en trois coups de cuillère à pot.

J'en étais là de mes cogitations métaphysiques lorsque ce fut le moment. Stéphanie fut emmenée et on m'habilla de neuf et de stérile. Je n'étais plus Michel Fugain, mais « le papa qui veut assister à l'accouchement de sa femme » et que les infirmières surveillent sans arrêt du coin de l'œil au cas où il tomberait dans les pommes. Je suis incapable de dire combien de temps dura le supplice, mais plus le temps passait et plus j'étais pétri d'admiration pour ma femme et toutes les femmes de la Terre. Quelle épreuve ! Quelle détermination, quel combat ! La force déployée pour expulser le bébé m'a paru colossale. J'aurai dans les yeux, à vie, les mains de Steph agrippées aux deux barres et la grimace d'effort qui réduisaient d'un coup les métiers d'hommes à des divertissements pour fillettes. L'obstétricien gueulait ses ordres, « Poussez ! Poussez ! Allez, on pousse ! », que Steph suivait à la lettre, avec vraisemblablement l'envie de l'envoyer chier : « Et qu'est-ce que tu crois que je fais, connard ? »

Et tout à coup, le bébé, mon bébé, notre bébé, glissa du ventre de sa maman dans la vraie vie en poussant son premier cri de victoire alors que c'était sa mère qui avait fait tout le boulot.

– C'est une très jolie petite fille, triompha le toubib.

– Nooooon ! s'écria la mère, sidérée.

Si ! Tous les pronostics étaient faux. C'était une fille. Un petit pruneau aux cheveux raides. Jolie ? Trop tôt pour le dire. Ce n'est jamais joli un nouveau-né. C'est bien plus que ça. C'est beau.

La sage-femme passa notre fille sous le robinet pendant qu'on emmenait Steph vers sa chambre où, quelques minutes plus tard, je les retrouvai toutes les deux. Ma fille, qui n'avait pas encore de prénom, reposait sur le sein de ma femme étonnamment calme et détendue. Hommes mes frères, j'en connais un paquet parmi nous qui en auraient fait des tonnes, joué les martyrs et raconté ça comme des héros de la guerre. Les femmes, non. La mise au monde est naturelle et la récompense, ce bébé qu'elles ont porté, senti bouger en elles et qu'elles ont là, sur leur poitrine, leur fait immédiatement oublier les souffrances. On a du bol, les mecs, que ces forces de la nature soient notre complément.

On a vite cherché un prénom pouvant convenir à la petite bouille qui dormait près de sa maman. Je le voulais léger et féminin. Steph n'avait pas de proposition précise à faire. Pourquoi ai-je pensé à la chanson de Michel Delpech ? Allez savoir... J'ai suggéré Laurette. Nous nous sommes retournés vers notre petite puce... Ouais... Laurette... Laurette, mon amour... Elle ne broncha pas. C'était bon signe. Notre fille s'appellera Laurette. Quatre jours plus tard mes femmes étaient à Valbonne et Marie découvrait, fascinée, la petite sœur qui deviendra sa complice.

Après le stage des deux mois d'été, la première année d'atelier devait commencer en octobre. Cela laissait le temps à tous de trouver des appartements et de s'installer durablement. Nos jeunes avaient eu le loisir de se connaître et de nouer des liens d'amitié tels qu'ils se regroupèrent par affinités pour des colocations qui arrangeaient bien leurs budgets.

« L'atelier Michel Fugain » était une association à but non lucratif dont j'étais le président. Cette association avait un certain nombre de charges dont le salaire de Johnny Montheillet, de Patricia Reed, une grande fille blonde toute simple et charmante qui tenait le rôle d'administratrice, et un secrétariat. Il fallait donc prévoir une participation des élèves. Cette cotisation calculée au rasoir fut fixée à six cents francs par mois, pour pouvoir couvrir tous les frais. Que tous aient toujours payé, je n'en suis pas sûr, mais ce n'était pas mon problème. Certains d'entre eux se mirent à chercher des jobs pour gagner quelques sous. J'aimais bien que, comme beaucoup d'étudiants en France, ils soient obligés de faire des efforts. Ça nous assurait de ne pas avoir devant nous que des fils et filles à papa, ou se comportant comme tels.

Le problème des difficultés financières que rencontraient les mômes me tracassait quand même, et je commençais à rêver d'un atelier reconnu par l'État où les élèves auraient pu être boursiers ou semi-boursiers. Je m'attelai donc à la rédaction d'un dossier que je projetais de déposer. Où et comment ? Je n'en savais rien, mais je rédigeais.

Un cycle de trois ans me paraissait souhaitable. Une première année d'approche, une deuxième d'apprentissage et une troisième de travaux pratiques et réalisation d'un projet commun. Je prônais dans ce dossier le devoir de parfaire

378

la culture artistique, assise et arsenal de références indispensables pour la recherche personnelle de chacun, le visionnage de films musicaux et autres ou émissions télévisées avec commentaires et développement du sens critique, la nécessité d'avoir un matériel vidéo – caméra et magnétoscope – pendant les séances de travail pour que les élèves se voient, comprennent, recommencent. J'insistais sur le fait que ne pas être à Paris constituait un vrai plus car les participants aux activités étaient beaucoup plus disponibles, n'étant pas à la recherche de petits rôles qui, s'ils leur permettaient de manger, n'en étaient pas moins un danger pour leur progression. Pas de métro à prendre, pas de stress, trois années de travail avant de se lancer dans la vie professionnelle. Je disais même être persuadé que ces trois années devaient être sanctionnées par un simple certificat, à la rigueur, et non par un diplôme ou ce genre de peau d'âne qui ne garantit pas nécessairement que le diplômé a du talent. En tout, le document faisait une bonne trentaine de pages, argumentées, présentées sérieusement, et j'en étais assez fier. Il est vrai que je ne savais pas dans quelles mains ce dossier allait passer, je pouvais donc me permettre de charger la mule. Si un jour j'avais la chance d'être entendu, il serait toujours temps de revoir mes vœux pieux à la baisse.

Cette fois-ci, mes jours étaient plus beaux que mes nuits. Laurette se révélait être une monstrueuse gloutonne et Stéphanie, qui avait décidé de l'allaiter, vivait un calvaire. J'étais autant réveillé par les seins de Steph qui me giclaient sur le visage à heures fixes que par les cris de notre petite ogresse qui nous traitait, j'en suis sûr, d'affameurs. Je dors trois heures, je me réveille, je pleure, je dors trois heures, je me réveille, je pleure, je dors trois heures...

Je crois même que Laurette carottait. Deux heures et demie et encore... On se levait le matin épuisés.

Nous avions pris une agence pour nous trouver une habitation. Il n'était pas question d'abuser de l'hospitalité des Guilhem qui avaient déjà fait beaucoup. La recherche nous amena à visiter dans les hauts de Vence une bastide impressionnante entourée d'arbres séculaires, dont on nous dit qu'elle était une des maisons de la marquise de Brantes. Ne connaissant pas ma jet set sur le bout du doigt, je ne réagis pas et la fille de l'agence me précisa que c'était la grand-mère de Mme Giscard d'Estaing. Allons bon ! En revanche, lorsqu'elle m'annonça que Bill Wyman, le bassiste des Stones, avait vécu là quelques mois, j'ai tout de suite affiché un regain d'intérêt. En fait, toutes ces informations m'étaient indifférentes et la maison me plaisait surtout parce que tout ce beau monde n'était pas dedans. On fit l'affaire et on emménagea à Lou Staroun, que nous allions apprendre à découvrir et aimer.

L'année fut studieuse, passionnée et enrichissante pour tous. Animateurs et animés. C'est fou ce qu'on apprend sur soi-même lorsqu'on passe le témoin. Tout devient limpide. La formulation de l'informulé qu'on pensait informulable oblige à une telle précision qu'on peut frôler l'ivresse. Le receveur, lui, veut savoir. Bouche bée devant le type halluciné qui essaie de lui expliquer ce qu'il croit être le fond du fond de la chose artistique, il enfourne, il avale, déglutit, même sans comprendre. Il aura bien le temps de ruminer et de faire sien ou non ce qu'on essaie de lui faire passer. C'est le jeu. On n'enseigne pas, on essaie simplement d'être contagieux en espérant que les défenses immunitaires du contaminé ne tuent pas le microbe. Elles sont nombreuses, ces défenses. La pudeur, la famille, la société, les comportements stéréotypés, les copains, la peur d'affronter ce qu'on est en se contentant de ce qu'on a. Notre but est de déclencher l'ambition. Pas la vulgaire qui peut faire de n'importe qui un killer, la belle, celle qui pousse un être à se sublimer, pour lui, pour les autres et la beauté du geste. On espère tirer vers le haut. Et tant pis pour ceux et celles qui n'ont pas le courage, ceux et celles qui se satisfont de ce qui est à leur portée. Ils ne sont pas faits pour ça, qu'ils retournent parmi les mortels. Ils ne feront jamais que venir grossir les rangs déjà populeux des faiseurs.

Johnny, lui, ne s'embarrassait pas de ce genre de considérations. Il était danseur, il appliquait des règles de danseur. La schlague et le coup de gueule. Et ça fonctionnait très bien. Il tenait son heureuse nature d'un mélange de sangs qui le réjouissait. Je ne sais pas à quel cas de figure bizarre des lois de Mendel cela était dû, mais Johnny, blanc de blanc, était noir. Impossible à déceler puisque aucun des traits de son visage n'était négroïde. Il était blanc et rouquin de surcroît. Sauf quand il dansait. Là, il laissait parler sa nature et il n'y avait plus de doute, les vrais blacks savaient qu'il était des leurs. Il était archi bon et un super-coach. Les mômes l'adoraient, et se faisaient remonter les bretelles avec délectation parce qu'ils progressaient tous à la vitesse de la lumière. Il fallait voir Mimie se défoncer devant le miroir sur *Upside down* de Diana Ross. Il ne lui pardonnait rien. D'ailleurs, ni lui ni moi n'avons pardonné quoi que ce soit à Mimie. On lui avait donné la règle : quelle que soit la difficulté, tu peux le faire.

Johnny avait à sa disposition un bon groupe de danseuses. Normal. Ce sont toujours les premières à se présenter dans ce genre d'atelier. Elles aiment passer de main en main, tester les profs et piquer des pas, des styles, qu'elles ajoutent à leur panoplie. En été, on avait eu un groupe de filles qui arrivait de l'école Rosella Hightower de Cannes, fermée pour les vacances. Certaines restèrent à l'atelier, abandonnant le classique, où elles n'avaient aucune chance, pour la danse de voyou. Un autre groupe, Laetitia, Dominique, Marie-Claude, étaient des locales joliment douées. Parmi les garçons, seul Stéphane, frère de Laetitia, faisait illusion. Les autres ont pioché, transpiré, merdé, râlé, recommencé mais avec une énergie à foutre les larmes aux deux apprentis sorciers que nous étions Johnny et moi.

Quand ils avaient eu leur compte en danse, je les réunissais autour du piano. Je composais, leur imposais de prendre immédiatement la mélodie, je partageais les voix, trouvais les contre-chants, le tout très vite et sous la pression. Travailler l'instinct. Exercices de rythme, de découpage de mesure, de syncopes, très fatigants pour le système nerveux quand on ne sait pas faire et qu'on veut absolument y arriver. Je mettais en musique des exercices de diction des comédiens, faisant ainsi d'une pierre deux coups. On n'arrêtait pas de chanter. À raison d'une mélodie par jour, quelquefois, je n'ai jamais fait autant de musique. Le tout dans une décontraction digne de la cour de récré. Cet atelier était une ambiance et c'est à cette ambiance que nous étions tous attachés. Au fond des sept hectares que comptait le domaine des studios de la Victorine, nous étions à l'abri.

Tout au long de l'année, je m'étais partagé entre Nice et Paris puisqu'un album était en préparation. En fait, je n'avais cessé de chercher de la musique. Je dis volontiers que j'ai glandé mais en définitive, je n'ai jamais arrêté. Il est vrai que je n'ai pas l'impression de travailler en cherchant des chansons. Donc, je ne comptabilise pas ce temps-là comme des heures de boulot. Chez les Guilhem à Valbonne, par exemple, sur le grand piano du salon, j'ai trouvé la musique de ce qui allait devenir *Les Sud-Américaines*. Pas en travaillant. En m'amusant.

Travailler, c'était remonter à Paris, passer les mélodies aux auteurs, réfléchir, élucubrer, délirer sur et autour des textes, préparer les séances, enregistrer, faire la promo, répondre aux questions bateau des journalistes qui, parce que vous êtes chanteur, vous considèrent toujours comme un imbécile et que vous ne pouvez pas envoyer chier car ils se vengeraient en vous traitant de mal embouché. Ça, c'est du travail.

Fini Londres. Finie la collaboration avec Jean Bouchéty. Une page se tournait. Cet album était mon premier album solo après ma période « troupes » et j'avais envie, à tort ou à raison, de faire peau neuve. Cela donna lieu à de grandes discussions avec Rolande qui sentait bien, elle aussi, qu'on arrivait à un carrefour et qu'il fallait faire gaffe à ne pas se tromper de direction.

Les temps avaient changé. L'heure n'était plus aux grands orchestres. Les arrangements disparaissaient. Les synthés triomphaient. Entre funk et disco, les Anglo-Saxons nous envoyaient bombe sur bombe. C'était sur Diana Ross, Donna Summer, Michael Jackson, Earth Wind and Fire, Les Bee Gees que Johnny faisait danser nos jeunes. The Police faisait la loi, Abba inondait la planète... Faire une liste de ce qui cartonnait et de ce qui était en préparation pour les années quatre-vingt à venir prendrait trop de place et souvent, il ne faudrait citer que les titres car, à part les quelques-uns qui sont encore là sous une forme différente, le gros du paquet n'a pas fait souche. Le monde de la musique était devenu un marché. Quand un supermarché s'installe dans un quartier, tout le monde, sauf le petit épicier du coin, se réjouit. C'est plus pratique, on trouve de tout et les appartements prennent de la valeur. En revanche, plus question de trouver du spécial, du différent, du particulier. Il n'y a dans les bacs que ce qui se vend. Une société nouvelle se profilait, dont les marchands devenaient peu à peu les maîtres de cérémonie et il n'y avait pas de raison pour que la musique échappe à cette logique.

Après mûre réflexion, Rolande me recommanda de bosser avec Slim Pezin. J'avais connu Slim, un grand gabarit à gueule de pirate et cheveux longs, lorsqu'il était guitariste de Claude François. On passait en première partie et on était restés pour assister à son show, veste à paillettes et lumières clignotantes. C'était la première fois, et la dernière d'ailleurs, que je voyais un chanteur faire pratiquement tout son tour le dos à la salle. Il passa la majeure partie de son spectacle à engueuler ses musiciens dont certains comme Slim et René Urtreger étaient des pointures. René, qui pouvait s'enorgueillir d'avoir joué avec Miles Davis pour la bande originale mythique de *Ascenseur pour l'échafaud*, est un pianiste pour lequel j'ai une admiration sans limite. Et tous ces gros bras de la musique faisaient le dos rond sans que l'un d'entre eux se lève et se casse. Fallait-il qu'ils aient faim, mes camarades...

J'ai donc rencontré Slim Pezin, nous nous sommes bien compris et l'album fut réalisé au Studio des Dames, où il avait lui aussi ses habitudes. Slim Pezin, Sauveur Malia, Pierre Alain Dahan, Marc Chantereau, respectivement guitares, basse, batterie et percussions, étaient les requins de l'époque. Pas une séance ne leur échappait. Ils roulaient Ferrari et fumaient Havanes. En revanche ils livraient. Ils firent un vrai travail de groupe, à la différence que eux étaient bons et jouaient bien. Slim avait trouvé une couleur qui m'allait au teint, à la fois chaude et couillue. S'ajoutèrent, pour les chœurs, des amis de longue date que j'avais connus chez CBS, les frères Costa, Michel et Georges, et les Fléchettes, avec qui je travaillerai pendant quelques disques. La photo de la pochette fut réalisée par Jean-Baptiste Mondino et l'album sortit au printemps 1980. Tout ça fut très intéressant, agréable, mais bon, ça ne valait pas l'ambiance débridée de l'atelier.

Allez, salut tout le monde, je redescends à Nice.

*
**

Il n'y avait pas de piano à Lou Staroun, la grande maison de Vence. J'ai donc fait descendre mon Yamaha CP 70. Je pouvais refaire toute la musique que je voulais et ne m'en suis pas privé.

La maison n'était franchement pas une maison d'hiver. Elle était difficile à chauffer et on avait tendance à s'entasser dans seulement quelques pièces, heureusement les plus belles. Johnny nous avait rejoints et assumait une petite part du loyer, assez cher. Mon statut de président de l'association m'interdisant d'être rémunéré, je grignotais peu à peu mon capital. Mais un album allait sortir. *Les Sud-Américaines* me paraissait être un bon titre, je n'avais donc pas de raisons de m'inquiéter outre mesure.

Dans ce domaine ahurissant qu'était Lou Staroun, la marquise de Brantes, née Schneider (lire Schneidre), avait fait construire une sorte de cloître. On a bien évidemment pensé que c'était le fruit d'une religiosité forcenée, ou, plus pernicieusement, une quête d'absolution pour tous les méfaits historiques de la grande famille de maîtres de forge Schneider. On est même allés jusqu'à imaginer que ce lieu clos avait été un rendez-vous incontournable de la jet set française pour des partouzes orgiaques et décadentes. C'était plus gouleyant mais, sans aucun doute, loin de la vérité.

Après avoir été prévenus et vraisemblablement espionnés, car les RG ne plaisantent pas avec leur devoir, nous avons eu le privilège de recevoir Mme Giscard d'Estaing, Anne-Aymone, la petite-fille. Elle est arrivée en début de matinée et s'est dirigée tout de suite vers le cloître où elle s'est longuement recueillie. Après quoi elle a taillé une bavette avec Mammine pendant une bonne demi-heure. On aurait dit deux voisines qui se donnaient des nouvelles du quartier. Image insolite. Puis elle est partie sans même prendre une tasse de thé.

À Lou Staroun, il y avait également une petite piscine qui en hiver était surtout verte et moche. C'est souvent le lot des piscines de n'être, pendant la mauvaise saison, qu'un vilain trou plein d'une eau d'un vert immonde. Une fois propre, elle fit le bonheur de mes filles.

Lou Staroun étant immense, on pouvait y accueillir toutes nos familles et dès les beaux jours la maison était pleine. Mammine, Claude qui m'avait fait tonton en adoptant une petite Clémence sensiblement du même âge que Laurette, les frères et sœurs de Stéphanie, ça faisait du monde à la grande table d'été sous une voûte qui gardait une fraîcheur bénéfique.

Marie, qui avait commencé son année scolaire à Valbonne, fut inscrite à Vence. La faculté d'adaptation qu'elle avait acquise lors de nos déplacements de ville en ville et d'hôtel en hôtel lui permit de changer d'école sans qu'il soit nécessaire de faire appel à une cellule psychologique.

Au printemps, l'atelier fut en effervescence. André Waksman venait faire un reportage sur nos activités pour le compte d'une télévision nordique. Il filma notre plateau, il suivit les jeunes dans leur vie quotidienne, des séquences furent tournées dans les décors des *Mystères de Paris*

qu'avait fait construire monsieur Guilhem dans un coin de sa gigantesque propriété de Valbonne. Tout le monde s'est beaucoup amusé, et puis nous avons repris notre train-train, pas si pantouflard que ça.

Je dus un jour choper Mimie au passage et avoir une vraie discussion avec elle. Elle avait pris l'habitude, pensant que c'était la façon de se faire des amis, de jouer de son handicap. Il fallait arrêter ça le plus vite possible et lui dire sans mollir qu'elle n'y arriverait pas en empruntant ce chemin plus facile, certes, mais qui deviendrait vite une impasse.

– Mimie, tu n'as pas le choix. Tu seras star ou rien. Ce n'est pas en restant petite dans ta tête que tu deviendras une grande. Ça commence par les rapports que tu as avec les autres. Ils ne t'aiment pas parce que tu es petite. Ils t'aiment parce que tu es toi. Tu es intelligente, tu es drôle, tu as un caractère de cochon, donc les qualités requises. Tu ne vas pas plomber ton affaire avec une histoire de centimètres, quand même ! À partir de maintenant je ne veux plus entendre parler de difficultés dues à ta taille. C'est fini. Tu es grande, ma poule. Remember : Star ou rien.

Reçu cinq sur cinq. Mimie n'a fait que grandir au fil des mois.

C'était un vrai bonheur de voir ces jeunes gens progresser. Pas tous évidemment, mais, comme par hasard, ceux avec lesquels s'étaient tout de suite tissés des liens d'amitié. De saltimbanque à saltimbanque. Il arrivait qu'un jour l'un ou l'une d'entre eux, comprenant un truc qu'on voulait lui faire passer, nous donne l'impression qu'une lampe s'était allumée au-dessus de sa tête. Alléluia ! La lampe restait allumée quelques jours et puis elle s'éteignait. Ben pourquoi ? Ce n'est qu'après que l'on réalisait qu'il ou elle était simplement en route pour un objectif un peu plus lointain et que la lampe ne se rallumerait qu'une fois ce but atteint.

Souvent les gens ont évoqué devant moi les grands moments du Big Bazar, pensant que c'était la plus belle période de ma vie professionnelle. Non. La plus belle de mes nombreuses vies fut indiscutablement celle de l'Atelier à Nice.

Claude, ma petite sœur qui avait tout d'une grande, était tombée sous le charme d'un homme plus jeune qu'elle et vivait avec lui une union qui faisait le bonheur de sa fille Clémence, laquelle adorait ce grand garçon sympathique et en avait rapidement fait son papa. Il s'appelait Barre, Nicolas Barre, et était accessoirement un des fils du Premier ministre de la France d'alors. Nicolas est entré dans notre famille aussi vite que Claude et Clémence sont entrées dans la sienne. Comme nous n'avions pas de secret les uns pour les autres, Nicolas était parfaitement au courant de ce qui se passait à Nice, connaissait l'Atelier, et faisait preuve d'une belle solidarité. Au point qu'il décida d'en parler à son papa Raymond. Il prit mon dossier désormais complet sous le bras et intercéda. Cela donna lieu à un dîner en famille à Matignon. J'avoue qu'entrer au 57 rue de Varenne quasiment comme un membre de la parentèle est un plaisir qui ne se goûte pas tous les jours. J'ai vite compris qu'une fois franchie la porte, une partie de l'étiquette tombait et que nous restions entre gens normaux. Raymond Barre, débordé de boulot, arriva de son bureau juste pour se mettre à table après les présentations. Mon pap' était du voyage et faisait la roue depuis notre arrivée devant Ève, Mme Barre. C'est plus fort que lui. Même encore maintenant qu'il approche les quatre-vingt-dix ans, il ne peut s'empêcher de jouer les séducteurs. Pourvu que j'aie hérité de ça ! Le dîner fut plus que sympathique. Raymond Barre, monsieur très classieux aux allures débonnaires, se montra plein d'esprit et d'une vachardise à l'égard du « microcosme » à l'égal de sa clair-voyante intelligence. J'ai eu plusieurs fois l'occasion de constater que les grands hommes politiques font souvent preuve d'un bel humour, généralement corrosif. Je suppose que c'est une vertu nécessaire pour cheminer dans les cou-loirs du pouvoir sans avoir envie de s'enfuir à toutes jambes. Après le dessert, papa Barre est reparti dans son bureau et nous n'avons pas traîné. Matignon et les ors de la Républiques ne sont pas exactement le décor rêvé pour boire un verre entre potes jusque tard dans la nuit. On n'avait même pas évoqué mon dossier.

Quelques jours plus tard, pourtant, nous fûmes convo-qués, Nicolas et moi, dans l'immeuble en face de Mati-gnon. Là nous nous sommes retrouvés devant un haut fonctionnaire et ce ne fut pas pareil. Lui avait lu le dossier, sur recommandation du patron, et il en savait tout. Après analyse, il nous déclara qu'on se plantait. On imaginait bêtement que notre projet était pour le ministère de la Culture. Il nous en dissuada, nous dit qu'à la Culture c'étaient des nains, qu'ils n'avaient pas de sous et qu'en plus ils étaient radins. Il termina la demi-heure légale en nous affirmant que notre truc, c'était pour le Travail et qu'il allait intervenir pour « qu'ils » nous entendent. Merci. Au revoir.

Effectivement, peu de temps après nous étions au minis-tère du Travail devant un type en col roulé, barbu et méfiant. J'ai pigé assez vite qu'il ne comprenait pas l'atte-lage que nous formions, Nicolas et moi. L'un est le fils du Premier et l'autre il fait quoi, là ? Pour peu que le mec soit un peu de gauche et connaisse *Le Chiffon rouge,* il a de quoi se poser des questions. Il m'a donc fait parler. Ce que j'ai fait de façon suffisamment convaincante pour qu'il nous dise que les services compétents étaient régionalisés, que Nice dépendait de PACA et qu'il allait passer le dossier avec avis favorable. Yes !

C'est vers janvier de la deuxième année qu'un coup de téléphone nous avertit qu'une dame du secrétariat d'État au Travail allait venir voir nos activités, faites comme d'habitude ne changez rien pour elle. On a vu débarquer une caricature de bourgeoise un peu fofolle, limite déjantée, qui a vécu avec nous deux jours. Elle a tout regardé avec intérêt. Il faut dire qu'on lui a tout fait. Pieds au mur, saut carpé arrière, la roue, le grand huit, on a joué les sérieux, les créateurs torturés, les coachs sévères mais justes... Tout ! Avec la complicité de tous les mômes, évidemment. Bien rigolé. Et puis elle est partie.

Au printemps, pendant les vacances de Pâques, je reçus une convocation à la préfecture de Marseille. À 9 heures du matin. Nicolas étant à la maison avec ma sœur et Clémence, on décida d'y aller ensemble. Heureusement. Neuf heures du matin à Marseille ce n'est pas faisable, à moins d'être passé avant les embouteillages. Mais j'avais dans la voiture mon fils de Premier ministre qui lui-même avait en permanence dans sa poche un coupe-file magique. Un mot écrit de la main de son papa qui prie les gendarmes ou les services d'ordre de bien vouloir venir en aide à son fiston quand il présentera ce sésame. Il me fit stopper au poste de gendarmerie qui est à l'entrée de la ville, dégaina son passe-droit et le rêve absolu commença. Une bagnole de flics à fond la caisse suivie par une Porsche qui ne la décollait pas, passant à l'envers dans les couloirs de bus, le pimpon au taquet et les vélos qui giclaient sur les trottoir pour sauver leur peau... il faut vivre une fois ça dans sa vie ! On est arrivés pile à l'heure pour s'entendre dire par notre fofolle toute guillerette :

— Je vous prends parce que je n'ai pas ça. On discutera des modalités plus tard, mais sachez que je vous prends.

C'est vrai qu'elle aurait pu nous le dire par téléphone,

mais ça m'aurait empêché de vivre le grand moment de ma vie que fut cette entrée fracassante dans Marseille à 9 heures du matin.

J'avais mis en route une « comédie musicale » – décidément cette appellation m'exaspère – avec l'intention souterraine d'y faire figurer les jeunes de l'Atelier. J'ai donc, à Lou Staroun, passé de longues heures à mon piano. J'aimais bien la couleur qui se dessinait peu à peu. Assez particulière, spéciale quelquefois, mais au carrefour de toutes les musiques que j'ai aimées dans ma vie.

À la fin de l'été, Stéphanie rentra à Paris. Elle n'avait jamais aimé vivre sur la Côte, ne se sentait pas bien dans cette maison, ses parents lui manquaient, et en fin de compte l'Atelier ne la passionnait pas. Tout ça lui paraissait vain. Elle prit nos filles sous le bras et me laissa seul avec Johnny dans la grande maison. Il était écrit que nous ne resterions pas seuls longtemps et Lou Staroun devint un lieu de fêtes.

Patrice Laffont, dans le cadre de son émission « Mi-fugue, mi-raison », installa ses caméras pendant deux jours dans tout le domaine de la Victorine pour un direct en prime time. Je sais bien que j'étais en promotion de l'album des *Sud-Américaines*, mais de là à venir faire un direct à Nice et à l'Atelier, il fallait bien que le copinage ait joué. C'est vrai que notre amitié commençait à se faire vieille et les private jokes ont fusé pendant toute l'émission dont je ne sais pas si elle est un bon souvenir pour ceux qui l'ont regardée, mais pour nous, elle l'est.

La télévision a été très présente, pendant un moment. J'ai vu un jour arriver Christophe Izard qui avait alors en charge les après-midi de TF1. Christophe, que j'avais toujours plaisir à retrouver, me proposait d'animer, à la rentrée de septembre de cette année 1980, le samedi après-midi.

– Hooo, là ! Où vas-tu Christophe ? C'est pas mon métier, la télé. Qu'est-ce que tu veux que j'y fasse ?

Il argumenta. On échangea des idées. Je réfléchissais en même temps. Bon ? Pas bon ? Faut que j'en parle...

On s'est quitté bons amis. On se donnait le temps de la réflexion.

Maurice Vidalin prit aussi ses habitudes à Lou Staroun. On en arrivait au moment crucial des mots à marier à la musique. La comédie musicale était presque à terme. Ils furent deux à travailler sur cet opus que peu de gens connaissent. Maurice et Carole Coudray que j'avais connue dans l'entourage de Gabriel Yared, un vieux copain du temps de CBS, avec lequel j'avais récemment bossé pour un album de Françoise Hardy. C'est à cette occasion que j'avais rencontré Carole, chouette nana, joyeuse et jolie comme tout, qui vivait avec Nicolas Peyrac.

Gabriel allait devenir le réalisateur de *Capharnaüm*, c'était le nom de l'œuvre en chantier.

Les séances se firent au Palais des congrès. Gabriel y avait ses habitudes. Il y eut de très beaux moments. Gabriel est un artiste exceptionnel. Il est doté d'une sensibilité, d'une intelligence musicale et d'une fantaisie hallucinantes. Jamais simple, jamais neutre, toujours en recherche, Gabriel Yared doit aussi à son tempérament levantin d'être partagé, en alternance, entre le drame et la joie. Tout ça se sent dans la musique qu'il fait. Il est aimé de ses pairs, et avoir un album réalisé par lui, c'est avoir l'assurance que les meilleurs musiciens donneront tout ce qu'ils ont dans le ventre.

On enregistra les voix des jeunes au studio Miraval, de Jacques Loussier, dans l'arrière-pays varois. Ce fut sans problème malgré la difficulté de la plupart des chansons. Le tout, une fois terminé, donna un album ovni, *Caphar-naüm.*

La deuxième année se terminait. Pendant ces deux ans, nous avons vécu des moments magnifiques, à l'Atelier, à Lou Staroun, dans le vieux Nice où nous terminions nos nuits dans les piano-bars après nous être régalés de poissons et de beignets de fleurs de courgette. On a mené une vie douce et joyeuse autant que vive et passionnée mais les saltimbanques ne sont pas des sédentaires. Johnny et moi avions le sentiment d'avoir donné tout ce que nous savions. Il fallait qu'on reparte. Il était trop tôt pour tirer les conclusions de cette aventure. Entre-temps, Rolande m'avait recommandé d'accepter l'offre de Christophe Izard.

Et si l'on transportait l'Atelier à Paris ? On pourrait préparer les émissions, les faire ensemble, continuer à être en télé ce que nous sommes ici. On avait envie d'autre chose, mais pas de tout perdre.

22

LE FOUTOIR

La famille fut de nouveau réunie à Vence pendant les vacances d'été, profitant de la grande maison jusqu'au 15 août, puis on quitta la Côte d'Azur direction Paris.

L'urgence des urgences était de me faire entrer dans le crâne que j'allais devoir animer une émission de télé. La télévision ne faisait pas vraiment partie de ma culture, je n'en aimais pas grand-chose et elle me paraissait être le royaume d'un demi-monde vulgaire et imbu de son succès. Il y avait désormais un poste de télé dans chaque foyer et on commençait à « allumer » son téléviseur comme on « allumait » sa radio.

Je me voyais mal mettre les pieds tout seul dans cet univers que je n'avais jamais fréquenté que devant les caméras. Je n'y connaissais rien. Tout m'était étranger, façon de penser et vocabulaire. C'est Claude Le Gac, attachée de presse officielle de Minotaure depuis les dernières années du Big Bazar, qui m'épaula et me sauva la mise. Dès son intervention, je n'ai fait que la suivre sans réellement m'intéresser. Claude était une femme autoritaire à la belle quarantaine pulpeuse, épouse d'un producteur de cinéma, et le septième art était son domaine privilégié. Elle avait largement les épaules pour porter la responsabilité de la production déléguée. Elle organisa la rencontre avec les responsables de TF1, des ectoplasmes intellos, ni chair ni poisson, qui semblaient éprouver la plus profonde indifférence pour tout ce qui n'était pas leur nombril. Il ne fallait pas être Einstein pour comprendre que l'enjeu de l'émission du samedi après-midi n'était pas capital. L'Audimat n'existait pas, TF1 était une antenne d'État, ces pantouflards ne risquaient donc pas leur place et, en gros, on pouvait faire n'importe quoi. On ne s'en est pas privés. Claude chercha rapidement des « writers », des auteurs, pour écrire les dialogues des scénettes que nous devions jouer avec tous les jeunes de l'Atelier. Elle me présenta Michel Lengliney, un jeune auteur de théâtre avec qui le contact fut immédiat. Michel, qui était alors le mari de Sabine Azéma, sublime Sabine qui virevoltait autour de nos discussions, se mit à plancher après que je lui eus donné les grandes lignes de caractère de chacun de nos acteurs en herbe.

Parallèlement, je devais trouver un lieu de travail pour l'Atelier. Les mômes arrivaient. Il y avait urgence. C'est Nicolas Barre qui me dépatouilla l'affaire en me présentant André Santini, maire d'Issy-les-Moulineaux. Celui-ci avait un gymnase désaffecté pour cause de dégâts des eaux, minimes certes, mais les normes de sécurité étant ce qu'elles étaient, il ne pouvait pas prendre le risque d'y installer des activités officielles. Pour nous, en revanche, ça allait très bien. Banco ! Merci monsieur le maire. On était casés.

Il fut décidé de façon collégiale que l'émission s'intitulerait « Les fugues à Fugain ». Personnellement, je détestais ça. Que mon nom apparaisse dans le titre me gênait. Mais le jeu de mots plaisait. Bof !

De toute manière ce fut une cata. Le rythme hebdomadaire était impossible à tenir pour le travail qu'il y avait à fournir. On était obligé de bâcler. Qu'est-ce que tu foutais dans cette galère, Fugain ? Je n'étais pas à ma place. Je ne suis pas animateur. Les seules satisfactions venaient du groupe que j'avais exigé, dont Manu Katché faisait partie d'ailleurs, et qui nous permettait de nous amuser en musique et, autant que possible, avec celle qu'on aimait. Une de mes grandes fiertés fut de recevoir Al Jarreau qui nous donna l'exclusivité. Une autre, de chanter *Le Chiffon rouge* en solidarité avec Solidarnosc qui venait de subir une sanglante répression en Pologne. Mais bon ! Au bout de trois semaines, je donnai ma démission. On me demanda de bien vouloir continuer jusqu'à ce qu'on trouve un produit de remplacement. J'ai fait le dos rond. Fin janvier, j'arrêtai définitivement. J'étais fatigué. Une grosse fatigue.

L'expérience télé se révélait d'autant plus désastreuse que, lorsqu'on est perçu comme un animateur sur une chaîne, on est tricard sur toutes les autres. *Capharnaüm* n'eut donc d'autre promotion que dans notre émission. Pas la peine d'insister. J'entrai dans une période de fortes turbulences. Il fallait impérativement stopper la machine à donner des coups dans la gueule. Le salut est souvent dans la fuite. Oubliez-moi !

J'ai dû déployer des trésors de roucoulades pour convaincre Stéphanie qu'une escapade nous serait salutaire. Où ? Aux États-Unis. J'avais envie de savoir ce que les Américains avaient, que nous n'avions pas. Pour y être allé plusieurs fois j'avais bien une idée de la réponse, mais je ne connaissais pas Los Angeles. Or la majeure partie de la musique que j'aimais venait de là-bas. La Californie était un point d'interrogation. Je voulais y vivre quelque temps, vivre la vie d'un Californien de base, ouvrir grand mes yeux et mes oreilles des fois que... Stéphanie s'organisa pour les deux filles. Marie restait au Moulin avec une de mes belles-sœurs et ses grands-parents maternels, et Laurette allait chez Mammine à Grenoble. Nous partions sans date de retour, la dead line étant les élections du mois de mai qu'il n'était pas question de rater.

On descendit d'avion à Los Angeles, venant de Toronto après être passés par Montréal saluer nos amis québécois. On avait un point de chute, chez une Française qui nous ouvrit les portes de la vie californienne. C'est elle qui nous mit en rapport avec Patrick Terrail, le manager du resto français chic de l'époque, Ma Maison, sur Melrose, si je me souviens bien. À vue de nez, Terrail n'était pas le genre de type avec lequel j'aurais passé mes dimanches, mais il avait une petite baraque sur Laurel Canyon qui était exactement ce que nous cherchions, il ne nous l'a pas louée trop cher et a d'un coup regagné des points. On s'y est installés, on y a pris rapidement des habitudes et un abonnement au câble. Lorsqu'on est dans un pays étranger, la télévision est le bon instrument de mesure du niveau moyen de culture d'un peuple. Je suppose, avec angoisse, qu'elle l'est aussi pour les étrangers qui viennent chez nous. Pour parfaire l'ameublement, j'ai loué un piano, avec la ferme intention de capter la lumière magique de Los Angeles au mois de février-mars et de la transformer en musique. C'est là-bas qu'on comprend pourquoi cette ville est devenue la capitale mondiale du cinéma. La lumière. Nous n'avons pas reculé devant la facilité qui consiste à retrouver des Français. Roland Vincent, immense compositeur des grandes premières chansons de Michel Delpech, était là en exil depuis déjà un moment avec Claudine, sa chouette fille de femme. Nous avons passé pas mal de temps ensemble et ça faisait du bien de retrouver une oasis d'eau fraîche au milieu de l'univers frelaté et assez dur de L.A.

Claude est venue nous rejoindre quelques jours. On a tout visité du nord au sud, de San Diego à San Francisco, de Carmel à Zabriskie Point et le désert de la mort en passant par Vegas. On a beaucoup roulé. Le moins qu'on puisse dire c'est que ce pays est d'une grande beauté, mais si étrange que cela paraisse, les Américains y semblent quelquefois déplacés.

Un grand garçon sympathique, c'est souvent comme ça que l'on définit un jeune Américain propre sur lui, étudiant à USC (University of Southern California), qui entretient des relations amicales avec des Frenchies dans le but de parfaire son français. Will était son nickname. Il poursuivait des études de cinéma dans le but de devenir scénariste. On a beaucoup parlé de cinéma et, allez savoir pourquoi, je me suis montré très intéressé par la formation qu'il recevait. Le cinéma, à L.A., est une religion. Le cinéma américain of course. Les films étrangers sont réservés à la culture. *Diva*, le film de Beineix, fut programmé dans une petite salle sur Santa Monica. Will nous y emmena et nous présenta à des potes d'université. Pour l'occasion et sans doute pour se mettre dans l'ambiance, ils avaient tous acheté, certainement à prix d'or, des paquets de « gitanes » sans filtre. À chaque bouffée ils risquaient de tousser. C'est sûr que ça n'aide pas à aimer les films français.

N'ayant provisoirement plus beaucoup de goût pour le métier de la musique, je me suis sérieusement laissé envahir par l'envie de reprendre le cinéma, mais à l'américaine cette fois. Pourquoi pas ? Je n'avais que trente-neuf ans après tout. Will d'ailleurs me conforta dans cette idée. Los Angeles n'était pas ma solution pour la musique, peut-être le serait-elle pour le cinoche.

Nous sommes rentrés début mai. L'Amérique m'étonne encore. On y trouve des gens intelligents, créatifs mais tellement normalisés. Ce ne sont pas des refaiseurs de monde. À 10 heures du soir, ils se séparent et vont se coucher. Ils n'ont aucune envie de le refaire, d'ailleurs, le monde. Ils font avec, et lorsqu'ils ne sont pas d'accord, même leurs combats sont régis par des règles strictes. On ne m'empêchera pas de me méfier d'un peuple dont la télévision, toutes les deux ou trois heures, envoie un clip où l'on voit

de magnifiques images et une grosse voix off qui lance
« America ! ». Imaginons une seconde la même chose à la
télévision française. Sur fond de tour Eiffel, de Mont-Saint-
Michel et autres trésors hexagonaux, une grosse voix cla-
mant « La France ! ». Le lendemain nous serions encore
tous morts de rire.

J'étais quand même revenu avec la ferme intention d'y
retourner. USC m'avait donné tous les renseignements pour
mon admission en tant qu'auditeur libre. Il leur fallait simplement le certificat qui prouvait que j'avais mon bac. Tout
ça n'était pas donné, mais financièrement, je pouvais
m'offrir une année sans risques. C'est là que le dollar est
passé de cinq francs et des brouettes à dix. Mon rêve de
cinéma s'effondra lamentablement sur l'autel de la spécu-
lation internationale.

On avait raté le premier tour de l'élection présidentielle.
Le 10 mai nous nous sommes rattrapés. En début d'après-
midi, Carole Coudray nous appela pour avoir nos impressions états-uniennes et finalement nous invita à venir voir
les résultats de l'élection chez eux, à Rueil-Malmaison.
C'est donc avec Nicolas Peyrac que nous avons vu le crâne
de Mitterrand s'afficher à la place de celui de Giscard.
Champagne ! Bien qu'à quelques kilomètres de Paris, on
a vécu avec bonheur les débordements de joie dans la capitale et ailleurs. J'étais content.

Deux ou trois ans plus tôt, François Mitterrand m'avait
invité à déjeuner chez lui rue de Bièvre. J'ai supposé que
c'était en remerciement de notre prise de position lors de
l'élection de 1974. Il n'y avait que Danielle, Jean-François
Bizot, fondateur de *Actuel*, François Mitterrand et moi-
même.

On a beaucoup écouté Bizot qui faisait partie des soixante-huitards pré-bobos, traqueur d'atmosphères nouvelles de peur de ne plus être dans le coup, arbitre des inélégances, décerneur de label in et out, friand d'underground mais, curieusement, se mettant dans la lumière dès qu'une caméra pointait le bout de son objectif. Pour pouvoir en placer une, Mitterrand s'est donc retourné vers moi et nous a parlé de ses discours et de la manière qu'il avait de baisser la voix pour capter l'auditeur. C'était un passionné de l'art de discourir et son approche était pratiquement celle d'un comédien. Je crois encore qu'il avait raison et que certains hommes politiques gagneraient à se faire coacher par des comédiens plutôt que par des énarques.

Et ce soir, Mitterrand était président de la République.

Les conséquences de cette élection furent nombreuses.

La première, de taille, fut mon étonnement lorsque ma mémé de La Rochette, que je n'avais jamais entendue une fois parler de politique, me dit avec fierté :

– Ah ! On les a enfin eus, ces aristocrates !

Ma mémé avait dû arrêter de prendre les nouvelles depuis longtemps.

La deuxième, plus pernicieuse, fut que les artistes de gauche, traditionnellement les plus nombreux, se sont, tout à coup, autocensurés. Il était bon et salutaire de brandir les mots comme autant de poings. La gauche étant au pouvoir, nous avons remis nos poings dans nos poches.

Lorsque j'ai essayé de remettre les mains sur mon piano du Moulin, j'ai senti que quelque chose n'allait pas. Ma tête ne chantait plus et, pis, lorsqu'elle le faisait, c'était plat, froid, fade et sans saveur. Les accords me semblaient être des équations. Je me suis dit que j'avais joué avec le feu. À trop vouloir expliquer l'inexplicable à mes vampires de l'Atelier, je m'étais séché. Mon jardin secret ressemblait à un paysage informatique. Net, précis, bien découpé. Pas un coquelicot, pas de mauvaises herbes, ni chardon, ni bois mort, rien. Je n'avais d'autre solution que de me mettre en jachère. Je me votai à l'unanimité de mon conseil une année sabbatique.

Qu'est-ce qu'on peut bien foutre pendant une année sabbatique ? Rien ! Rien d'intéressant en tout cas. J'étais redevenu feignant et fêtard. Le Moulin ne désemplissait pas. Dès les beaux jours, les dimanches étaient l'occasion de grandes bouffes à la façon des films de Sautet. On était de tous les événementiels. Les semaines offertes pour le lancement d'une station de sports d'hiver, les festivals de films, les stages de tennis, les week-ends gourmands, les intronisations dans des confréries du tastevin, les « nuits blanches » chez Eddie Barclay, les concours de pétanque où l'on croisait tout le showbiz, le gotha du PAF et des jeunes artistes en « développement ». Moustache, dont le talent d'organisateur de fêtes confinait au génie, avait créé un club appelé « Star Racing Team » qui nous a permis de faire des courses de voitures, de bateaux, de jets, de golf. On ne plaisante pas avec l'oisiveté. C'est un boulot à temps complet.

Il y eut quelques rencontres qui ne s'oublient pas. Le soir de Noël, nous avions décidé de réveillonner entre amis, dont Patrice Laffont. Allain Bougrain-Dubourg, qui était alors un collaborateur de Patrice, arriva au Moulin avec sa compagne du moment, Brigitte Bardot. Une déesse descendait de l'Olympe pour venir boire une coupe de champagne chez le commun des mortels. Amoureux depuis ma post-adolescence, je reçus son apparition comme un miracle de la Nativité et il me fallut un moment pour m'en remettre. Coupe après coupe, nous avons vérifié que Brigitte était une fille joueuse et enjouée et la soirée fut tellement agréable qu'on décida d'un commun accord de remettre le couvert pour le réveillon du jour de l'an chez elle à Feu-cherolles. Je ne l'ai plus jamais revue, mais Dieu que cette femme était belle !

Un jour de printemps 1984, ma mémé de La Rochette, après cinq ans d'ennui et de solitude depuis le départ de l'homme de sa vie, rejoignit son Zé à pré-carré. Son fils médecin, mon père, lui mentait depuis pas mal de temps sur l'état de son cœur et de son corps fatigués, lui assurant que tout allait bien, que tous les examens étaient normaux, ce qui fit répondre à mémé d'une petite voix faible et avec ce qui lui restait d'humour caustique :

– En somme, tout va bien, il n'y a que moi qui vais mal...

Elle était la dernière de nos grands-parents. Pour Claude et moi, à la grosse peine de la perdre s'ajoutait celle de n'être définitivement plus des petits-enfants.

Elle laissait un orphelin : Mon pap', qui n'avait alors que soixante-cinq ans.

Un jour, Chonchon, ma compagne des années « Saint-Germain et boîtes de nuit », m'appela. Elle voulait me parler de sa fille, Sophie. « Notre » fille. Elle me dit qu'une rencontre serait peut-être souhaitable maintenant qu'elle avait une quinzaine d'années. Je sentais bien, dans le ton de sa voix, que son coup de fil était une sorte d'appel au secours. J'ai évidemment répondu que non seulement je n'y voyais pas d'objection mais que ma maison était la sienne et on fixa la date du rendez-vous. Nous devions nous retrouver, le dimanche suivant, devant le Palais des congrès. Stéphanie connaissait depuis longtemps l'existence de cette enfant dont j'étais le père génétique et, comme moi, s'apprêtait à l'accueillir au sein de la famille. Il fallait annoncer aux filles qu'elles avaient une grande sœur. Marie adora l'idée. Laurette, du haut de ses cinq ans, ne percuta pas outre mesure.

Le dimanche, c'est Claude qui m'accompagna au rendez-vous. Un nouveau membre dans la famille c'était sérieux et si mon père s'était trouvé à Paris, il serait, bien sûr, venu avec nous. Nous devions le tenir au courant minute par minute car, dans sa tête de pater familias, nous menions une opération de récupération d'une de ses petites-filles.

À l'heure dite nous attendions devant le Palais, sans cacher notre émotion, lorsque Chonchon et Sophie arrivèrent. Chonchon trop volubile pour être vraiment à l'aise, et Sophie, fermée à double tour. Elle ne voulut pas bouger de là. Nous sommes restés dans la voiture. De toute évidence elle n'était venue que parce que sa mère lui avait forcé la main. Sophie était une adolescente normale, inachevée mais dont on pouvait prévoir qu'elle allait devenir une jolie fille. Influencés ou non par notre envie de la voir entrer dans la famille, Claude et moi lui avons trouvé des ressemblances avec nous, mais Sophie nous opposait un tel refus de communiquer que nos efforts ne servirent à rien. Je lui ai dit et répété que ma maison, ma famille étaient siennes à partir de maintenant, mais j'avais devant moi un mur, au désespoir de Chonchon qui était à deux doigts de s'énerver contre sa fille. Sophie nous balança à la figure qu'elle avait une famille et qu'elle ne voyait pas pourquoi elle en changerait. Elle nous a jetés. Ce rendez-vous fut un fiasco total. Sophie ne voulait pas de nous. Je suis rentré à la maison penaud, désemparé. Je venais de prendre un bide. Stéphanie ne posa pas de questions. Je n'ai jamais revu cette enfant qui est, qu'elle le veuille ou non, ma fille. Un jour, qui sait...

En parlant plus longuement avec Chonchon, j'ai compris que Sophie était surtout attachée à la sœur de mon ancienne compagne qui l'avait élevée et aimée comme sa propre fille. Tout bien pesé, je n'ai pas trouvé d'autre raison à son appel que son désir de récupérer son enfant, confisquée par sa famille.

L'année sabbatique se multiplia par cinq. Cinq ans sans projet, sans désir de replonger dans un métier qui, de plus, changeait à toute vitesse. Je n'avais pas le sentiment d'avoir encore des choses à dire. Pour quoi faire ?

Financièrement, les comptes du ménage finirent par être dans le rouge et je dus accepter de faire de la pub pour desserrer l'étau. Stéphanie se remit au travail et fut engagée dans quelques pièces de théâtre. En gros, c'était elle qui faisait petitement bouillir la marmite. Le Moulin engloutissait tous mes revenus Sacem. Mon obsession était de ne pas avoir à le vendre. Dans mes moments les plus noirs, je me voyais dans l'obligation de le faire et de me retrouver sur le trottoir avec mes filles et ma femme. Une nuit, de vilaines idées suicidaires vinrent effleurer mon esprit chagrin. Moi, le pourfendeur de morosité, le chantre de la vie, de la fête et de l'espoir effréné, j'ai, cette nuit-là, pensé en finir. Au moins, après, plus d'emmerdes. Ce genre de réaction me ressemblait si peu qu'au matin, je m'en suis ouvert à Stéphanie. Sa réaction fut rapide et efficace. En fin de journée, je me retrouvai chez un homéopathe réputé qui m'interviewa pendant deux heures et me fit six injections le long de la colonne vertébrale qui me firent un mal de chien. Le lendemain, j'affichais un sourire niais permanent, j'avais les mêmes emmerdes, mais plus de pensées suicidaires. Ne serait-ce que pour échapper à une deuxième couche de ces saloperies de piqûres.

C'est à ce moment de ma vie que j'ai rencontré, dans le bureau de Rolande, un garçon au physique de receveur principal des postes, chauve, rondouillard et madré, Nicolas Dunoyer accessoirement de Segonzac, sans que ce soit totalement clair. Le temps de faire un peu connaissance, il me dit :

– Si tu veux, moi je peux te faire faire des soirées privées, histoire de rentrer un peu d'argent. Des hold-up, quoi...

Sa proposition me parut sinon honnête, au moins intéressante et je lui demandai de m'expliquer un peu ce qu'il entendait par « hold-up ».

Pendant les deux ans qui ont suivi je n'ai pas arrêté. Nicolas avait un acolyte, Patrice Poisson, spécialisé dans l'utilisation optimale de chanteurs has been ou dépréciés. Ils m'ont fait écumer toutes les boîtes de nuit de France qui avaient l'habitude, et les moyens, de faire passer en milieu de soirée une ex-célébrité. Au début, poussé par l'urgente nécessité de remplir les caisses de la maison, je demandais à mon quant-à-moi de faire profil bas, de fermer sa gueule, prendre l'oseille et se tirer puis, le temps passant et les caisses se remplissant, c'est l'esprit tranquille que j'allais prendre mon enveloppe en fin de semaine.

Après les boîtes, on passa aux mariages. Je crois que je fus, à un certain moment, le chanteur le plus populaire des « mariages feujs », appellation contrôlée que je ne me serais pas permis d'inventer. J'ai adoré ça. J'ai adoré ce peuple à l'âme ensoleillée qui aime la fête et ne boude pas son plaisir. J'ai vu dans ces mariages les plus belles filles de la Terre, des parents débordants d'amour, des ambiances orientales, des danses folkloriques, des chants repris par tous, entre nostalgie et joie, entre drame d'hier, comédie d'aujourd'hui et espoir pour demain. Certains de ces mariages restent à jamais gravés dans mes souvenirs. Je n'oublierai pas non plus que leur argent m'a sauvé la mise. Je n'avais jamais été aussi riche.

J'ai souvent réfléchi, par la suite, à cette période de vaches maigres et quelque peu tardives. Je me suis revu arrivant avec ma bande sous le bras pour chanter les chansons du Big Bazar, tout seul face à un public qui ne demandait qu'à chanter avec moi. C'est sans doute là que je me suis rendu compte à quel point les petits airs qu'on trouve comme ça, nos bluettes de rien du tout, s'enracinent dans le cœur des gens. Je me suis trouvé bon, également. En accord avec moi-même. Je me voulais saltimbanque ? Alors j'étais parfaitement à ma place. J'étais assez fier, finalement, comme les troubadours et ménestrels du Moyen Âge, de passer de festin en ripailles, attrapant au passage une bourse qu'un seigneur me jetait par-dessus la table. J'éprouvais un réel plaisir, et un peu d'orgueil, je l'avoue, à faire partie des gueux de notre métier et non des notables frileux, soucieux de leur image.

Nicolas Dunoyer et Patrice Poisson m'avaient connu fini, rincé, lessivé, et étaient persuadés qu'il était juste temps de tirer le maximum d'un chanteur qui ne s'en relèverait pas. Je n'avais aucune raison de leur en vouloir. Pour l'instant, je n'avais pas les cartes en main.

Rolande, qui me voyait remonter doucement la pente, me proposa de chercher une maison de disques. Je n'étais plus du tout une valeur marchande et nous n'allions pas nous risquer à produire. Le premier à réagir fut Henri Belolo, à qui je garde une amitié éternelle ne serait-ce que pour avoir eu l'envie. Henri était un homme de dance music et notre collaboration contre nature prit fin rapidement et d'un commun accord.

Les portes ne s'ouvraient pas facilement. Les majors ne

voulaient pas d'un artiste qui revenait du « diable vauvert » après cinq ans d'absence plus trois d'Atelier. La nostalgie guidant nos pas, nous sommes allés frapper à la porte de Tréma. Régis Talar et Jacques Revaux, les amis des débuts, avaient, avec Michel Sardou et quelques autres gros coups, fait de leur label une affaire florissante. J'ai vécu la signature chez Tréma comme une sorte de retour aux sources, et je me suis vraiment remis au travail.

23

CHANTEUR !

Je suis ainsi fait que, pour avancer, j'ai toujours besoin d'épater quelqu'un. Je ne cherche pas pour mon seul plaisir. Mon nombril a cessé de me fasciner depuis mon stade anal et je ne suis jamais aussi bon que lorsque je suis entouré d'une équipe que j'ai envie de séduire. C'est Nicolas qui me parla d'un jeune auteur dont il avait entendu de bons textes. Il organisa donc la rencontre avec Brice Homs.

Brice était encore cette année-là assistant prof de philo, je ne sais plus où. Il avait vingt-six ans, une tête d'étudiant, des cheveux bouclés drus. Bâti solidement. Pas un souffreteux, le gars. Une Gretsch crème hors d'âge décorait un coin de la pièce. Ce type, en plus, était musicien. De bon augure. On s'en est dit des choses ! Persuadé que Brice allait entrer dans ma vie, je tenais à ce qu'il sache tout de moi dans le minimum de temps. Il m'écouta comme il écoute généralement, à savoir avec une oreille et une idée qui rebondit tout de suite sur ce qu'il vient d'entendre. Il est comme ça Briçou. Il ne me l'a pas montré lors de notre première rencontre, mais il ne pourra bientôt plus le cacher : Brice peut avoir un caractère de cochon. On ne lui fait pas faire n'importe quoi, il garde son libre arbitre et tient à ne pas se galvauder. Autant de qualités et de défauts rassurants pour qui travaille avec lui. J'avais un album en préparation chez Tréma. C'est Brice qui s'y colla.

Pour me pousser au cul, rien ne me stimule plus que des avis que je lis ou entends. Dans je ne sais plus quel canard, Johnny, le seul, le vrai, l'unique, le Hallyday, décréta, en faisant le bilan des pertes pour le showbiz que « Fugain, il existe plus ». Quoi ! Mais qui t'es, toi, pour dire ce genre de truc ? Sache, mon Johnny, que pour que je n'existe plus, il faudra d'abord me crever les tympans et me couper les mains ! Tant que j'aurai tout ça intact, je ferai de la musique et personne ne pourra m'en empêcher. Vu ? Et joignant le geste à la parole, je me suis fabriqué avec mes petites mains la chanson dont Brice Homs a fait *Viva la vida !*.

Des superstitieux y verraient un signe. Un nouvel auteur entrait dans ma vie professionnelle, un ancien en sortit. Brutalement. Maurice Vidalin, un des êtres que j'ai le plus aimés, le plus respectés au monde, a implosé. La faute à personne. Il a mené sa vie comme il l'entendait. C'était un homme libre dont j'étais fier d'être l'ami. Au crématorium du Mont-Valérien, j'ai retrouvé Pierre Delanoë très affligé de perdre son vieux pote. Tous les deux se sont tiré la bourre pendant les années somptueuses de la gloire de Gilbert Bécaud. Maurice, le plus jeune des trois, était vraisemblablement le seul auteur dont Pierre était jaloux. Il faisait gris et froid. C'était une sale journée.

Encore aujourd'hui, Maurice me manque tous les jours.

Allez, haut les cœurs, il y avait du taf.

Le problème, quand on revient sur le marché, autrement dit qu'on postule à une programmation radio, c'est qu'on ne peut plus se permettre les à-côtés. Fini les mariages et les bar-mitsva. Et si on faisait un peu de scène, alors ? Gonflé.

C'est pendant les années quatre-vingt que le métier a réellement changé en profondeur. Les évolutions futures ne seront que la suite logique de ce qui s'est mis en place pendant cette décennie. C'était évidemment inéluctable, un phénomène planétaire. L'importance de la télévision prenait une ampleur considérable et la privatisation de TF1 n'a pas arrangé les choses. Le fric commençait à prendre toute la place dans les raisonnements. Les hommes du marketing remplaçaient les artistiques à la tête des majors, jetant parfois avec mépris des découvreurs de talents qui avaient amplement fait leurs preuves. Il y avait désormais une chaîne musicale qui passait des clips à longueur de journée, et souvent les mêmes, en boucle. Il fallait avoir son clip. Qui n'avait pas son clip n'était pas exposé. Et il fallait, il faut toujours d'ailleurs, que le clip eût l'assentiment de la chaîne. Ce qui revient à dire que c'était la télé qui commandait. Hé ben, dis donc !

Un changement capital m'a frappé. On ne parlait plus de « galas » ni de « spectacles » mais de « concerts ». Les artistes de variétés donnaient désormais des concerts. Ce n'était pas l'idée que je me faisais de la qualité moyenne de ce que je voyais ou entendais. J'avais l'impression que ça se méritait, cette appellation, mais bon... Allons-y pour concert. Qui va me faire faire des concerts ? Pour le moment mon équipe se réduisait à Nicolas Dunoyer et Patrice Poisson.

Le destin, qui ne rate pas une occasion de construire en douce, mit alors sur ma route une sorte d'immense nounours, calme tant qu'on ne lui a pas marché sur les noix une bonne dizaine de fois (après, je ne réponds plus de rien). La voix grave et douce, il regarde avec circonspection le monde du haut de sa tour de contrôle qui dépasse toujours d'une bonne tête le commun des mortels, et donne

411

l'impression qu'aucune urgence ne pourra jamais le faire changer de vitesse. Ce fou de son et de technologies de pointe s'installa comme une évidence rassurante dans mon embryon d'équipe. Pascal Bomy, que je suis le seul à avoir le droit de l'appeler Pascalou, deviendra au fil du temps régisseur et chef des techniciens, en plus d'être Grand Maître du Son. L'amitié qui nous lie est indéfectible et semble éternelle puisque cela fait vingt ans que nous travaillons ensemble.

Il fallait bien que quelqu'un formulât cette idée. C'est Nicolas qui le fit.

— Et si tu t'entourais de monde, des filles, des mecs, ça ne serait pas le Big Bazar mais ça y ferait penser ?

— T'es sûr de ça ?

— Ouais, ouais, ouais... C'est ton truc à toi, les troupes.

On trouva trois filles jolies à regarder, deux mecs à bonne gueule, mais... je doutais. J'avais raison. Ça ne pouvait pas faire illusion, c'était voué à l'échec. Il me fallait trouver un vrai tourneur, avec une vraie vision. Je sais, je sais... Pas facile.

Les rapports avec Tréma se sont révélés moyens. Je m'y suis fait pourtant un vrai ami, Bruno Philippart, jeune attaché de presse, qui deviendra, lorsqu'elle fera sa crise mystique d'adolescente, le parrain de Laurette. On a fait pas mal de télés. Ça fonctionnait. *Viva la vida* était facile à programmer et, de plus, un carton de boîtes dans les séries fiesta. Parfait. On commençait petit, on posait les bases, mais Tréma n'était pas la bonne terre dans laquelle je pouvais m'épanouir. Ça ne s'envolait pas. Manque de souffle.

Rolande, me voyant ronchonner, se mit en chasse et trouva un kamikaze qui voulait bien me reprendre. Puglia,

Alain Puglia, un des plus grands équilibristes de la finance que le showbiz ait comptés dans ses rangs. C'est chez lui que Roland Magdane avait fait un monstrueux carton avec son album de sketchs. Alain aime les sous. Il n'aime pas en sortir, c'est tout. Il était d'accord pour me signer à condition qu'on lui donne un best of. Pas de problème, servez-vous. Je salue Tréma, ça me coûte un peu et je signe chez Flarenash, la boîte de Puglia, en 1988. Je ferai deux albums pour lui. Musicalement, j'ai changé mon fusil d'épaule, j'ai donné dans la tendresse. Avec mes énormes tubes très festifs du Big, plus *Viva la vida*, je manquais de chansons d'interprète, calmes et finalement plus attachantes. C'est moins spectaculaire, certes, mais indispensable dans un tour de chant. Fugain « la fête », ça allait bien comme ça !

Là, j'ai commencé à sentir que je montais en température. Pendant les cinq ans d'arrêt mon énergie avait fondu. Je devais la remobiliser. Ça ne se fait pas du jour au lendemain. C'est un travail de longue haleine. J'aime assez comparer les artistes à des fleurs. Pour croître et embellir une fleur doit être plantée dans une bonne terre, celle qui convient à sa nature. Elle a besoin de lumière et d'un jardinier qui a le pouce vert. Un artiste, comme la fleur, doit être encadré par une équipe qui lui convient, il a besoin d'être écouté et d'un producteur efficace et aimant. C'est d'amour que l'artiste a le plus besoin. Pour l'instant je n'avais pas tout ça, mais je ne désespérais pas. Ça allait venir, j'en étais sûr.

Rolande, considérant qu'elle m'avait casé le moins mal possible, choisit cette embellie pour m'annoncer qu'elle en avait assez, et voulait vendre Le Minotaure. Elle avait prospecté, trouvé une belle offre. La vente de l'édition marquait la fin d'un grand pan de vie, d'une longue histoire d'amour-amitié avec cette femme, cette fée, qui inlassablement a débroussaillé les chemins tordus et pierreux dans lesquels je m'engageais tête baissée. Maintenant qu'elle n'est plus, elle a dans mon Panthéon personnel la place qui lui revient de droit.

Nicolas Dunoyer n'eut pas à chercher longtemps pour trouver Robert Bialek. Il l'avait sous le coude. Robert, producteur intello, lunettes, barbe et catogan, qui venait de se faire planter par Jeanne Mas. Nous avons soupesé, estimé, supputé, et à la fin de la discussion Robert était partant. On a donc décidé de faire un bout de route ensemble. On commença par un Olympia. La volonté générale de faire référence au passé a donné un spectacle hybride où seuls les nostalgiques pouvaient trouver du plaisir. Un des points positifs fut que Bialek et Dunoyer réalisèrent qu'on ne pouvait pas faire du neuf avec du vieux et que le passé devait le rester.

Cette volonté très répandue de reproduire un schéma qui a fonctionné m'a toujours déconcerté. Le succès est le fruit d'une conjoncture. Un physicien pourrait dire qu'il se produit à un moment précis, dans un environnement défini, en fonction d'un temps de maturation plus ou moins long. Les trois facteurs de cette équation évoluant continuellement, et pas à la même vitesse, il est peu probable que la conjoncture en question se répète à l'infini. Ce qui veut dire, en gros, que ce qui a fonctionné une fois n'a que peu de chances de le faire une deuxième. Pourtant, un album qui cartonne induit généralement une grosse vente de celui qui suit. Il paraît que le public veut retrouver ce à quoi il est habitué, de la même façon que les enfants ne veulent manger que ce qu'ils connaissent, des frites ou des pâtes, et font la grimace devant du foie gras par exemple. Il faudra attendre que l'enfant devienne adulte pour que de gourmand il devienne gourmet et râle, « encore des pâtes ! » en rêvant de gastronomie. Cela peut nous laisser espérer qu'un artiste qui aura toujours servi des pâtes au public sera alors délaissé au profit du restaurant gastronomique d'en face. C'est à ce moment-là qu'il réalisera que la vie est courte quand ça marche, et très longue quand plus personne ne veut de sa cuisine.

À moins que l'artiste n'utilise délibérément une recette, bien sûr. Mais là, on n'est plus dans l'artistique, on est dans l'épicerie.

En faisant abstraction des trois années du début qui furent celles de l'approche de mon métier, je n'avais jusque-là travaillé qu'en troupe. Chanteur leader, certes, mais rien d'autre que la calandre d'une grosse limousine, en quelque sorte. Depuis 1986, j'étais seul. On peut donc dire que, même si ça ne s'est pas vu, j'ai commencé une carrière de chanteur à quarante-quatre ans. Sortant du silence et du néant, j'allais devoir remettre la machine en marche. C'est ce qui m'a le plus passionné : la remise en route. Lorsqu'on a vingt-cinq ans, on n'a aucune conscience de l'énergie que l'on développe. Elle est là, on s'en sert, on n'y pense pas. En 1986, je partais de rien. Il est vrai que j'avais quelques billes dans mes poches. Les chansons immortelles du Big Bazar pipaient un peu les dés et m'ont été d'un grand secours, mais en ce qui concernait l'énergie j'avais tout à refaire. Et je l'ai vue monter, peu à peu. J'ai vu l'aiguille du manomètre grimper doucement. En 1988, l'aiguille n'était qu'à mi-pression. En 1990, je serai chaud bouillant. L'aiguille sera presque dans le rouge.

L'été 1989, nous étions une fois de plus partis en vacances en Corse, retrouver nos amis et nous shooter au parfum du maquis. C'est Fortuné Lebras, mon vieux filou de copain pour la vie, qui m'a dit :

– Comment ça se fait que tu n'as pas de maison ici, après tout ce temps ?

– Fortuné, je viens deux fois par an... Qu'est-ce que tu veux que je foute d'une maison ici ? Je loue et ça me va très bien comme ça.

– Hé ! Si t'avais une maison, tu viendrais plus souvent...

Il insista, me dit qu'il allait me la trouver en mettant tout le monde sur le coup. Pour rendre la tâche plus difficile, je lui donnai quand même mes conditions. Pas dans un village, et des arbres autour. Dans un village, je n'aurais pas pu faire de musique la nuit et je savais par expérience que les Corses se lèvent tôt. Quant aux arbres, il n'y en a pratiquement jamais sur les terrains nus. Du maquis oui, des arbres, c'est rare. J'étais donc tranquille. Il n'allait pas trouver la maison... dont je ne voulais pas. L'année suivante, effectivement, Fortuné m'avoua son échec et, obstiné, ajouta presque avec colère :

– Mais on va te trouver un terrain, tu construiras et tu mettras les arbres que tu veux !

Cette fois j'ai dit non. C'était réglé. Ouf ! On passe à autre chose...

Début septembre, alors que j'étais déjà rentré à Paris, Stéphanie m'appelle au téléphone.

– Chéri, Jean-Pierre Flori m'a fait visiter une maison. J'ai eu le même choc que pour le Moulin.

Ah non ! Ça recommence !

La semaine suivante je suis redescendu et j'ai eu moi aussi le coup de foudre pour cette bâtisse en pierres, bizarrement foutue, en hauteur, face à la mer. Elle avait un charme et un cachet fous. Elle était entourée d'arbres, de pins, d'eucalyptus, de mimosas, un gros palmier sous ses fenêtres. Le terrain était un peu à l'abandon, le maquis s'y installait. Dans un des angles de la propriété, qui s'étalait

sur quatre paliers superposés – des restanques –, un pailler
– un « pagliaghju » – magnifique, s'accotait à une sorte
d'annexe de rangement. J'étais battu. Comment résister à
ce cadeau du sort ? Comment dire « Non j'en veux pas » ?
D'autant que Stéphanie me faisait les yeux doux, connaissant pourtant l'état de nos finances. Allez ! Je prends le
risque !

Preuve que j'avais confiance en l'avenir, j'ai emprunté
la totalité du prix de notre coup de cœur sur quinze ans et,
contre toute sagesse, nous nous sommes retrouvés propriétaires d'une maison en Corse.

Cette maison, dans laquelle je vis actuellement, a changé
ma vie. Cet achat s'est fait juste avant l'Olympia 1990, qui
allait marquer un tournant dans mon parcours. Outre le fait
qu'elle ne pesa pas lourdement sur l'équilibre économique
de notre famille, elle m'a enraciné sur cette île chère à mon
cœur depuis le jour où j'y ai posé le pied. Elle devint rapidement ma résidence principale et c'est avec une fierté
particulière que je partage ce qu'on appelle ici « la communauté de destin » avec le peuple corse. Nous sommes peu
nombreux sur cette île. Il y a plus d'habitants dans deux
arrondissements parisiens que dans toute la Corse. Ici, tout
le monde se connaît. On est toujours le fils ou le petit-fils
de quelqu'un. La première question que l'on pose est « Tu
es de quel village ? ». Contrairement à ce que l'on pourrait
supposer, les Corses ne sont pas des marins. Ce sont des
paysans. Ils sont attachés à leur terre. J'aime vivre avec ce
peuple dont on dit qu'il est farouche. En fait, il supporte
mal qu'on vienne lui donner des leçons de vie, ou de
pensée, ou encore le forcer à rentrer dans le moule. Il le
fait s'il veut. C'est un peuple résistant. De par son histoire,
et par atavisme.

Au fil des années, les amis que j'ai connus lorsqu'ils
avaient à peine vingt ans sont devenus des frères. Certains, comme Fortuné Lebras, Philippe, Nono, ont fait une

sortie de route et nous manquent à jamais. Les autres, Greg, Benoît, Jean-Pierre, ont tracé leur chemin lumineux dans une Corse en devenir. Et puis, Pierrot Mariani, mon frangin, « facteur des stars et star des facteurs », grand ordonnateur de fêtes mémorables, électron libre et incontrôlable qui n'obéit qu'à son épouse, Marie-Jeanne, la sentinelle, est arrivé en tornade dans ma vie, apportant dans son sillage Jean-Jo, Pierre dit « Petit Bé », Fanou, Nicole, André, Henri... et une kyrielle de personnages plus pagnolesques les uns que les autres. Dans les fêtes de Pierrot règne la Pax Corsicana. On y trouve à la même table notables, combattants, juges, policiers, banquiers, voyous, chirurgiens, avocats, artistes, vignerons, militaires, sans distinction de classe, de parti ou de fortune. Si l'on cherche bien, ces hommes et ces femmes ont tous un point commun, le même amour : la Corse. Une terre d'exception, cent quatre-vingt kilomètres au large des côtes de France.

Je sais maintenant où et avec qui je vais vieillir. Ma terre natale, qu'en aucun cas je ne renie, ne sera pas la terre où seront versées mes cendres. J'ai déjà dit que, originaire de Grenoble, capitale des Alpes, je suis en osmose totale avec cette montagne qui tombe dans la mer Méditerranée, mon liquide amniotique. Ici, je ne suis pas Michel Fugain, je suis Michele, à prononcer « Migué »

Je ne veux pas ternir ma profession d'amour pour notre île de Beauté par une polémique, mais je crois qu'il est temps que l'intelligence prenne le pas sur les intérêts et les raideurs administratives. Pour l'instant j'ai en tête l'image d'un pays de soixante millions d'habitants qui tient en otages deux cent cinquante mille êtres humains. Un peu comme un grand balèze, dans une cour de récréation, tape-rait sur un nabot dont il aurait fait son souffre-douleur. Si l'instituteur est intelligent, il doit intervenir, botter les fesses du grand, et lui expliquer que c'est de la lâcheté de s'attaquer sans cesse à plus petit que soi.

*
**

C'est donc l'aiguille dans le rouge que je préparais l'Olympia 1990. Débarrassé des oripeaux bigbazareux dont on m'avait affublé, j'étais enfin « le chanteur ». Qui dit chanteur, dit musiciens.

Historiquement, le premier « chef » de l'orchestre fut Jean-Christophe Maillard. Vingt ans, super guitariste déjà, têtu comme une mule mais grand affectif et, comme beaucoup de musiciens, cachant son affect sous un fatras d'attitudes. Grand et longiligne, cheveux longs de « hardeux », c'est parce qu'il avait un bon look qu'on l'avait engagé pour la promo télé des *Années guitares* et le clip de *Chanson pour les demoiselles.* C'est lui qui constitua la première équipe. Il est le seul musicien que j'ai réellement choisi. Je lui ai filé les clés. À toi de faire, mon gars.

Pour qu'une équipe de musiciens soit efficace, il faut d'abord qu'ils aient envie de jouer les uns avec les autres. Si cette condition première n'est pas remplie, à plus ou moins brève échéance l'équipe se délitera. Adieu le groove. Adieu la cohésion. Bonjour les regards en dessous et les haussements de sourcils. L'ambiance dans le bus de tournée devient insupportable et la tournée, un enfer. C'est pour cette raison que Jean-Christophe, avec qui j'avais un vrai feeling, est devenu le premier sélectionneur. Depuis, j'ai laissé mes musicos se choisir eux-mêmes, et je n'en ai tiré que du bonheur.

Lorsqu'on évoque ce groupe, Dominique Fillon, qui en était le pianiste, clavier et back vocals, parle de « famille ». Lorsqu'on prend tous du plaisir à être et à jouer ensemble, à voyager ensemble, partager les mêmes hôtels, ne pas louper une occasion de se faire mourir de rire, il est vrai que les liens qui se créent ont quelque chose de familial. Et c'est peut-être encore plus vrai lorsque le « chanteur de l'orchestre » a beaucoup plus de kilométrage au compteur, sorte de pater familias de la bande de minots qui l'accompagnent. Dom avait vingt et un ans et les autres guère plus. Thierry Arpino, fils d'André, batteur de père en fils. Nelson Baltimore, à la basse, qui pétera un câble en route. Notre grande Sophie avant l'heure, Sophie Proix, voix divine et humeur égale. Pascal Joseph, un des jolis garçons du faux groupe de Dunoyer, guitare et chant. Seul rescapé du spectacle précédent, Thierry Crommen, sax et harmonica. Comment se séparer d'un tel talent ? J'aurais été le dernier des crétins. À l'harmonica, son véritable instrument, Thierry est un tueur. Fils spirituel de Toots Tilmans, il m'a un jour tiré les larmes à dix heures du matin, alors qu'on l'enregistrait sur *Chaque jour de plus*. Ce type est définitivement un grand de grand.

À la fin du spectacle de cet Olympia 1990, je restais seul en scène et je chantais avec qui voulait – la salle entière c'était encore mieux – les chansons les plus connues du Big Bazar accompagné par un accordéoniste de génie à la sensibilité rare, Daniel Mille. Moment très chaleureux, un peu nostalgique, c'est vrai, mais impressionnant. C'est exactement ce qu'a ressenti Jean-Claude Camus.

Robert Bialek, cherchant une aide pour la tournée qui devait suivre, avait en effet invité Jean-Claude à venir nous voir. Ce gros producteur qui avait en charge les shows titanesques de Johnny Hallyday avait accepté sans empressement, mais ce qu'il vit le surprit à tel point qu'il vint me retrouver dans ma loge après le spectacle et me dit :

– Vous n'avez pas la place que vous devriez avoir dans le métier. Si vous êtes d'accord, on va y arriver par la scène.

Ainsi soit-il ! Jean-Claude Camus, devenu mon tourneur officiel, nous établira une tournée de cent vingt dates dans l'année qui va suivre. Chagriné d'avoir à payer des gens « à ne rien foutre », il évincera Nicolas Dunoyer et Patrice Poisson. Il attendra encore un peu pour faire de même avec

Bialek. Les hommes d'affaires entre eux ne sont pas tendres...

L'arrivée de Jean-Claude Camus – JCC – déclencha l'envol. L'équipe était maintenant assez performante. Au point que Jean-Claude la prit en bloc. Pascal Bomy était désormais secondé par Gigi Raillot, « Gigi-la-gitane », sa compagne, qui devint vite notre Gigi, brunette délurée, au sourire craquant, à l'accent du Sud qu'elle retrouve tout à fait dès qu'elle a franchi la Loire. Elle savait manier avec charme et autorité la bande de poilus dissipés que nous pouvions être, et la régie n'avait pas de secret pour elle. JCC pouvait dormir sur ses deux oreilles. Tout le monde adorait Gigi. Elle était la protégée de l'Abeille et de Tamouille, les backliners. Tamouille s'appelait en réalité Stéphane Sanseverino.

Steph est un authentique saltimbanque. Spectacles de rue, prestations déjantées, il avait fondé une compagnie musicalo-clownesque, et archi bord cadre, « Les frères Tamouille », d'où son surnom. Tombé dans l'intelligence quand il était petit, il exerçait son sens de l'humour et de l'ironie réunis à longueur de journée. Il avait un public tout trouvé : nous. Jusqu'au jour, près de dix ans plus tard, où il nous a joué et chanté un truc qui devait s'appeler *Le Sandwich de l'autoroute*. On est resté scotchés. Le lendemain, on lui faisait une petite place dans le spectacle et il fit un triomphe devant un public hilare. Sanseverino, qui n'avait fait le backliner que parce qu'il fallait bien vivre, allait bientôt exploser... et manger plus qu'à sa faim.

Comme pour conjurer le mauvais sort, on évitait d'en parler. Martine, la fée que notre père avait épousée en secondes noces, était, depuis quelques mois, rongée par un cancer contre lequel la médecine et les chimios se révélaient impuissantes. Puisant dans ses dernières forces, elle avait tenu à ce qu'enfants et petits-enfants soient réunis autour de la table de Noël. Le 10 janvier, assurée de laisser sur le quai une maisonnée en ordre de marche, Martine largua les amarres et quitta le port pour ne plus revenir. Notre père en fut totalement désemparé. Il était désormais seul au monde. Après l'enterrement, nous nous sommes retrouvés tous les deux dans sa maison désespérément vide. De toute évidence il avait besoin d'ouvrir sa boîte à souvenirs, et moi l'envie d'être au plus près de lui et de l'écouter. J'appris, ce soir-là, qu'avant toute espèce d'engagement, il avait été anarchiste et, en tant que tel, était parti à dix-sept ans s'engager au début de la guerre d'Espagne dans les brigades Durruti. Il avait été stoppé dans son élan romantique à Toulouse par des communistes qui l'avaient renvoyé à ses études. Vu le nombre de brigadistes qui laissèrent leur peau dans cette boucherie, j'ai réalisé avec effroi que j'aurais très bien pu ne pas naître, mais je n'ai pas raté l'occasion d'être un peu plus fier de ce père qui fut, tout au long de sa vie, fidèle à l'idée qu'il se faisait de la liberté, et de tous les combats pour la défendre, quel que soit le prix à payer.

Dans les mois qui suivirent, abattu et persuadé qu'il ne survivrait pas à Martine, il réépousa Mammine pour qu'elle bénéficie de toutes ses pensions et retraites. À sa grande surprise et pour notre plus grand bonheur, il est encore vivant.

Mathématiquement je ne pouvais pas y couper, 1992 était l'année de mon cinquantième anniversaire. Le 12 mai. Stéphanie m'avait dit qu'elle aimerait bien fêter en tête à tête cet événement important dans la vie d'un homme. Mais bien sûr mon amour... et j'étais passé à autre chose. Le 12 mai, elle me rappela le matin que nous devions dîner ensemble, que c'est elle qui choisissait et que je devais me laisser faire. OK... pas de problème. J'aimais bien l'idée. On prit sa voiture et elle m'emmena à Pigalle. Ça tournait beaucoup dans ma tête. Elle ne va quand même pas m'offrir le cabaret, ou un spectacle de nus ? Elle s'est fait fourguer un plan pour touriste ou quoi ? Je gardais le silence, mais je n'en menais pas large. Elle se gara devant « La Nouvelle Ève » à demi éteinte ou moitié allumée, ce qui revient au même. Il se dégageait de cette entrée glauque une tristesse digne d'un bouiboui de province dans les années quarante, après le couvre-feu. J'avais l'impression que les acariens grouillaient dans les velours pisseux. Un larbin sinistre vint nous accueillir, mou et pas motivé. Steph dit qu'elle avait retenu et le gars nous installa à une table. Il y avait un seul autre client qui avait dû apprendre dans la journée qu'il était cocu et qui noyait sa détresse avec quelque chose de fort. D'autorité le serveur posa deux verres et une bouteille de champagne devant nous. Ça devait être dans le forfait de la soirée. Je ne disais toujours rien. Puis un animateur se pointa. Il raconta des blagues à deux balles que je commentais à voix basse pour ma délicieuse épouse qui de toute évidence s'était fait avoir.

– Mais où tu m'as emmené, chérie ? On va pas rester là...

– Non, non ! On peut pas partir comme ça, enfin ! Attendons un peu...

Le mauvais comique continuait. Je n'écoutais plus. Et soudain dans son speech, une phrase accrocha mon oreille. Il s'adressait directement à moi, parlant d'anniversaire... d'un grand moment... et le rideau, qui était jusque-là fermé, s'ouvrit. L'espace de quelques secondes, je restai interdit. Interdit de bouger, de penser, de rire ou de pleurer. Un hiatus spatiotemporel. Je suis sûr que mon sang s'est arrêté de circuler et mon cœur de battre. Mes yeux qui ne cillaient plus voyaient couler, comme un torrent de la scène vers la salle, un flot incessant d'amis, de copains, de collaborateurs, de femmes et d'hommes que j'avais croisés sur ma route. Je voyais défiler la quasi-totalité de ma vie. Des gens de télé, de radio, du monde de la musique, du cinéma, et des Corses, Pierrot Mariani en tête... Je crois que sous l'effet du choc émotionnel, j'ai même vu descendre de cette scène, mélangés au flot des vivants, ceux qui n'étaient plus de ce monde. Le décor avait changé tout à coup. La salle sordide était devenue un palais. Je ne savais plus où donner des bras et du cœur. J'ai beaucoup embrassé. Cinquante ans de vie, ça fait du monde.

Stéphanie ne s'était pas trompée. Elle m'avait bien eu. Ce fut un anniversaire inoubliable. Merci mon amour.

À la fin de la soirée, comme elle ne perd jamais le nord, elle mit aux enchères cinquante balais, numérotés de 1 à 50. L'argent récolté était destiné à Enfance et Partage. Ils furent cinquante à quitter la soirée avec un balai à la main en plein Pigalle. La récolte était bonne.

J'avais de bons musiciens, il me semblait naturel d'enregistrer mes albums avec eux. Je l'ai dit à François Bréant qui devait réaliser l'album *Sucré-salé*. Depuis, c'est devenu une habitude : la logique de groupe, jusqu'au bout. Ce sont mes musiciens qui jouent sur mes albums.

On termina le mixage de *Sucré-salé* vers le 10 juillet. Le lendemain, je rejoignais ma famille déjà en vacances en Corse. Retrouvailles chaleureuses sous un soleil de plomb, et Stéphanie, me laissant à peine le temps de me rafraîchir, me culbuta tel un soudard. Je ne cherchai pas à me défendre... Et pendant trois jours, comme si elle était

424

possédée, elle ne cessa de me prouver vigoureusement son amour et son désir. Je pensais avec orgueil que cette fille m'aimait comme une folle, pas peu fier d'être aussi irrésistible.

Trois semaines plus tard, alors que j'émergeais mollement de mon sommeil paisible, j'ai vu mes trois femmes en délégation, l'une derrière l'autre comme les frères Ripolin, passer la porte de la chambre, se poster au pied du lit et m'annoncer en chœur :

– Tu vas être papa !

En me balançant le test positif sous le nez.

Hein ? Quoi ? Comment ? Papa ? Magnifique ! Et soudain, le manège de Steph m'est revenu en tête. La rusée, la futée, la traîtresse qui me laissait croire que j'étais le coup du siècle alors qu'elle m'avait utilisé comme un objet, un étalon, un reproducteur. Ouh ! Que c'est vilain, que c'est laid ! Et que j'étais content, heureux de voir le bonheur de mes trois gonzesses. Stéphanie triomphante ; Marie, dix-neuf ans, un petit peu étonnée quand même que ce soit sa mère qui attende un enfant et pas elle ; Laurette, treize ans, simplement ravie d'avoir une petite sœur ou un petit frère pour jouer à la poupée. Elles étaient magnifiques, mes trois poulettes, en ce beau matin d'été. Mentalement, j'en rajoutai une... en pensant que ça serait vraiment chouette que ce soit un garçon.

L'album sortit à la rentrée. Après la promo, nous repartions pour une tournée d'automne. Le moins qu'on puisse dire c'est que les affaires tournaient bien.

Stéphanie ayant dépassé, sans que ça se voie, la limite d'âge, une amniocentèse était obligatoire. Elle se plia au diktat des toubibs et de la normalisation, puis retourna au Moulin. Deux jours plus tard, elle reçut un coup de fil du labo. Une femme lui dit d'une voix très neutre que tout était normal, les examens se sont révélés excellents, c'est un petit garçon dont le développe...

– Quoi ? Répétez, répétez ce que vous venez de dire, là !

– Je disais que c'est un petit garçon...

Pas folle, la laborantine. Elle savait bien qu'elle allait faire plaisir. Elle éloigna sans doute le combiné tant le cri de joie de Stéphanie était chargé en décibels. Un garçon ! Je commençai à chercher un prénom.

Jean-Claude Camus était dur et obstiné. Quand il avait décidé le montant d'un cachet, il ne revenait jamais en arrière. C'est pour cette raison que quatre musiciens quittèrent le navire et furent remplacés par d'autres bons. Dominique Fillon devint chef et prit à la batterie Chris Henry, José Legall à la guitare, Thierry Fanfant – dit Titi – et ses gros doigts à la basse, aux chœurs Nathalie Hayat et Julia Sarr, notre princesse peule, toute l'Afrique dans la voix, et toujours l'irremplaçable Thierry Crommen. L'Olympia était programmé pour le printemps 1993.

Le 9 avril au matin, un vendredi car l'obstétricien ne voulait pas gâcher son week-end, Stéphanie entra en clinique. Marie, ne voulant pas rater une seconde de l'événement, la rejoignit pendant le travail. Ça ne se passa pas aussi bien que les premières fois. Le soir, vers 8 heures et demie, Marie m'appela pour me dire que le cordon était enroulé autour du cou du bébé et que le toubib allait pratiquer une césarienne. Je fonçai à Versailles et arrivai pile à temps pour assister à la naissance de notre garçon. Je vis Stéphanie en grande difficulté. Elle suffoquait et, à cet instant, j'ai cru la perdre. Elle était livide et semblait à deux doigts de passer. Toubib, sage-femme et infirmières étaient penchés sur le ventre de Steph et soudain, au bout des bras de l'accoucheur, porté haut dans la lumière du scialytique, mon fils. Je suivis l'infirmière qui le passa sous le robinet puis sous une lampe à infrarouges et de violacé mon garçon devint abricot, beau et vivant. Je me retournai alors vers Stéphanie qu'on emmenait vers sa chambre. Quelques minutes plus tard, mère et fils reposaient côte à côte, entourés par le cercle familial très ému. Steph m'expliqua alors que pendant l'accouchement, l'infirmière penchée au-dessus d'elle dégageait une odeur de transpiration tellement épouvantable qu'elle avait dû faire des efforts surhumains pour ne pas tomber dans les pommes. Comme quoi les odeurs d'aisselles peuvent tuer. Nous étions tombés d'accord sur le prénom de notre garçon. Il s'appelait Alexis. Alexis, mon fils, mon petit prince, la cerise sur mon gâteau d'homme de cinquante et un ans.

Je serais tenté de dire que c'est entre cinquante et soixante ans que la vie d'un homme est la plus belle, la plus riche et surtout la plus enrichissante. On est plus calme, plus serein et, sans qu'on se démobilise ou renonce à ses convictions les plus profondes, il y a un certain nombre de moulins à vent qu'on ne charge plus, lance en avant, comme un Don Quichotte ignorant la vanité de certains combats. Le regard que l'on a sur la société devient plus réservé. Les avancées technologiques sont un leurre. Elles ne font que donner l'impression de changement. Les êtres humains affichent de génération en génération les mêmes travers, les mêmes faiblesses et, quand il le faut, les mêmes qualités. Seul le papier du paquet-cadeau diffère, plus coloré ou plus gris selon les époques et les conjonctures. On a souvent une impression de déjà-vu, le sentiment que l'histoire bégaie. On s'étonne que des mensonges marchent encore et que des vérités essentielles ne soient pas dites ou pas entendues. Sans cynisme ni amertume, on constate avec un sourire teinté de tristesse que dans nos sociétés logiquement devenues marchandes, lorsque la merde se vend bien, les trous du cul prennent de la valeur. Et alors ? Que faire ? Continuer, c'est tout. Poursuivre la route que l'on aménage en même temps qu'on avance pour pouvoir être fier, en se retournant, d'avoir fait de la belle ouvrage. Et tant mieux si cette voie, pas forcément royale mais au moins solide et sûre, permet un jour à nos successeurs de gagner du temps, de progresser plus vite vers le but qu'ils se seront fixé. S'ils ne sont pas trop égoïstes, ils continueront de dégager le chemin et de construire la route pour ceux qui viendront après eux. Inch Allah !

Pendant dix ans, je crois avoir été un bon soldat. J'ai fait de la musique, des albums, des tournées. Le plaisir d'exercer mon métier est allé grandissant. La complicité de trente ans avec le public faisait de chaque soirée une fête amicale. Notre équipe de musiciens est devenue peu à peu une bande, une famille, regroupée dans une « bulle » dont le centre était le studio Opus que Pascal et Gigi ont installé à Vanves. Quand Dominique Fillon est retourné au jazz, il s'est fait remplacer par Jean-Luc « Jenkle » Léonardon qui s'est révélé musicien d'exception. Piano et claviers, Jean-Luc chante comme un fou et forme avec Régis « Le garagiste » Sévigac de Marseille et Claude Samblancat de Toulouse un ensemble vocal exceptionnel. Peu à peu, album après album, le groupe actuel s'est soudé. Titi Fanfant, le pilier de la mêlée, Bruno « Nono » Bongarçon aux guitares, et nos deux Belges, Frédéric Jacquemain, notre batteur bien-aimé, et Jacques Pili, autre bassiste de-la-mort-qui-tue. Ils sont mes amis, mes frères, mon refuge. Jean-Luc a pris de l'assurance et désormais réalise, arrange avec talent. Une de mes fiertés professionnelles est de les avoir incités à grandir, à prendre des initiatives, essayer, quelquefois se tromper, et de leur avoir laissé la bride sur le cou. Ils m'ont rendu au centuple la confiance que j'avais mise en eux. Si toutes ces années n'avaient servi qu'à ça, elles valaient la peine d'être vécues.

Sans me replier sur moi-même, j'ai cherché à me protéger de la pollution ambiante, des fausses valeurs éthiques et artistiques. On ne peut pas passer son temps à cracher dans le potage. Il est préférable, tout en gardant portes et fenêtres ouvertes, d'essayer de rester intact, pour qu'au moment du trait final sous le bilan, le solde soit positif.

Au cours de ces dix ans, je me suis efforcé, autant que possible, de m'éloigner du milieu de la photo pour mieux voir ce que mon image me cachait. Le monde, tout simplement. Et je l'ai aimé ce monde, mal foutu et déséquilibré, qui ne se limite pas aux petitesses parigo-parisianistes ou hexagonales.

Pendant ces dix ans, à l'instar de mes amis Touaregs, les hommes du désert au regard d'aigle, j'ai appris que résister et ne pas accepter l'ordre établi était une forme de noblesse. L'occasion était belle : j'ai tirai une devise. Un homme ne devrait avoir de devise qu'assez tard dans son cheminement. Plus qu'une règle ou un credo qui dicte les grandes lignes de la vie, elle devrait en être, au contraire, le résultat. J'ai accouché de la mienne, aux forceps, entre cinquante et soixante ans : *Ce n'est pas parce qu'ils sont les plus nombreux qu'ils ont raison.*

Dix ans de chansons, de spectacles, de métier, de joies... Une famille magnifique, un bonheur qui nous faisait dire quelquefois « on va le payer un jour... », des filles qui entraient dans leur vie en dansant, et un petit lionceau qui courait dans les pattes des adultes en mordillant ici, culbutant là, apprenant les limites à ne pas franchir et jouant avec d'autres petits animaux tout aussi insouciants.

En 2000, pourtant, une sorte de malaise m'envahit et s'installa de façon permanente. J'étais en train de réaliser que notre métier pouvait être une ornière. Je commençais à me lasser de la répétition d'un schéma qui ne m'amusait plus du tout. On fait des chansons, on les enregistre, on fait la promo de l'album, un Olympia ou une autre salle à Paris, une tournée, puis une autre l'année suivante, et on se tait pendant trois ans. On recommence, on fait des chansons, on les enregistre, on fait la promo, puis une salle à Paris... Et ça, depuis quatorze ans maintenant. Je me disais que pendant ma période troupes je ne m'étais jamais ennuyé. On n'arrêtait pas, on allait de passion en passion. On cherchait, on tâtonnait, puis on trouvait, on testait... On vivait. Et là, depuis 1986, au bout de quatorze ans de ce métier de chanteur en solo, je commençais tout simplement à m'emmerder. Bien sûr que faire du spectacle est bénéfique, ça recharge. Nous jouons, chantons, pour des êtres humains. Écrire des chansons était toujours l'occasion de moments magiques, forts, indicibles. C'est un travail d'homme à homme. Mais c'est le reste et le rythme que je supportais de moins en moins. Répéter sans cesse les mêmes phrases au point qu'on finit par ne plus habiter ce que l'on dit, faire des albums que les programmateurs et journalistes n'écoutent pas, passer sous les fourches caudines d'un marketing – je sais, je me répète – qui d'année en année faisait la preuve évidente qu'il était inefficace et de plus, en train de casser le jouet comme un enfant gâté... ça commençait à bien faire.

J'avais cependant un album sur le feu. Il nous donna, à Claude Lemesle, Brice Homs et moi-même, de multiples

430

occasions de nous fouiller, de nous retrouver sur un terrain d'entente, de palabrer comme sous l'arbre des villages africains, de vivre intensément, et ensemble, une belle histoire de plus.

Comme un cri du cœur et pour prouver que mon amour et ma gratitude envers le destin qui avait été incroyablement généreux avec moi restaient entiers, cet album s'appela *Encore*.

Et on l'a sorti, et j'ai fait la promo, et l'Olympia était à venir...

En juillet 2001, je ne rêvais que de soleil, de mer et de détente. Claude, ma grande petite sœur, décida de m'accompagner. On allait préparer la maison pour l'arrivée de la famille en Corse.

24

LAURETTE

Le 10 juillet de cette année 2001, il faisait un temps magnifique. La Balagne lézardait sous le soleil. La brise de mer caressait délicatement les palmiers, les pins et les eucalyptus et n'allait pas tarder à ne plus pouvoir lutter contre la chaleur de la mi-journée. Ma sœur Claude et moi, on allait s'affaler au bord de la piscine, bouquiner ou commenter les nouvelles du jour, oublier la capitale et ses nuisances.

Vers midi, le téléphone sonna. C'était Stéphanie, restée à Paris pour régler les problèmes d'intendance et préparer le Moulin à rester vide pendant deux mois avant de nous rejoindre.

– Chéri... Il faut que tu rentres... Laurette a une leucémie.

– Quoi ?

Qu'est-ce qu'elle me dit, là ? C'est quoi cette absurdité ? Laurette... Une leucémie ? Ça ne peut pas être possible. On n'a pas ça dans notre famille. Des grippes, des angines d'accord, au pire une mononucléose comme Marie quand elle était petite, mais pas une leucémie... pas Laurette... pas à vingt-deux ans, putain !

– Mais... qui t'a dit ça ? Qui a décrété ça, merde !

– Le bilan sanguin. Le toubib pensait qu'elle avait du diabète, parce qu'elle buvait beaucoup d'eau. Il lui a fait faire une prise de sang et quand il a reçu les résultats, il a téléphoné immédiatement pour qu'on la prenne en urgence à l'hôpital.

Là je ne sais plus. Je ne vois plus rien. Je fais mentalement le tour de tout ce que j'ai pu lire sur le sujet. Il me semble que des progrès ont été faits, qu'on arrive à tenir en respect cette saleté, même si c'est difficile. En fait, je suis sonné, vidé, jambes coupées. Je viens de prendre un TGV en pleine face. Ma fille... ma beauté... mon petit canon a la mort dans le sang, dans mon sang, dans celui de Steph et de tous les Fugain, les Casali, les Coquinos qui de génération en génération, de mélange en mélange lui ont fabriqué ce sang qui coule dans ses veines. Quelle est notre part de responsabilité ? C'est un accident ? C'est génétique ? Toutes ces questions traversent mon cerveau à la vitesse de la lumière. Sans réponse.

– Bon... OK... Je remonte par l'avion de demain.

J'ai raccroché en état comateux, fait à ma sœur un compte rendu sans doute incohérent. Claude, livide, a sauté sur le téléphone. Elle a appelé un de ses confrères qui lui a promis de faire entrer Laurette à l'hôpital Saint-Louis, considéré comme le plus pointu en matière d'hématologie. Quelques minutes plus tard, elle recevait la confirmation qu'on attendait ma fille là-bas. Je répercutai la nouvelle à Stéphanie pour qu'elle l'y emmène le plus vite possible. Après quoi, Claude et moi nous nous sommes assis, en silence. Je n'avais pas envie d'entendre ce qu'elle savait de cette maladie. Elle n'était pas pressée de me le dire. Nous étions pour l'instant sourds et aveugles, donc accrochés à l'espoir que notre docteur de famille s'était planté, avait paniqué, et que les pontes de Saint-Louis allaient nous rassurer, nous dire que ce n'était rien qu'une grosse fatigue et qu'après des bonnes vacances au soleil, Laurette serait en pleine forme. Je n'aimais pas du tout l'air sombre de ma petite sœur. Je n'ai pas aimé non plus le ton soucieux de mon père, le généraliste au diagnostic infaillible, qui a reniflé et combattu la mort pendant toute sa vie. Ils savaient tous les deux que certains combats sont perdus d'avance mais se sont bien gardés de m'en parler.

Une heure plus tard, Stéphanie m'appela de la chambre où Laurette allait rester presque six mois. Le verdict était tombé. C'était bien une leucémie. Myéloblastique aiguë. J'entendais derrière Steph Laurette qui hurlait en larmes : « Je ne veux pas mourir ! Je ne veux pas mourir ! » Steph, aussi déchirée que moi, me dit que notre fille faisait une crise de nerfs. La responsable du service venait de lui annoncer brutalement ce qu'elle avait, et la difficulté de vaincre ce mal. Je m'en voulais de ne pas être là pour pouvoir gifler cette conne, si experte soit-elle, qui annonce à une fille de vingt-deux ans, comme ça, sans ménagement, que la mort rôde désormais autour d'elle. « Je ne veux pas mourir ! Je ne veux pas mourir ! » Laurette ne faisait pas une crise de nerfs. Elle faisait une crise de vie. C'était la vie qui était en elle qui ne voulait pas s'arrêter. Elle criait à l'injustice, comme un condamné clame son innocence quand on l'enferme dans le couloir de la mort pour un crime qu'il n'a pas commis. Pourquoi elle ? Comment le bonheur peut-il basculer en malheur en quelques minutes ? Comment un avenir lumineux peut-il se muer en impasse sombre et lugubre du matin au début de l'après-midi ? À mille kilomètres de ma fille, je sentais la solitude et le froid qui venaient de l'envahir. Seule, face à un ennemi invisible qui en voulait à sa peau et qu'elle devait affronter. Seule, quel que soit notre amour autour d'elle, au cœur d'une ville où les autres, ceux qui vont bien, travaillent, apprennent, se plantent, s'agitent, s'engueulent, s'aiment, sans même avoir conscience de la légèreté de leur existence. Peut-être y avait-il tout ça dans les hurlements déchirants de Laurette. J'espère encore que non.

Après le choc d'un accident, il faut un peu de temps pour revenir à la réalité. Ce n'est que le soir que j'ai craqué. Le sabre japonais qui allait me couper en deux venait de m'entamer.

Arrivé à Paris, je passe d'abord au Moulin chercher ma voiture, et me rends à Saint-Louis. Périph', porte d'Aubervilliers, Stalingrad, Colonel-Fabien... Je hais cet itinéraire qui, pour l'éternité, symbolise l'enfermement de ma fille.

L'hôpital Saint-Louis est une immense usine de santé, moins sinistre que certaines autres, où se croisent, dans ses allées encombrées de voitures, visiteurs et malades en pas trop mauvais état descendus fumer, ou simplement prendre le soleil en promenant la potence à laquelle est suspendue leur perfusion. Je n'ai jamais aimé les hôpitaux, l'impudeur des malades en pyjama qui traînent dans les couloirs, ou certaines infirmières, sortes de matons qui vous traitent comme du bétail, tellement sûres de savoir des choses que vous ignorez. À l'hôpital vous êtes un numéro. De Sécurité sociale, d'abord, et de chambre, ensuite. Tout ce que j'avais pu percevoir, jusque-là, du monde hospitalier m'avait surtout donné envie de fuir cet univers quasi carcéral.

Service d'hématologie, troisième étage. L'ambiance est différente. Pas rassurant. S'il y a humanité c'est qu'il y a gravité. Les infirmières de ce service sont douces et on sent que la tendresse fait partie des traitements prescrits. Je comprendrai vite que les chambres qui m'entourent sont principalement occupées par des enfants en danger. Avant de frapper à la porte de celle de Laurette, j'entends des rires et de joyeux éclats de voix. Je frappe, entre...

– Papounet !

Ma fille, mon amour, mon bébé, est aussi jolie qu'il y a à peine trois jours, quand je l'ai quittée pour partir en Corse. Qu'est-ce qu'on m'a raconté ? Elle n'est pas malade. C'est quoi ces conneries ? Elle est belle comme tout !

Je la serre fort dans mes bras et la bisouille à l'étouffer. Putain ! Vous m'avez fait peur, vous êtes folles, j'aurais pu en crever ! Voilà ce que j'ai eu envie de dire à ce moment-là... J'ai fait rapidement le tour des regards présents, en attente d'une bonne nouvelle... qui n'est pas venue. Stéphanie, Clémence la cousine complice de Laurette, Sonia et Maïa ses amies de toujours, souriaient. Sans plus.

– Eh bien, mon amour, il va falloir se bagarrer. On ne va pas se laisser emmerder par une saloperie de ce mauvais genre. On va lui faire la peau. On va lui montrer qu'on est les plus forts...

Avec le recul, on s'en veut d'avoir dit n'importe quoi ou, en tout cas, des platitudes très inappropriées à la gravité de la situation. Mais que dire d'autre ? Comment convaincre une fille intelligente et impertinente de vingt-deux ans qu'on est ensemble face à la fatalité, qu'on va l'affronter unis, alors qu'elle est seule à risquer sa vie ? Elle aurait très bien pu me cracher : « Tu me fais marrer. On y va ensemble mais c'est moi qui crève. » Elle ne se doutait pas qu'en plus, elle allait souffrir.

Le pouvoir d'absorption des coups durs par les jeunes gens me fascine. Le temps de l'émotion passé, Laurette s'est remise à déconner avec ses copines. Elles ont recommencé à jouer à celle qui fait le plus rire les autres. On aurait pu se croire n'importe où, sauf à l'hosto.

Le soir, Clémence est restée avec sa cousine. Stéphanie et moi avons quitté la chambre le plus tard possible et sommes rentrés au Moulin. Alexis avait dîné chez ses grands-parents. Il n'était pas question de dramatiser. On procéda aux rituels du coucher du petit cow-boy. Montage à dos d'homme au premier étage, rodéo dans la salle de bains, jetage sur le lit pour des pirouettes sans risque, jusqu'à ce que la maman dise que ça suffit, on se lave les dents et on dort. Traînage des pieds, racontage d'un conte de fées à la manière de papa, dernière intervention de maman, allez au dodo ! Les parents gâteux encadrent le petit dans son lit, le temps que ses yeux piquent... Salut mon fils. À demain.

Puis Stéphanie partit dans son bureau et moi, dans mon studio d'enregistrement. Je crois bien que c'est à partir de ce premier soir que nous avons commencé à nous enfermer dans nos silences respectifs. Il y a des poids qu'on ne porte que seul, des états d'âme qui ne se partagent pas, et des réalités qu'on ne veut pas voir en face.

Le rythme des journées s'installa très vite. Le premier coup de téléphone du matin était pour Laurette. Au début c'était elle qui appelait. Plus elle avancera dans le traitement et plus ce sera nous qui l'appellerons. C'était une sorte de baromètre. Si elle appelait c'est qu'elle avait bien dormi et qu'elle n'était pas trop mal. Puis Stéphanie se préparait et partait rejoindre notre fille à l'hôpital où elle passait la journée. Moi, je les retrouvais en fin d'après-midi. Les premiers temps, la chambre ne désemplissait pas. Dès que la chimiothérapie commença, c'est Laurette elle-même qui demanda qu'on vienne lui rendre visite moins souvent. Elle ne tenait pas à dégueuler devant tout le monde. Seules sa mère et Clémence avaient le droit de la voir en état de faiblesse. Même moi, je n'étais pas le bienvenu et j'avoue que le spectacle de mon enfant chérie dans cet état ne me réjouissait pas vraiment. Sa chambre était devenue le centre de notre vie, le Moulin n'en était qu'une annexe. Les infirmières qui avaient notre fille en charge faisaient désormais partie intégrante de notre famille. Elles adoraient Laurette qui le leur rendait bien. Très vite elles surent à qui elles avaient affaire et ne lui tinrent pas rigueur de ses caprices et de ses colères. Dehors c'était l'été. En toute logique, Laurette aurait dû ne penser qu'à bronzer, nager, séduire, aimer, danser, vivre comme on vit à son âge lorsqu'on est en vacances, qu'on est jeune, belle, et que tout va bien. Ses colères n'en étaient que plus compréhensibles et pardonnables.

Trois chimios étaient prévues. Nous savions qu'elle était en de bonnes mains. On ne dira jamais assez combien le corps médical et les aides-soignantes sont investis et à l'écoute. La mort est leur ennemie intime. Ils se collettent tous les jours avec cette salope. Au début, j'avais envie de les frapper. Je les trouvais froids, secs, déshumanisés. J'ai eu le temps de comprendre que chaque fois qu'un gosse meurt, ils meurent aussi. Ils font tout ce qu'ils peuvent pour se protéger, pour rester en vie et garder l'envie de continuer. J'ai compris que la responsable du service qui avait provoqué la crise de nerfs de Laurette était obligée de jouer franc-jeu. Elle ne devait pas se montrer affective. Un malade qui arrive dans le service ne doit être pour elle qu'une maladie qu'elle va devoir combattre.

Malheureusement pour tous ces soignants, ils sont des êtres humains, et comme des êtres humains ils s'attachent, d'autant plus facilement que ces jeunes malades sont souvent extraordinaires. C'est encore plus frappant chez les gamins. On a l'impression qu'ils sont brutalement devenus adultes et indiciblement courageux. Ils affrontent les traitements comme des guerriers qui savent que les coups vont pleuvoir de tous les côtés. C'est le prix à payer. Ils connaissent par cœur les protocoles et leurs conséquences, souffrent stoïquement, et réconfortent leurs parents.

Les infirmières sont les confidentes, les observatrices attentives des moindres réactions physiques ou psychiques, et le lien avec les toubibs. Elles savent tout du malade et de sa famille. Elles rapportent aux médecins les plus petits détails qu'elles ont pu glaner ou sentir, soupèsent la force de caractère, la combativité, la détermination : le traitement en sera peut-être adapté. Elles n'ignorent rien d'ailleurs de ce qui se dit dans le saint des saints. Les toubibs savent longtemps à l'avance si oui ou non. Il n'y a pas de miracles. En milieu hospitalier, parallèlement à leur activité dans le service, la plupart d'entre eux font de la recherche et sont en liaison permanente avec tous les chercheurs de la Terre. Un nouveau traitement est-il tenté à Shanghai, Sydney ou Chicago ? Immédiatement les résultats en sont répercutés dans le monde entier. Les patrons de ces grands services connaissent parfaitement l'arsenal dont ils disposent et peuvent, à peu de chose près, prédire l'issue du combat qu'ils mènent et qu'ils mèneront de toute façon sans baisser les bras. Les infirmières savent elles aussi tout ça, ne disent rien, et continuent, malgré elles, de s'attacher à leurs patients. Pour un salaire ridiculement bas qui devrait faire honte à une nation hypocondriaque qui ne se soucie de la qualité des soins que lorsqu'elle est malade. On en arrive à souhaiter que les hommes politiques soient atteints dans leurs propres familles pour qu'ils réalisent de quelle injustice ils se font les complices.

Dans le cas de Laurette, les médecins furent assez vite édifiés. Ma fille chérie, mon amour, était rebelle au point de ne pas laisser de prise aux traitements. Laurette était chimio-résistante.

Un ou deux mois avant l'été, Philippe Lellouche, un copain de mes filles, comédien et auteur, était venu au Moulin pour me proposer d'écrire une comédie musicale sur un sujet qui ne m'emballait pas. Je le lui avais dit gentiment et nous avions suffisamment bavardé pour devenir, en fin de journée, les meilleurs amis du monde. Il était ressorti de notre discussion que si le sujet ne m'intéressait pas, un des éléments me paraissait quand même porteur de lyrisme : un mur. Ce mur m'avait parlé. Il évoquait toutes les barrières que les hommes sont capables de dresser entre eux sur la planète, animés par la haine, le mépris ou la peur, et je trouvais qu'il y avait là matière à chanter. Philippe était revenu deux semaines plus tard avec un synopsis assez flou au travers duquel, pourtant, on pouvait entrevoir le squelette d'un éventuel spectacle musical. Il n'y avait cependant pas d'urgence. Je laissais macérer...

L'hospitalisation de Laurette avait évidemment bouleversé les priorités. J'étais à Paris, désœuvré jusqu'aux répétitions en septembre du spectacle de l'Olympia prévu en automne. Le besoin d'oublier la réalité, de rester intact autant que possible, de ne pas couler au risque d'entraîner tous les miens dans le naufrage : je me suis jeté à corps perdu dans la musique. Je ne sortais de mon studio que pour me rendre à Saint-Louis où Laurette s'abîmait de jour en jour.

De vilaines images commençaient à me hanter. M'endormir devint difficile. Ma bouche avait beau clamer que ma fille allait s'en sortir, ma tête n'y croyait pas vraiment. Une nuit, ne trouvant pas le sommeil, j'ai vu Laurette, ma petite fille, dans son cercueil. Je me suis arraché du lit pour balayer cette vision qui avait fait exploser mon cœur. Fuir... M'enfuir... M'enfouir dans mon studio et la musique... et surtout, ne plus penser. Par la suite, j'ai pris l'habitude de travailler jusqu'à ne plus pouvoir garder les yeux ouverts, et être certain de m'écrouler sans gamberger.

C'est un phénomène étrange que l'évolution du mental d'un malade. Le monde clos qui est le sien, son champ de vision limité aux quatre murs de la chambre, les visages familiers finissent par constituer un univers dont le centre est son lit. J'ai eu l'impression que Laurette, inconsciemment, oubliait l'extérieur. Défense, sans doute, pour ne pas souffrir plus. Les acteurs quotidiens de sa tragédie n'en étaient que plus importants. Son jeune médecin par exemple, Albert Haddad, avec lequel elle s'inventait une love story. Elle l'appelait « Deux de tension ». Il est vrai qu'Albert n'est pas un énervé. Il se montrait calme, compétent, réfléchi et, dans le cas de Laurette, très affecté. Au fil des jours et des chimios drastiques, il a vu la beauté qu'était notre fille perdre du poids, de la joie, et s'éteindre la lumière de son regard. De plus, Albert savait. Il a toujours su.

Laurette, qui décidément ne facilitait pas la tâche de ses soignants, chopa, alors qu'elle était en aplasie – donc sans défenses immunitaires –, une autre saloperie, un aspergylum quelconque, une sorte de champignon, dans ses poumons. Une opération fut nécessaire, qui n'arrangeait pas les choses. Le calvaire avait commencé, et Laurette continuait de se battre.

En septembre, répétitions chez Opus pendant trois semaines, immersion totale dans un milieu ami. Exactement ce qu'il me fallait. J'ai retrouvé mes complices, mes frères, Jean-Luc, Titi, Fred, Régis, Claude et Bruno auxquels s'ajoutaient cette fois Philippe Slominski, trompette, Allen Hoist, sax, flûte et violoncelle et Charly Aubin aux percussions. Une équipe d'enfer pour un spectacle abouti, cool, pas con et poilu. Que des mecs. Que du lourd. Comme d'habitude, ce fut un bonheur de créer, d'inventer, de se surprendre. Ils savaient tous pourquoi je n'étais pas au mieux et ont serré les rangs et les coudes.

À la fin du premier concert, à Levallois, je crois, la salle était debout. Jean-Claude Camus se précipita pour me dire que c'était le meilleur de tous les spectacles qu'on avait montés. On était prêts pour l'Olympia. Bien. Au moins de ce côté-là, ça allait.

Laurette voulut à tout prix venir nous voir. Je me suis souvent demandé si elle n'avait pas, au fond de sa petite tête, l'idée qu'elle faisait les choses qui lui tenaient à cœur, pour la dernière fois. J'en ai eu l'impression lorsqu'elle se fit transporter à l'Olympia, en ambulance. Ses deux infirmières et amies l'accompagnaient ainsi qu'Albert. Elle était encore en aplasie, donc masquée, et faible. Ce déplacement était une épreuve, mais seule la promesse d'une rémission immédiate et miraculeuse aurait pu la convaincre de ne pas venir. J'avoue que, pour moi, ce ne fut pas facile. Mon bébé tout cassé était dans la salle et je n'arrivais pas à l'oublier. Heureusement, mes trente-cinq ans de métier firent l'essentiel.

Puis, ce fut le départ en tournée. Elle était longue. Nous en avions jusqu'à mi-décembre.

À Évreux, j'eus la surprise de voir arriver Stéphanie et Laurette remise de sa dernière chimio. N'ayant plus de cheveux, elle portait une perruque. Elle était magnifique. Elle fut fêtée par toute l'équipe. L'émotion était palpable.

Après les trois chimios qui s'étaient soldées par trois échecs, le corps médical aurait dû normalement, et sans rien dire, laisser la situation se dégrader d'elle-même jusqu'à l'issue fatale. Quand la chimio est inefficace, l'espoir est mince. Je suppose qu'il y eut de nombreuses discussions pour que les toubibs décident de diriger Laurette vers la greffe. Je crois même qu'ils le firent parce que c'était elle. Albert devait y être pour beaucoup. Il demanda d'ailleurs son transfert au cinquième étage, au service des greffes de moelle osseuse.

Mi-décembre, Laurette était hospitalisée depuis six mois. Elle était sortie d'aplasie, malade, bien sûr, mais avait suffisamment de forces pour voyager. Les toubibs décidèrent de la laisser sortir pour Noël. En fait, ils décidèrent de lui laisser faire tout ce qu'elle avait envie de faire tant qu'elle le pouvait. Ils savaient. Laurette aussi, peut-être.

Notre fille tenait à faire le tour des lieux et des gens qu'elle aimait. On passa Noël au Grand-Bornand dans la famille Pernet, chez François et sa femme Christel, que Laurette avait toujours considérée comme une marraine choisie. Bien que très amaigrie, et fatiguée, elle tenait à marcher dans la neige.

Le Grand-Bo n'était qu'une étape sur le chemin de la Corse. Elle s'y est rempli les yeux des images du maquis, des rochers rouges de L'Île-Rousse, de la mer, de l'horizon sur lequel se perdait son regard. J'aurais donné le temps qui me restait à vivre pour entrer dans ses pensées et chasser ce que j'y voyais.

La greffe était planifiée pour janvier dans le service du Dr Gluckman, une petite bonne femme peu engageante, vraisemblablement pour les raisons que Stéphanie et moi connaissions maintenant. Nous avons appris qu'elle ne voulait pas greffer Laurette car elle ne croyait pas à ses chances de guérison. Sa résistance aux trois chimios était un mauvais présage et le Dr Gluckman n'avait pas envie de défendre une cause perdue. C'est l'insistance du personnel médical du service hémato qui l'a finalement convaincue de tenter l'impossible. Elle nous a reçus pour nous expliquer sans prendre de gants que les chances étaient minces, à peine vingt pour cent, et que notre fille n'était pas dans les meilleurs pronostics. En fait, elle nous préparait au pire. Je me vois encore lui dire d'un air teigneux, pour répondre à sa mise en garde brutale :

– Mais... Laurette sera dans les vingt pour cent, ça ne fait même pas l'ombre d'un doute.

Elle ne répondit pas.

On était décidément dans le plus mauvais des cas de figure. Les caryotypes de Marie et d'Alexis n'étaient pas compatibles avec celui de Laurette. On ne pouvait donc pas espérer une greffe entre membres de la fratrie. Les médecins durent chercher dans « le grand livre universel » des donneurs une moelle dont le caryotype serait le plus proche possible de celui de notre fille qui, pour l'instant, devait endurer une autre épreuve, la mise en aplasie médullaire. Cette joyeuseté consiste à vider intégralement le malade de sa moelle osseuse. Le vide est fait par une grosse chimio alliée à une radiothérapie qui font généralement des dégâts collatéraux monstrueux. Dans le cas de Laurette, Gluckman utilisa une bombe atomique déguisée en comprimés. Laurette grilla de l'intérieur. En bon petit soldat, elle serra les dents et supporta.

On l'enferma bientôt en chambre stérile. Son lit était entouré d'un rideau de plastique transparent. Nous ne pouvions plus l'approcher. Toute personne entrant dans la chambre devait porter masque, bottes, gants et pyjama stériles. Nous souffrions viscéralement de ne plus l'embrasser, l'enlacer, l'aimer de près.

Isolée dans sa bulle, Laurette n'avait plus que son ordinateur portable, passé lui aussi à la stérilisation, comme distraction et moyen de communiquer. Dans mon désir d'être avec ma fille, j'ai acheté deux webcams, dont une pour elle. Après la procédure d'usage nous nous sommes connectés mais l'hôpital n'était pas en haut débit. J'espère que depuis, dans ces services où l'isolement peut devenir insupportable, les hôpitaux offrent cet équipement élémentaire à des jeunes gens qui passent de longues heures sur le Net. Ce serait la moindre des attentions.

Puis ce fut la greffe. La moelle arrivait d'Allemagne. Le caryotype était suffisamment approchant pour que les médecins décident la transfusion.

La greffe de moelle osseuse n'est rien d'autre, en effet, que la transfusion d'un liquide épais ponctionné dans l'os iliaque d'un donneur volontaire et anonyme. Dans notre cas, ce fut une donneuse. Cette moelle toute neuve et les cellules qui la constituent vont trouver leur place exacte et se développeront, remplaçant peu à peu la moelle détruite par la chimio. Les cellules sont programmées pour s'installer où elles doivent. C'est fascinant et miraculeux à la fois. Une sorte de plomberie intelligente.

La poche de moelle était à moitié vide lorsque Laurette dit :

– Je n'aime pas ce qui se passe dans mon corps, là.

Laurette, mon amour, je sais bien maintenant que tu avais raison... Mais pourquoi ton corps refusait-il de se laisser soigner ?

On n'avait plus qu'à attendre. Cela faisait sept mois que le chemin de croix de notre fille avait commencé.

Les premiers signes d'alerte étaient apparus pendant la tournée d'automne. De jour en jour, j'avais moins de cheveux. Ma tête se dégarnissait par poignées. En fait le processus avait commencé depuis longtemps mais il était désormais spectaculaire. Par hérédité, mon destin était d'être chauve, d'accord, mais pas en vrac, et petit à petit. Stéphanie me prit un rendez-vous pour une consultation dans le service de dermatologie de Saint-Louis. Le professeur visita mon chantier capillaire et m'annonça doctement que je faisais une grosse pelade dont il affirma qu'elle était due à un choc affectif. Tu parles ! Je l'ai cru. Le choc, j'avais eu. Il m'expliqua que « la réponse au choc devait être un traitement de choc », en l'occurrence trois jours d'hospitalisation et cortisone à haute dose. Le week-end suivant, j'entrai donc à Saint-Louis en tant que patient. La fille était au cinquième étage, le père au sixième. Quelle famille !

J'avais beau me raconter de belles histoires de guérison et de victoire sur la leucémie, mon corps n'était pas dupe. Dès le premier coup de téléphone de Stéphanie, le 10 juillet, il avait su que c'était grave, terrible, mortel. C'est pas con, un corps, ça ne triche pas. Ça vit sa vie tout seul et ça se fait des pelades pas jolies dont on se passerait volontiers. Mais bon. Je ne vais pas pleurer sur mes cheveux quand ma fille est en train de ferrailler contre la mort.

Un matin ensoleillé de février, on apprit officiellement que la greffe était réussie. Le docteur Gluckman, que je revoyais pour la première fois depuis sa réception peu amicale, passa dans la chambre et, semblant satisfaite, félicita Laurette. On aurait eu du champagne, on l'aurait sablé en hurlant de bonheur. L'espoir renaissait d'un coup. Les jours qui suivirent furent aux couleurs de notre moral, en hausse.

Pendant toute cette période, Alexis est allé quelquefois rendre visite à sa sœur, mais ni l'un ni l'autre n'en tirait vraiment de plaisir. Alexis n'aimait pas voir sa Laurette malade, et Laurette n'aimait pas ce qu'elle voyait dans les yeux de son petit frère qu'elle adorait, et à qui, peut-être, elle ne souhaitait pas laisser une dernière image d'elle aussi pitoyable. C'est d'ailleurs à partir de là qu'Alexis commença à réaliser la gravité de la maladie qui la clouait à l'hôpital et à en souffrir en silence.

GVH. Ce sigle maudit apparut très vite dans les bribes d'explications que nous donnait le corps médical. Que ces honorables praticiens me pardonnent, je ne me permettrais pas de faire un cours magistral. Juste un schéma, sans plus.

GVH. Greffon Versus Host, le greffon contre l'hôte. Le principe est simple. Lorsque nos défenses immunitaires repèrent un corps étranger, elles envoient des cellules tueuses, des lymphocytes, pour anéantir autant que faire se peut l'intrus, qu'il soit bactérie, virus ou n'importe quelle autre saleté qu'on « attrape », respire, mange, boit, etc. Si on est pleine forme, nos défenses ont toutes les chances d'être efficaces.

Dans le cas d'une allogreffe, c'est-à-dire de la greffe d'une moelle étrangère, les cellules tueuses en question proviennent de la moelle d'un autre individu et, du coup, ces nouvelles défenses immunitaires, se trouvant en territoire étranger, voient des intrus partout et ne savent plus où donner de la tête. Le corps même du greffé est considéré comme un ennemi et les lymphocytes passent à l'attaque.

C'est là que les complications commencent. Le corps est faible, le greffon est fort. La réaction du greffon contre l'hôte peut apparaître au niveau de la peau, du foie ou du tube digestif. C'est sur ce dernier que celui de Laurette a jeté son dévolu.

Un matin, les infirmières nous appelèrent d'urgence. Laurette avait tout débranché. Elle en avait marre, refusait les traitements, envoyait chier toubibs et aides-soignantes. Stéphanie, qui ne pouvait pas quitter le Moulin, me chargea de la raisonner. Je fonçai à Saint-Louis, imaginant ma fille en furie. Je l'ai trouvée calme, déterminée. Sa décision était sans appel.

Comme si je n'étais pas là et pour clore le débat, elle brancha la télévision. C'était l'heure du journal et, coïncidence incroyable, un des reportages évoquait une Hollandaise très handicapée à qui son gouvernement refusait le droit à l'euthanasie. Et soudain, Laurette s'effondra en larmes.

– Qu'est-ce qu'il y a ? Pourquoi pleures-tu, mon amour ?

– Parce qu'ils la laissent pas mourir ! Pourquoi ils la laissent pas mourir, cette femme, si elle veut ?

Je me suis engouffré dans la petite brèche qui s'ouvrait dans le mur qu'elle m'opposait depuis mon arrivée et lui ai dit que tout ça n'avait rien à voir. La Hollandaise était condamnée, mais pas elle. Elle, on la soignait pour la guérir, pour en finir avec cette saleté de leucémie et ce n'était pas maintenant que la greffe avait marché qu'il fallait baisser les bras. Au contraire, c'était exactement le moment de s'accrocher et de mettre un dernier coup de rein...

Elle est restée un temps butée dans son silence... et elle m'a enfin dit :

– Bon... allez... rebranchez-moi.

Deux ans après cette scène, il m'arrivera encore de pleurer, honteux de lui avoir menti et de l'avoir obligée à supporter ce qu'elle allait endurer par la suite.

Une tournée de printemps était programmée, qui devait se terminer par un cadeau, une semaine à la Réunion. Je me préparais doucettement à refaire mon sac lorsque l'état de Laurette empira.

Comme si la coupe n'était pas déjà pleine, l'énorme entreprise de destruction qu'était la GVH aiguë fut doublée par une infection virale qui se développait rapidement du fait de l'immunodépression nécessaire à la greffe : l'EBV. L'Epstein-Barr virus, un petit virus de pas grand-chose, responsable de ce qu'on appelle, en termes vulgaires, « la maladie du premier baiser », qui occasionne généralement un simple mal de gorge et est rapidement réduit au silence par les défenses immunitaires des ados en forme. Là, il était en train de tuer notre fille sans trouver de résistance sur sa route. Le traitement contre cette attaque était incompatible avec celui de la GVH. Je crois que les médecins ont choisi de faire taire l'EBV, dans un premier temps, et la GVH a continué son travail de sape dans l'intestin de Laurette qui partait en lambeaux.

Dieu merci, elle ne souffrait plus. Depuis des mois, la pompe à morphine servait à la calmer et à la faire dormir. Mais ces scènes de lente décomposition et d'évacuation méthodique de morceaux d'intestin et de sang dégageaient déjà quelque chose qui ne ressemblait plus à la vie.

Je garderai toujours en mémoire l'image de ma petite fille, recroquevillée, face à la fenêtre. Elle nous tournait le dos pour qu'on ne voie pas ses larmes couler, silencieuses. Que ça doit être dur d'avoir vingt-deux ans et de savoir que sa vie va s'arrêter là ! Car désormais elle savait, j'en suis sûr, elle savait...

Le 17 mai, j'étais en route avec toute mon équipe pour un concert en Suisse, à Crans-sur-Sierre. Nous étions en train d'entamer la montée vers Crans lorsque je reçus un coup de fil de Jean-Claude Camus.

– Michel, il va falloir que tu reviennes, Laurette va très mal. C'est la fin. Elle est en demi-coma. Les médecins la tiennent jusqu'à ton retour. Allez, rentre...

Là, c'était trop. Après tous ces mois, j'ai craqué, j'ai laissé tout aller, au milieu de cette montagne à vaches, j'ai chialé comme un papa qui perd sa fille, comme un papa amputé d'un morceau de lui, comme un papa qui voyait venir ça de loin sans pouvoir faire quoi que ce soit, un papa qui avait perdu la seule bataille qu'il aurait voulu gagner dans sa vie.

Je suis arrivé à Saint-Louis à la nuit tombée. À peine dans la chambre, je me suis approché du lit. Ma Laurette

450

semblait dormir. Stéphanie m'a dit qu'elle avait fait un accident vasculaire cérébral la nuit précédente et que ses reins ne fonctionnaient plus. Elle était toujours sous morphine et donc ne souffrait pas. Comme un désespéré, j'ai plaqué mes mains sur le ventre de ma fille, pour faire repartir ce qui ne marchait plus, pour lui transmettre toute l'énergie que j'avais et dont je n'avais rien à foutre alors qu'elle en manquait, pour lui donner ma vie contre la sienne, pour remettre en route son cœur et sa tête et tout ce qui faisait qu'elle était elle, Laurette, notre fille, belle, intelligente, qui un an plus tôt était encore comédienne, riait, aimait, vivait, et dont je ne voulais pas qu'elle passe en pertes et profits d'une humanité de merde qui ne se doutait même pas que la mort lui volait un joyau...

Et pour la dernière fois, je vis ma fille en mouvement. Elle écarta doucement le drap, se redressa sans un mot, en faisant non de la tête. Je sais ce qu'elle me disait. Elle me disait arrête, c'est fini papa, j'en peux plus, ça va comme ça, je m'en vais... Tu ne m'auras pas une deuxième fois, mon papounet.

Je suis sorti de la chambre pour la laisser se vider une dernière fois de ce qui lui restait d'intestin avec l'aide de ses infirmières. Quand je suis rentré, elle était recouchée. Elle n'a plus jamais bougé.

Albert Haddad, imperturbable et professionnel, est passé pour constater :

– Eh bien... Elle dort.

Traduction : on avait appuyé un peu sur la pompe à morphine et son coma était désormais total. Je sais qu'Albert, sans le montrer, était fracassé. Après le départ de Laurette, il quittera le service pour se consacrer pendant quelque temps à la recherche, uniquement.

Nous sommes restés une bonne partie de la nuit à son chevet, puis allés dormir chez des amis dans Paris, pour être le plus tôt possible de retour à l'hôpital le lendemain.

Cette journée du 18 mai fut très particulière. La chambre de Laurette n'a pas désempli. Entre nos amis, nos familles et les amis des filles, ça faisait beaucoup de monde. Les médecins auraient souhaité en finir plus vite mais respectèrent notre mode de vie tribale. Vers 8 heures du soir, on décida d'aller manger un peu. Nous n'étions pas partis depuis cinq minutes que Marie, qui était restée près de sa sœur, m'appela et me dit :

– Laurette est partie.

On a fait demi-tour.

25

ET ENSUITE...

Sur le chemin de Saint-Louis, dans l'atmosphère de mercure qui venait soudainement d'envahir la voiture, me revenait en mémoire une petite phrase qui circule dans les services où la mort des enfants est plus fréquente que leur guérison : « Les enfants attendent toujours que leurs parents aient quitté l'hôpital pour partir. » Comme s'ils ne voulaient pas faire de peine, pas mourir en direct. Comme une ultime pudeur aussi, peut-être. Il semble que ça se vérifie à chaque fois. Je ne sais pas dans quelle mesure intervient le corps médical pour en finir avec un combat perdu depuis déjà longtemps, mais je suis prêt à prendre pour argent comptant cette vérité-là. Après tout, la légende est plus belle que la réalité. Ainsi, Laurette avait attendu que la chambre se soit vidée de sa famille et de ses amis pour lâcher prise et se laisser aller vers je ne sais quel néant, avec pour seul témoin sa grande sœur Marie. C'était plausible. Leur complicité était telle que Marie avait le droit d'entendre s'arrêter sa respiration et le silence, l'horrible silence, qui allait suivre.

Rien n'avait bougé dans cette chambre que nous venions de quitter. Laurette reposait comme nous l'avions laissée. Je pris une chaise et m'installai tout près d'elle. Je détaillai son petit visage fin, émacié par le calvaire qu'elle venait de vivre pendant onze mois, ses jolies lèvres pulpeuses de fille du Sud, ses bras démusclés allongés le long de son corps tellement amaigri qu'il soulevait à peine la couverture, et ses mains magnifiques définitivement inertes. Ma fille n'était plus.

À ce moment précis, j'aurais presque envié ceux qui croient à une vie après la mort. Ça m'aurait bien arrangé d'imaginer Laurette en route pour un quelconque paradis, délivrée de ses souffrances, libérée de cette enveloppe charnelle qui avait trahi sa confiance en l'avenir. J'aurais aimé croire que son âme flottait dans cette chambre, autour de nous, comme dans certaines histoires de lumière blanche au bout d'un tunnel qui font des best-sellers ou des cartons au box-office. C'est arrangeant, bien sûr. Ceux qui restent se sentent moins coupables d'être vivants. Notre fille serait alors partie pour « un monde meilleur », tandis que nous allions devoir survivre dans cette « vallée de larmes ». Laurette aurait sans doute bien aimé, pendant quelques dizaines d'années encore, verser des océans de larmes dans cette vallée étonnante de beauté, pour qui sait regarder. Au lieu de cela, je n'avais que la misérable conception matérialiste héritée de ma culture familiale : nous naissons en bout d'une chaîne dont nous ne sommes qu'un des maillons, et nous disparaissons de la surface de la planète après avoir constitué une strate dont on peut simplement espérer qu'elle a été suffisamment solide pour ne pas être un point de faiblesse dans l'immense édifice qu'est l'humanité. Laurette n'a pas eu le temps de stratifier. Elle était dans le pourcentage de pertes inéluctables censées améliorer notre espèce animale. Son court passage sur terre n'aura servi qu'à tester de nouvelles thérapies, de nouveaux traitements et médicaments pour que la médecine avance et que les médecins arrivent un jour à vaincre ou tenir en respect, au moins, cette maladie qui menace nos enfants. Mais c'était notre fille, notre bébé. Vingt-deux ans de rires, de joies, de caprices, d'espoirs. Vingt-deux ans d'amour, de tendresse, de câlins. Vingt-deux ans de lectures, de curiosité, d'apprentissage, de rêveries, d'essais et d'erreurs, et d'intelligence... Tout ça pour rien. Quel gâchis.

Mère Nature, toi que je respecte au-delà de toute raison et quel que soit le sort que tu nous réserves, tu t'es plantée ! Dans ton tri sélectif, tu as pris pour de la verroterie ce qui était un pur cristal. Laurette, ma fille.

Stéphanie montrait un visage impassible, impénétrable. Au fond de ses yeux noirs, le gouffre qui s'était creusé pendant les onze derniers mois s'était approfondi jusqu'à ne plus avoir de fond. Elle tenait debout par habitude, par devoir de mère. Digne, calme, méthodique, mais une partie d'elle-même était définitivement vide. Elle avait porté, allaité, langé, soigné, éduqué cette enfant. Son ventre en avait le souvenir et la cicatrice pour l'éternité. Elle rappela tous ceux qui étaient dans cette même chambre quelques heures auparavant. Ils se passèrent le mot et la veillée quasiment festive qui suivit dura toute la nuit. Les uns après les autres, les jeunes amis de Laurette s'installaient auprès de son lit et communiaient avec son souvenir, se rappelant en riant les moments heureux qu'ils avaient vécus ensemble et que je regrettais, tout à coup, de ne pas avoir connus. C'était, pour la plupart d'entre eux, la première fois qu'ils se trouvaient confrontés à la mort. Je les ai trouvés beaux et forts. À l'aide d'un léger foulard bleu, Stéphanie avait rendu le petit visage de notre fille plus présentable, donnant l'illusion qu'elle dormait. Les mamans amies planifiaient déjà la préparation et la mise en beauté de ce corps sans vie qui n'était plus que l'effigie de la Laurette que tout le monde avait connue. Il n'était pas question pour elles que ce soit Stéphanie qui le fasse. Les hommes bavardaient en grignotant dans le local des aides-soignants. Patrick Chêne, Tarek Jéribi, Philippe

Lavil, mes potes, étaient là, comme des amis savent l'être quand l'un d'entre eux traverse une zone de turbulences. Laurette, comme toute la famille, voulait être incinérée. C'est là que j'ai décidé que les cendres de ma fille seraient mélangées à la terre nourricière d'un olivier, l'arbre de paix d'une longévité séculaire, que j'allais planter en Corse.

Pas de larmes, rien de pathétique. De l'amitié et de l'amour, toutes générations confondues, autour de la cage vide d'un oiseau envolé.

Au petit matin, nous avons laissé Laurette aux mains du personnel hospitalier qui l'emporta vers un lieu sans doute froid et moche que je ne voulais pas voir. Pas plus que Stéphanie ne le souhaitait. Nous avons quitté Saint-Louis sans dire un mot. Heureusement, la voiture connaissait le chemin et nous ramena au Moulin sans que j'y sois pour quelque chose. Je n'étais plus là.

Avant de s'endormir, dans la chambre éteinte, pour la première fois, Steph craqua à mes côtés. Je l'ai prise dans mes bras et n'ai surtout pas cherché à la consoler. Je savais que c'était inutile. Quand on perd un enfant, on est inconsolable à vie.

Quant à moi, le sabre japonais qui avait commencé de m'entamer le 10 juillet de l'année précédente finissait de me couper en deux tout à fait. Pour l'instant les deux parties tenaient ensemble mais je sentais bien qu'au moindre cahot je pouvais m'ouvrir de la tête aux pieds comme une bûche sous le coup de hache.

Je retiens des jours suivants une impression de torpeur dans laquelle notre famille a baigné sans que personne ait réellement envie de s'en extraire. Puis ce fut le jour de l'incinération au funérarium du Père-Lachaise.

Jean-Claude Camus avait pris les choses en main. Avec le tact et la délicatesse dont il sait faire preuve, il se chargea de toutes les formalités avec l'aide de Karim Jéribi qui, lui, se comportait comme le grand frère que Laurette n'avait pas eu. Il m'emmenèrent choisir l'urne qui devait recueillir les cendres, puis à la « levée du corps ». Je hais ce vocabulaire, les attitudes compassées de ces croque-morts qui voudraient nous faire croire qu'ils souffrent autant que nous et qui n'arrivent pas à cacher leur vraie nature de débardeurs sous leur vilain costume noir comme le plumage des charognards. Dans le décor déprimant du bâtiment funéraire de Saint-Louis, ma fille était étendue dans son cercueil, image semblable à celle que j'avais fuie une nuit d'insomnie. Véro Chêne et Sylvie Jéribi avaient fait de Laurette une petite princesse orientale aux joues rosées.

Puis ce fut le funérarium. Je garde dans mon cœur la frénésie de « la bande à Laurette », ces gamins qui prirent tous la parole pour parler de leur amie sur les musiques qu'elle aimait, et qui prolongèrent de quelques minutes encore la fête pour l'accompagner jusqu'à sa réduction à l'état de poussière d'étoile.

Les grands-parents étaient anéantis, hébétés par ce non-sens, ce non-respect de la logique qui les amenait à voir partir en fumée la descendance de leur progéniture, le sang de leur sang.

Sans doute était-ce dû à Laurette, peut-être aussi à notre tribu un peu atypique, la tristesse ne semblait pas de mise. C'est de vie qu'on a parlé pendant cette cérémonie.

Alexis, qui avait été de tous les épisodes, qui avait encaissé les coups durs les uns après les autres sans jamais laisser paraître quoi que ce soit sous son masque de petit garçon, s'amusa avec ses copains, courant entre les jambes des adultes. Il faudra attendre quelques mois pour qu'un soir son chagrin déchirant explose à l'heure du coucher. Sa sœur lui manquait, nous manquait, on l'a laissé pleurer.

Ce soir-là il a fait le deuil nécessaire à sa survie et à son équilibre.

Pendant la crémation, j'ai retrouvé tous mes amis corses qui avaient fait le voyage, des amis du métier, des musiciens, des copains de fête ou de galère, et nous avons attendu en bavardant.

Puis on me remit l'urne et je suis rentré à la maison avec, dans les bras, ce qui restait du court séjour terrestre de ma fille. Ma Laurette.

Une semaine plus tard nous débarquions à la Réunion, Stéphanie, Alexis, Christel, ma sœur du Grand-Bornand, Jean-Claude Camus qui s'était exceptionnellement octroyé quelques jours de repos, et toute notre équipe. Nous avions une semaine à passer sur l'île et cinq spectacles à donner. Le séjour nous fit du bien. Alexis s'éclata avec les grands enfants que sont restés mes musiciens mais j'ai remarqué que la légèreté avait disparu de son sourire. Elle n'est jamais réapparue.

Huit jours pile après l'incinération de Laurette, délabré à l'intérieur, des pelades plein la tête, j'entrais en scène avec le seul but de distraire les Réunionnais et oublier pendant deux heures que la vie, si belle soit-elle, peut être la plus vile des salopes. J'avoue quand même qu'une ou deux chansons eurent du mal à sortir de ma gorge.

On rentra de cette semaine de semi-vacances pour aller se réfugier en Corse aussi vite que possible.

C'est là que, mort sans le savoir encore, j'entrai en lente décomposition.

*
* *

Je n'avais rien à faire. Pas d'urgence ni envie. Juste besoin de me retrouver dans ma bulle. Je suis assez basique comme garçon. Lorsque je perds les pédales, quand j'ai l'impression que ce n'est plus moi qui dirige le bolide, il faut que je remette à plat. Ça prend du temps et les voies empruntées peuvent être impénétrables.

Comme pour prendre de la hauteur, je voulus voler. Survoler. Je me suis mis en tête d'avoir mon brevet de pilote et j'ai pris l'habitude, dès que le temps et le vent le permettaient, de rejoindre José Vittori, président de l'aéro-club de Calvi. Grande gueule et cœur d'or, José est un des personnages les plus spectaculaires que je connaisse. Ce pilote hors pair est un avion à lui tout seul. En l'air, il sait tout faire. José est un initié et un formidable initiateur. Lorsqu'il m'a lâché pour la première fois, il m'a dit qu'on n'oubliait jamais son instructeur. Pas de risque. Chaque fois que je m'installe dans un zinc, je retrouve les réflexes qu'il m'a inculqués. Je mettrai quasiment trois étés pour avoir mon brevet.

Après mes heures de vol, c'était le retour à la terre. J'y retrouvais mon atelier de sculpture en plein air où je passais le plus clair de mes journées. La sculpture qui, d'année en année, s'était imposée à moi comme une autre passion. J'avais besoin de sentir que la glaise que je pétrissais était mon amie. J'avais jusque-là sculpté des petites pièces, des femmes qui visiblement avaient des problèmes et des seins volumineux. Cet été-là, je me suis lancé dans un « grand œuvre »... de soixante-dix centimètres. Cinq personnages, cinq femmes de la grand-mère à la petite-fille. J'ai appelé cette pièce « Les Guetteuses ». J'en suis très fier.

C'est un soir de juillet, en allant au restaurant avec Pierrot Mariani et quelques amis, que j'entendis pour la première fois la chanteuse qui animait les soirées de cet établissement récemment ouvert sur la plage de L'Île-Rousse. Nous avons discuté longuement et, soudain, j'ai eu envie de produire quelqu'un. Elle s'appelait Sanda, était roumaine, de toute évidence très musicienne et avait une voix étonnante. Je reviendrai plusieurs fois la réécouter...

Toute la famille a quitté la Corse pour la rentrée des classes. Apparemment, nous étions indemnes. Apparemment...

Et puis plus rien. Mon studio devint mon refuge. Je m'y enfermais et n'en sortais que pour le repas de famille du soir avec Alexis, puis j'y retournais jusque très tard dans la nuit.

Stéphanie, de son côté, déployait une formidable énergie pour poser les bases de l'Association Laurette Fugain.

Lors de son hospitalisation, Laurette avait juré que lorsqu'elle sortirait, elle partirait en croisade pour que les gens prennent l'habitude de donner leurs plaquettes. Les hôpitaux en manquent toujours, en effet, et doivent quelquefois les attendre longtemps pour pouvoir les transfuser aux malades qui, sans ces cellules nécessaires à la coagulation du sang, risquent à tout moment des hémorragies souvent fatales. Ce manque récurrent de plaquettes oblige parfois les médecins à « choisir » les malades prioritaires, condamnant peut-être, et par la force des choses, les plus mal en point à faire un accident vasculaire cérébral. Ce fut le cas de Laurette.

Stéphanie avait fait sienne la cause de notre fille et repris le flambeau. Ce sera désormais son combat, qu'elle mène magnifiquement avec une détermination qui l'honore. Elle arrivera à convaincre à tous les niveaux, de la rue aux bureaux ministériels. Elle saura toucher les médias qui se feront les relais du message que le monde médical appuiera. Elle obtiendra des émissions spéciales à la télévision, qui feront énormément pour l'information de notre peuple et la mobilisation de bénévoles chaque année plus nombreux. Elle organisera, le dimanche le plus proche du 18 mai, une marche à laquelle participera une foule plus importante chaque année. Chaque marche se terminera par un spectacle où se produiront les artistes amis ou simplement solidaires. L'association « Laurette Fugain » est désormais sur tous les fronts. « Dons de plaquettes », « dons de moelle osseuse » sont des termes de jour en jour un peu plus entendus, et mieux compris. Lutter contre l'égoïsme tient du sacerdoce, et convaincre que « le don de soi » est un acte citoyen est un combat bien loin d'être terminé.

La dépression nerveuse est une maladie d'autant plus pernicieuse qu'elle n'est pas révélée. C'est quand on en sort que l'on réalise qu'on en était atteint.

J'ai fait semblant de faire. Je me suis donné l'illusion d'être au travail. J'ai cherché sans trouver, esquissé sans élaborer, erré. Mon naufrage avait commencé. Après avoir pris l'air, sculpté la terre, il y eut l'eau. L'eau du bassin parisien, l'eau de l'étang du Moulin, et l'eau glauque de cet océan sombre dans lequel je coulais. Il paraît qu'en mourant, on revoit sa vie défiler. Possible. Contrairement à mon habitude, je ne voyais que le verre à moitié vide. Mon âge, mon métier qui à ce moment précis ne me passionnait plus beaucoup, les erreurs plus que les succès, le bilan ne me paraissait pas digne d'un grand intérêt. Je glissais lentement vers le fond en donnant le change pour ne pas imposer une image de moi pire que celle que ma famille me renvoyait, et, comme je souriais, personne n'était vraiment tenté de me tendre la main. De toute façon, quand vous plongez, on ne peut plus vous rattraper.

Il était clair que Stéphanie et moi ne vivions pas la douleur de la même manière. Nous faisions deuil à part. Nous tentions de sauver notre peau chacun de son côté. Comme un animal blessé, Steph réagissait avec l'énergie du désespoir. Elle s'est jetée à corps perdu dans sa croisade. Déchirée, elle l'était, fracassée, aussi, mais sa douleur était son armure et le portrait de sa fille son étendard. Alors que j'étais à genoux, elle guerroyait pour s'enivrer dans l'action, pour ne pas penser, peut-être, mais réunissait autour d'elle une armée jeune et joyeuse dont les soldats étaient transcendés par la mission sacrée de faire le bien, améliorer le sort des malades, aider la recherche, sauver autant que possible. Dieu que leur guerre était jolie ! Mais les deux rives de la crevasse qui s'était ouverte sous nos pieds en ce 10 juillet de sinistre mémoire s'écartaient chaque jour un peu plus. Très vite ce fut un gouffre. Le genre de tempête, de tourmente, que nous venions de traverser, érode tout. L'amour, la tendresse, tout y passe. Le regard change. Du Moulin, Stéphanie fit son QG, et moi, je ne voyais dans cette bâtisse tout en longueur qu'un cercueil. Alors j'ai senti que pour sauver ma peau, je devais échapper aux murs tapissés de photos de Laurette, aux bougies qui brûlaient jour et nuit sur le rebord de la cheminée transformée en autel, devant un portrait rieur de ma fille. Je me suis retranché de plus en plus dans mon studio et la musique. Quitte à être seul, autant que ce soit dans mon univers. Alexis avait pris l'habitude de venir me rejoindre pour taper comme un sourd sur sa batterie qu'il maîtrisait de mieux en mieux. Il était le rayon de soleil de ma journée et je mettais ma scène de naufrage sur pause quand il était là. Il avait trop à faire avec sa propre douleur pour endosser la mienne.

Je continuais donc de couler à pic pendant que l'association était en plein essor, les résultats magnifiques et Stéphanie plus pugnace que jamais. Marie, elle, tournait beaucoup. Elle était heureuse et avait planifié d'épouser Richard, son compagnon, et par là même de devenir madame Charest. Le mariage fut célébré en octobre, en Corse, à Corbara, notre village. Marie tourbillonnait en riant au milieu de son univers et du nôtre réunis pour la circonstance. Il faisait beau. Le souvenir de Laurette fut très présent. Alexis dansa, déconna avec ses copains comme tous les mômes du monde un jour de mariage. Il tirait son épingle du jeu. Cette faculté qu'ont les enfants à encaisser sans broncher, enfouir le tout au plus profond de leur âme et continuer à vivre, me fascine et m'émeut. « Même pas mal ! »

Ça faisait trente-huit ans que j'avais choisi de faire de la chanson mon métier. Trente-six que je chantais. Pendant toutes ces années, j'avais vu, comme tous ceux de ma génération, évoluer notre société, les mentalités, les comportements, les technologies et je gardais, de ce que tous s'accordent à appeler des avancées, l'impression désagréable d'un fourvoiement général. On a perdu de la folie en route sans rien gagner d'autre que du stéréotypé, du normalisé, du formaté, du prêt à consommer. Pour la première fois de ma vie, je ne voyais pas d'espoir et assumais de n'être pas un homme du futur. Je ne suis définitivement pas de ce monde d'ores et déjà en place et qui ne fera qu'empirer. L'argent a remplacé Dieu – l'idéal, l'utopie –, et les pires raisonnements sont sous-tendus par l'appât du gain. Le sens du commerce devenu sens obligatoire a supplanté le sens commun. La vulgarité s'est érigée en arbitre des élégances et je ne vois pas bien comment le processus de dégradation pourrait s'inverser. Internet, que les pouvoirs publics nous ont présenté comme l'autoroute de la connaissance, se révèle être surtout un souk, une galerie marchande universelle où les sites de cul et de jeux l'emportent largement sur ceux qui rendent intelligent. Le clivage entre les nantis et les pauvres, contre lequel nous nous sommes battus toute notre vie, reste d'actualité, mais au bout du compte, l'écart va également se creuser entre ceux qui savent et qui font avancer le schmilblick et ceux qui suivent et consomment sans chercher à savoir. Une autre féodalité, apparemment plus douce mais tout aussi tragique. Un constat d'échec cuisant pour notre génération qui a trop souvent pensé que les imperfections allaient se gommer avec le temps alors qu'elles n'étaient que les prémices des grandes lignes de l'avenir. Nous avons trop fait confiance à notre espoir. Le cynisme, ce cancer de l'âme, en a profité pour le ringardiser, et « tueur » est devenu un qualificatif élogieux.

En février, Sylvie Courtois, une adorable amie qui se rendait en Corse en voiture, s'était chargée de descendre les cendres de Laurette. Je ne voulais pas les faire voyager en avion. Je ne supportais pas l'idée de leur faire passer les portiques de sécurité et les contrôles aux rayons X par des agents soupçonneux. C'était le moment de mettre en terre l'olivier qu'elles allaient nourrir. Monsieur Munier, le pépiniériste de Lumio, savait que cet arbre allait représenter pour nous une sorte de stèle et choisit lui-même le plus beau parmi ceux qui avaient l'âge de Laurette. J'avais fait préparer sur la plus haute « restanque » de la propriété une construction en pierres que les ouvriers emplirent d'une belle terre corse. Lorsqu'ils eurent aménagé le trou qui allait recevoir l'arbre et sa motte, ils s'éclipsèrent. J'ouvris alors l'urne et déversai son contenu. On est peu de chose lorsqu'on est retourné en poussière et « partir en fumée » n'est pas une vaine expression. J'ai plongé avec une grosse émotion la main dans cette fine poudre grise et l'ai bien répartie sur le fond du trou. Puis les ouvriers revinrent placer respectueusement l'olivier et recouvrir à jamais ce qui restait du corps de ma fille. Il se dégage une vraie majesté de cet arbre et de ce lieu qui se voit de tous les coins de la propriété et j'ai plaisir à penser qu'un jour mes propres cendres iront rejoindre celles de Laurette sous cet olivier désormais magnifique. Je sais, je sais, tout cela est symbolique, mais n'étant pas croyant, il ne me reste que les symboles pour tenir debout.

De retour à Paris, je recommençais à broyer du noir, à reprendre mes réflexions floues et ma descente vers les abysses quand soudain, l'image des artistes, auteurs-compositeurs-interprètes de ma génération se détacha de façon claire de la bouillasse qui emplissait ma tête. Ce fut une sorte d'évidence, tout à coup. Il fallait que je leur dise. Avant d'arrêter et de partir faire de la sculpture en Corse, je devais leur dire le respect que j'avais pour eux, saluer le talent qu'ils affichaient depuis quatre décennies. Je tenais à ce qu'ils sachent que j'étais fier d'avoir tracé ma route à côté d'eux ou jamais loin. Nous sommes tous des grands timides. Nous avons tous peur du jugement de nos pairs. Toute tentative d'ouverture des bras peut passer pour une agression. Mais là je n'avais plus aucune pudeur. Je m'en fous les gars, j'arrête, moi, alors je peux vous dire ce que je pense de vous, je peux vous dire que je vous aime et je me tape éperdument de la manière dont vous prendrez ma déclaration d'amitié.

Alors, je leur ai écrit une lettre, la même pour tous. Si on veut que ce soit sincère, c'est forcément one shot, ce genre de missive. Et puis, je leur ai avoué que si je n'avais qu'un dernier album à réaliser ce serait pour leur rendre hommage et que s'ils avaient un texte sous le coude, oublié dans un tiroir, dans un dossier sur le sommet d'une armoire, j'étais preneur. Preneur de leurs mots, leurs respirations, leurs façons d'enchaîner les idées, leurs rimes favorites.

J'avais envie de faire corps avec eux, avec ma génération, cette bande d'artistes incroyables qui ont fait chanter, rêver, aimer notre peuple. Voilà ce que je voulais leur dire et tant pis si l'un ou l'une d'entre eux me prenait pour un barjo ou pire, un benêt. Depuis la disparition de Laurette je m'étais juré de ne plus jamais rater une occasion de dire « je t'aime », sans honte et sans pudeur. Rien d'autre n'est plus important, ni sérieux.

Mes chers consœurs et confrères

J'aurais volontiers écrit « mes chers ami(e)s », mais ami(e)s en réalité nous ne le sommes pas, et il m'arrive fréquemment de le regretter. Cela dit, la noblesse qu'il y a dans la confraternité me satisfait amplement.

Il y a quelques mois, déstabilisé par un séisme personnel, je me suis promis de ne m'attacher, désormais, qu'à l'« essentiel ». Bilan, doute, survol des réussites et des échecs, etc., et l'idée de confraternité m'est apparue évidente en réalisant, avec une réelle émotion, que, depuis trente-cinq ans (plus pour certains d'entre vous, moins pour d'autres), nous nous sommes côtoyés sur des plateaux de télé, sur les ondes ou dans les manifestations auxquelles nous ne pouvons pas échapper, sans nous connaître vraiment ou sans paraître forcément nous apprécier mais sachant, les uns et les autres, reconnaître le talent et une bonne chanson. Et quelle masse de talent vous représentez ! Quelle belle brochette de cadors vous êtes ! Je crois même que dans le domaine de la chanson populaire, c'est la première fois qu'on en trouve autant en même temps et sur une période aussi longue. Et que de chansons immortelles sont nées de vos bonheurs, de vos souffrances ou de vos emmerdes en tout genre ! Alors, BRAVO et MERCI. Je suis fier d'avoir fait partie de la bande et d'avoir été, à vos côtés, de ce « tronc commun » de la culture populaire de notre pays.

J'envoie ce message à mes douze confrères et sœurs, auteurs (dans l'ordre alphabétique) : Francis Cabrel, Yves Duteil, Françoise Hardy, Michel Jonasz, Serge Lama, Bernard Lavilliers, Maxime Leforestier, Eddy Mitchell, Claude Nougaro, Renaud, Véronique Sanson. Notre métier étant devenu ce que nous savons, je crois qu'il est temps de penser au point d'orgue de la fin de ma partition. J'aimerais que ce point d'orgue soit un hommage à vous. Le seul moyen que j'ai de vous rendre cet hommage est encore de faire la seule chose que je sais faire, de la musique et des mélodies, et boucler ma boucle en chantant un texte de chacun d'entre vous. Cela prendra le temps qu'il faudra. Pour cet opus hors du commun, je n'imagine que l'excellence. C'est la moindre des choses compte tenu de la valeur de votre cadeau.

Si mon envie vous parle, appelons-nous, voyons-nous, bouffons, buvons, déconnons, ne serait-ce que pour rattraper un peu du temps perdu.

Puisque nous sommes en début d'année, je profite de l'occasion pour vous souhaiter une magnifique année 2003 et formuler le vœu que des bijoux sortent encore longtemps de vos échoppes.

Je vous salue affectueusement.
Michel

Françoise Hardy fut la première à répondre. Tous n'ont pas donné suite mais d'autres se sont ajoutés à la liste : Allain Leprest, Gérard Manset, Louis Chedid, Salvatore Adamo, Michel Sardou. Je ne comptais pas Charles Aznavour comme faisant partie de notre génération et pourtant il fut joyeusement l'aîné de l'aventure. Claude Nougaro, notre poète vénéré, me laissa un ultime message avant de passer de l'autre côté du miroir de Cocteau. Yves Duteil, lui, reprit le « bravo et merci » que je leur avais adressé et il nous parut évident que l'album ne pouvait pas porter un autre titre que mon cri du cœur.

Pendant la promo de *Bravo et merci*, j'ai tellement expliqué le pourquoi, le comment de cet opus qui a toute mon affection, que j'ai trop peur d'avoir usé mon discours pour le recommencer ici. Je ne retiens que l'amitié que j'ai reçue et le constat ému que nos rapports ont changé. La tendresse est bonne à prendre et à donner. J'ai souvent dit que vous m'aviez sauvé la vie, mais non, vous m'avez sauvé l'envie. Bravo, c'était pas facile. Bravo encore, et merci mes frères et sœurs.

Dès que j'ai reçu le superbe texte de Françoise Hardy, je me suis remis au travail. Je retrouvai la musique, mon amie de toujours. Je crois bien que c'est à ce moment-là que j'ai touché le fond. Le fond de quoi, au fait ? Vers quel fond descend-on lorsqu'on coule, comme ça, sans volonté de regarder vers le haut ni d'échapper à la noyade ? C'est quoi ce sombre océan ? Soi-même ? On descendrait jusqu'au tréfonds de soi ? Pourquoi pas. C'est donc au tréfonds de moi que j'ai poussé du pied pour entamer la longue et lente remontée.

J'étais encore entre deux eaux. Très affaibli, j'hésitais entre renoncer ou redoubler d'efforts. Là, une sirène m'observait depuis un moment. Elle sentait mon hésitation et voyait bien que je manquais d'air. Elle me prit doucement la main pour ne pas m'effrayer et me tira vers la surface. Comme elle était maligne, cette sirène me laissait croire que je remontais tout seul, par mes propres moyens et me disait gentiment, pour m'encourager, que ma place était là-haut, à l'air libre et au soleil, là où les oiseaux sillonnent le ciel. Alors j'ai battu des pieds un peu plus fort, pour aller plus vite et pour lui faire plaisir, aussi. Les yeux rivés sur la surface vers laquelle je remontais, je sentais maintenant mes poumons au bord d'exploser. Ça faisait trop longtemps que j'étais en apnée. La sirène s'en rendit compte et n'eut d'autre recours que de me faire du bouche à bouche pour m'insuffler la goulée d'air qui allait me permettre de tenir. Encore quelques mètres et ça y était. J'ai jailli hors de l'eau jusqu'à la ceinture, aspiré, vidé l'atmosphère de cent mètres cubes de son oxygène et planté mon regard dans le bleu du ciel. Puis, je me suis retourné. Ma sirène était là. Elle riait d'un grand rire à la fois cristallin et espiègle dont seules les sirènes ont le secret. C'est là que j'ai vu ses yeux. Verts, lumineux et en amande. Des yeux d'âme... Elle me rappelait quelqu'un mais qui ? Ah, oui ! Elle avait quelque chose de cette chanteuse que j'avais connue en été à L'Île-Rousse. Je la remerciai avec chaleur et elle me ramena à la terre ferme. Là, nous nous sommes endormis. Elle n'avait toujours pas lâché ma main.

L'imagination n'ayant pas pris le pouvoir avec l'arrivée des marketeux dans l'industrie phonographique – le petit monde du disque, en terme simples –, la renaissance d'un artiste passe généralement par un best of. Technique qui voile à peine sa rouerie pour vendre d'anciennes chansons à des gens qui les ont déjà en double sinon triple exemplaire. Mes amis d'EMI, connaissant l'animal, m'achetèrent en me proposant dans la foulée un « long box », qui offre une soixantaine de titres dans un coffret prestigieux de trois CD. Compile pour compile, autant que ce soit bien fait et que ça ne sente pas la récupération de fond de tiroirs conçue par des paltoquets. J'ai bien sûr exigé d'écrire le livret et de faire le choix des chansons moi-même et, à la finale, l'objet correspondait à l'image que je m'en faisais. Élégant, représentatif de mon parcours et pas trop con. On lui donna comme nom celui d'un titre créé pour l'occasion : *C'est pas de l'amour, mais c'est tout comme.*

La sortie de ce best of me ramena sur les plateaux de télé où je reçus de gros bouquets de chaleur de la part des animateurs qui eurent le tact de ne pas tomber dans le pathos. Aux indélicats qui insistaient, j'ai rapidement expliqué que nous n'étions pas les seuls à avoir perdu un enfant, que tous les jours des dizaines de mômes mouraient de mort violente dans les rues de Bagdad, que des familles entières avaient été perdues corps et biens dans l'accident d'avion de Charm-el-Cheikh, et ça n'allait pas plus loin.

L'idée d'un spectacle musical à partir de tout mon répertoire commença à germer. Au fil des mois, il monta en tige et finit par mûrir début 2005, en hiver. On n'aurait pas dû moissonner à cette époque de l'année. Pas bon. Il y a quelquefois des projets mal nés qu'il vaut mieux laisser dans les cartons. Jean-Claude Camus, producteur du spectacle, passa avec une chaîne de télévision un accord qu'il jugeait inespéré pour l'exposition de cet « Attention mesdames et messieurs » qui devait voir le jour le 5 décembre 2005, aux Folies-Bergère. L'effet fut inverse, tout à fait désastreux et le spectacle un flop. Malentendu ? Mauvaise pioche ? Peu importe. Dans ce genre de situation on n'échappe pas aux règlements de comptes et aux mots de trop. À l'issue de ces trois mois de représentations et de ce bide immérité, car le résultat du travail de Roger Louret n'était pas mal du tout, Jean-Claude Camus et moi avons mis un terme à quinze ans de collaboration amicale et néanmoins fructueuse. Allez ! Comme au tennis, on oublie les mauvais coups et on continue.

En vérité, je n'étais pas mécontent. Je commençais à en

avoir plus que marre de regarder en arrière. Maintenant que j'étais re-vivant, c'est devant que je voulais aller.

Sale début d'année 2006. Du temps perdu, de l'énergie gaspillée, des amitiés dispersées par un vent mauvais et, en toute logique, la rupture du dernier fil d'une corde qu'on aurait pu croire infrangible. Le poids était trop lourd, Stéphanie et moi ne vieillirons pas ensemble.

Un ami juif m'avait un jour énoncé un proverbe de sa culture : « Pour guérir d'un passé qui te retient prisonnier et te cache l'horizon, traverse une eau. »

J'ai remis ma sirène dans son aquarium et nous sommes partis définitivement nous installer en Corse.

J'y ai terminé dans l'allégresse l'écriture des chansons de *Bravo et merci* au fur et à mesure que mes confrères et consœurs m'ont fait parvenir leurs œuvres. J'y ai mis en route, comme si j'étais immortel, ce que j'espère être mon avenir. J'y ai même commencé, inconscient que j'étais de l'épreuve que cela représentait, la relation de mon parcours chaotique et sinusoïdal pendant lequel j'ai essayé de ne pas m'égarer ni me trahir et de rire autant que faire se pouvait, même si, bien malgré moi, une grosse larme est tombée sur le papier.

TABLE DES MATIÈRES

1 – Ma terre à moi 9

2 – Voreppe 17

3 – Les grandes vacances 39

4 – Champo et autour... 49

5 – Jean-Michel Barjol 67

6 – 12, rue de Seine 81

7 – 44, rue de Miromesnil 113

8 – 313, rue de Vaugirard 153

9 – Mai 68 163

10 – Le Minotaure 171

11 – 51, rue du Bois-de-Boulogne 183

12 – Un enfant dans la ville 197

13 – La troupe 211

14 – Big Bazar 1 225

15 – Big Bazar 2 247

16 – Big Bazar 3 267

17 – Big Bazar 4 283

18 – Big Bazar 5 307

19 – Un jour d'été dans un havre de paix 335

20 – Saltimbanques et compagnie 355

21 – L'atelier 367

22 – Le foutoir 395

23 – Chanteur ! 409

24 – Laurette 433

25 – Et ensuite... 453

Direction littéraire
Huguette Maure
assistée de
Maggy Noël
et
Édouard Boulon-Cluzel